# Histoires de femmes

TOME 2

# Félicité

## Une femme d'honneur

# LOUISE TREMBLAY D'ESSIAMBRE

## Histoires de femmes

TOME 2

## Félicité

### Une femme d'honneur

Guy Saint-Jean
ÉDITEUR

**Guy Saint-Jean Éditeur**
4490, rue Garand
Laval (Québec) H7L 5Z6
450-663-1777
info@saint-jeanediteur.com
saint-jeanediteur.com

. . . . . . . . . . . . . . . .

**Données de catalogage avant publication disponibles à Bibliothèque
et Archives nationales du Québec et à Bibliothèque et Archives Canada**

. . . . . . . . . . . . . . . .

Nous reconnaissons l'aide financière du gouvernement du Canada par l'entremise du
Fonds du livre du Canada (FLC) ainsi que celle de la SODEC pour nos activités d'édition.
Nous remercions le Conseil des Arts de l'aide accordée à notre programme de
publication.

Financé par le gouvernement du Canada | Canadä    SODEC Québec    Conseil des Arts du Canada    Canada Council for the Arts

Gouvernement du Québec – Programme de crédit d'impôt pour l'édition de livres –
Gestion SODEC

© Guy Saint-Jean Éditeur inc., 2018

Édition : Isabelle Longpré
Révision : Isabelle Pauzé
Correction d'épreuves : Johanne Hamel
Conception graphique et mise en pages : Christiane Séguin
Page couverture : Toile peinte par Louise Tremblay d'Essiambre, « Petit chalet d'Irénée
et de Félicité », 2018

Dépôt légal – Bibliothèque et Archives nationales du Québec, Bibliothèque et
Archives Canada, 2018
ISBN : 978-2-89758-605-8
ISBN EPUB : 978-2-89758-606-5
ISBN PDF : 978-2-89758-607-2

Imprimé et relié au Canada
1ʳᵉ impression, février 2019

Guy Saint-Jean Éditeur est membre de
l'Association nationale des éditeurs de livres (ANEL).

*À Isabelle, Geneviève, Christiane et Lucie, ces femmes qui travaillent un peu dans l'ombre, mais sans qui mes livres n'arriveraient jamais jusqu'à vous.*

*Un merci tout spécial à Claude pour toutes ces années de partage dans le travail et l'amitié.
Bonne route !*

« Un homme n'est jamais si grand
que lorsqu'il est à genoux pour aider
un enfant. »

Pythagore

## NOTE DE L'AUTEUR

Enfin l'été ! Vous savez à quel point j'aime le soleil, n'est-ce pas ? Alors, je souhaite de tout cœur que cette année, il nous comble de ses rayons ! Malgré l'horaire un peu chargé qui sera le mien pour les prochains mois, il me semble qu'un peu de beau temps et de chaleur m'aideraient à poursuivre ma tâche sans trop de difficulté.

Ce matin, il y a tout plein de soleil dans ma cour et les outardes folâtrent dans l'eau bleue. C'est donc avec plaisir que je retrouve Marion. Elle ne sait pas encore que son frère vient de s'enfuir, mais je crois qu'elle va accepter sa décision sans la moindre hésitation. En effet, au moment où elle apprendra la désertion d'Ovide, Marion aura le même réflexe que lui.

Partir, fuir loin, très loin, pour ne plus être obligée d'aider cette famille Couturier qui est la sienne, surtout dans les conditions qu'on veut lui imposer.

Toutefois, dans le cas de Marion, pour s'enfuir, elle devrait laisser la petite Anita derrière elle, sans savoir ce qui pourrait lui arriver, et elle en serait incapable. Malgré le passage du temps, Marion lui est toujours aussi attachée.

Puis, il y a madame Éléonore, qu'elle aime comme une seconde mère. En fait, madame Légaré est bien la seule femme que la jeune fille aurait envie d'appeler maman, quand le ciel de sa vie se couvre de nuages menaçants. Cette femme-là est le seul être sur Terre en qui elle a une confiance absolue et l'abandonner lui serait impossible.

Madame Éléonore, cette femme de cœur…

Cependant, malgré tout l'amour qu'elle porte à Marion, la cuisinière de la famille O'Gallagher pourra-t-elle lui être utile quand le grand Tonin se pointera au manoir pour réclamer l'argent de l'été et la présence de sa fille aînée auprès de sa femme ? Rien n'est moins sûr. Personne n'aime se frotter à cet homme rustre et gueulard qui avance dans la vie en piétinant toutes les plates-bandes qu'il croise en chemin, sans se soucier s'il écrase de fragiles petites pousses.

En parallèle, nous continuerons de suivre Agnès et la tante Félicité, qui se retrouvera au cœur de la tourmente qui secoue la pauvre Éléonore. Mais l'amitié, c'est aussi fait pour aider ceux qu'on aime, n'est-ce pas ? Félicité saura-t-elle soutenir efficacement sa nouvelle amie ? On a beau n'avoir peur de personne, il y a parfois certaines limites qu'on n'arrive pas à franchir.

Puis, il y a Irénée, James et tous les autres. Ils ne pourront sûrement pas rester indifférents au sort qui attend Marion et à la détresse de la gentille cuisinière.

Et ce n'est pas tout ! Que diriez-vous de faire un petit détour par Québec ? Ça m'intrigue de savoir ce que deviennent Judith et Cyrille. Il me semble qu'ils sont encore bien jeunes pour s'en tirer aussi facilement que le jeune homme l'avait écrit à son ami Fulbert. Après tout, si je ne m'abuse, ils ont tout juste seize ou dix-sept ans.

Comme vous pouvez le voir, j'ai du pain sur la planche pour occuper tout un été ! Mais je les aime tellement, tous ces beaux personnages, que c'est avec bonheur que je vais m'enfoncer dans les bois à la suite d'Ovide. Je suis curieuse de voir jusqu'où il a l'intention d'aller ! Ensuite, quand nous serons rassurés sur son sort, nous reviendrons au manoir, promis ! J'ai bien l'impression que la journée n'est pas encore terminée pour eux, même s'ils ne s'en doutent pas le moins du monde, car dans la cuisine des O'Gallagher, en ce moment, ça papote à qui mieux mieux, et ça grignote les excellentes galettes au beurre de madame Éléonore. Non, c'est plus loin que l'orage se prépare, j'en suis certaine. Dans une bicoque mal isolée, à la croisée des chemins, j'entends des cris, des imprécations, et ce ne sont sûrement pas ceux de Marion, à qui madame Éléonore a inculqué de bonnes manières. Présentement, dans la cuisine des Couturier, ça gronde comme un coup de tonnerre qui roulerait à l'horizon… ou plutôt comme un coup de semonce, ce qui est encore plus terrifiant.

Quoi qu'il en soit, ça m'inquiète.

Je vous quitte donc ici, en vous invitant cependant à me suivre. Sait-on jamais, il serait peut-être préférable d'y aller à deux. Devant le grand Tonin, on n'est jamais sûr de rien.

Bonne lecture !

# FAMILLE COUTURIER

## Josette Lafond Couturier    Antonin « Tonin » Couturier

| Ovide (1911-) | Marion (1913-) | Hector (1915-) | Ludivine (1916-) | Barnabé (1919-) | Hortense (1921-1923) | Jules (1923-) | Anita (1924-) | Léon (1926-) | Bébé à naître (1928-) |

# FAMILLE O'GALLAGHER

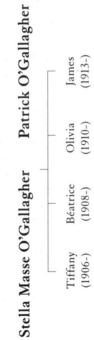

Stella Masse O'Gallagher     Patrick O'Gallagher

Tiffany
(1906–)

Béatrice
(1908–)

Olivia
(1910–)

James
(1913–)

# FAMILLE LAFRANCE

Irénée Lafrance     Thérèse Joncas

Jaquelin Lafrance – Marie-Thérèse Gagnon
(1887-)    (1891-)

Lauréanne Lafrance – Émile Fortin
(1881-)    (1878-)

| Cyrille | Agnès | Benjamin | Conrad | Ignace | Angèle | Albert | Albertine | Camille |
|---------|-------|----------|--------|--------|--------|--------|-----------|---------|
| (1910-) | (1912-) | (1914-) | (1916-) | (1918-) | (1921-) | (1923-) | (1923-1925) | (1926-) |

# PROLOGUE

## *À Villeneuve*

Ovide avançait lentement. Petit à petit, son cœur avait cessé de battre la chamade, certes, mais il n'en restait pas moins qu'il sursautait encore quand il entendait un craquement inusité, un froissement de feuilles plus intense. Il s'arrêtait, tendait l'oreille, puis, invariablement, il se remettait à marcher, se traitant d'idiot. Il s'en faisait assurément pour rien, car personne n'aurait l'idée de le chercher jusqu'ici.

Ovide allait d'un arbre à l'autre sans trop savoir vers où il se dirigeait, sinon que c'était en direction de l'ouest, à cause du soleil couchant. Il ouvrait son chemin à gestes précis, presque rageurs, en cassant des branches, en piétinant les hautes herbes qui obstruaient sa route. Lui qui avait cru pouvoir arriver dans un quelconque village bien avant la noirceur n'en est plus aussi certain. Tant pis ! Comme le fond de l'air gardait encore des douceurs d'été, presque chaudes, il savait pouvoir trouver refuge sous un sapin afin d'y passer la nuit. Un grand arbre bien garni qui aurait enfoncé ses racines dans un sol mousseux serait parfait. Quant au repas du soir, il s'en fichait bien. Ovide Couturier était habitué d'avoir le ventre creux. Il se reprendrait demain, et de belle façon, quand il rencontrerait une auberge ou un boui-boui sur le bord de ce chemin qu'il ne manquerait pas de croiser, à un moment ou à un autre.

Cette damnée forêt ne serait pas sans fin, n'est-ce pas ?

Du bout des doigts, le jeune homme fit tinter les pièces de monnaie qu'il avait laissées tomber au fond d'une poche ; puis, du plat de la main, il tâta l'épaisseur de l'enveloppe que sa sœur lui avait remise et qu'il avait glissée dans l'autre poche de son pantalon. Il se sentit rassuré. Il y avait là suffisamment d'argent pour survivre durant de nombreuses semaines.

La perspective d'œufs sur le plat accompagnés de jambon lui tira un sourire, puis Ovide prit une longue inspiration.

Libre !

Il était enfin libre.

Que pourrait-il demander de plus, sinon se retrouver rapidement à Montréal, là où il pourrait se fondre dans l'anonymat des passants et cesser de tressaillir au moindre bruit ? Jamais son père ne pourrait le retrouver dans une ville aussi peuplée. Du moins, Ovide le supposait-il, car jusqu'à maintenant, il n'y avait jamais mis les pieds. En fait, il n'avait jamais dépassé les limites de Villeneuve. Toutefois, s'il se fiait aux dires d'Athanase Chartrand, le professeur de la paroisse, il serait en sécurité à Montréal parce que c'était vraiment une grande ville.

— Comme certaines villes américaines, avait ajouté le maître. De celles où l'on peut marcher durant des heures et des heures sans rencontrer personne de sa connaissance.

Aux yeux d'Ovide, pour l'instant, c'était tout ce qui comptait : disparaître aux yeux de tous ceux qu'il connaissait.

Le jeune homme s'arrêta un moment pour essayer de s'orienter.

De tous bords tous côtés, il n'y avait que des arbres et des broussailles. Le soleil avait rapidement baissé, et présentement, seule la cime de quelques épinettes plus hautes que les autres arrivait encore à capter des rayons lumineux.

Comme de hautes sentinelles, ces arbres éparpillés à travers bois semblaient montrer la route à Ovide, qui ne s'était jamais aventuré aussi profondément dans la forêt. La maison de ses parents étant située à l'entrée d'un rang, l'enfance d'Ovide s'était déroulée à travers les champs de maïs, où, contre quelques sous, il avait parfois cassé des épis. D'aussi loin qu'il puisse s'en souvenir, Ovide Couturier avait souvent glané du travail à droite et à gauche, surtout à la fin de l'été, quand il n'était plus capable de supporter les cris des bébés et les remontrances de ses parents, et qu'il se sauvait de la maison dès le croûton du matin avalé. Quand il rentrait chez lui, à la tombée du jour, il déclarait avoir passé la journée à flâner ici et là avec quelques amis, et il pouvait ainsi garder l'argent récolté. Le grand Tonin avait toujours cru les prétentions de son fils aîné, ou alors, il en donnait l'air, car il l'avait invariablement défendu quand sa mère émettait des objections.

De tous les enfants Couturier, c'était assurément Ovide qui avait eu la meilleure part.

Malgré cela, il était content d'avoir osé s'enfuir.

De toute façon, il n'avait pas eu le choix, car il n'était pas question pour lui d'être l'esclave de ses parents. Travailler jour après jour pour compenser un manque à gagner, à cause d'un père paresseux, ne faisait nullement partie des projets d'avenir d'Ovide. Il n'avait pas fréquenté l'école jusqu'à seize ans pour passer sa vie à se promener d'un travail précaire à un autre, sans jamais savoir de quoi le lendemain serait fait. Il y avait surtout qu'il n'était pas question de partager sa paye avec qui que ce soit. Car c'était là ce que sa mère avait dit : il trouverait à se faire engager un peu n'importe où pour compenser les gages que Marion ne rapporterait plus.

À ce moment bien précis, Ovide eut une pensée pour sa sœur qui, sans se plaindre, remettait tous ses revenus à sa famille, mois après mois. Lui, il se serait révolté, aurait exigé sa juste part. La preuve, c'est qu'il était parti de la maison pour ne plus jamais y revenir dès que sa mère avait osé affirmer qu'il travaillerait dorénavant pour l'aider à joindre les deux bouts.

Ovide continua d'avancer avec le nom de Marion en tête.

Il s'était peut-être moqué d'elle quand elle avait revendiqué d'être appelée par son véritable prénom, au lieu de Marie, mais dans le fond, Ovide avait admiré son entêtement.

Du bras, il repoussa quelques arbustes encore frêles, revoyant le visage calme de Marion, son sourire radieux quand elle était heureuse. Il songea alors qu'il ne l'avait pas vue sourire souvent, quand elle habitait encore à la maison. Par contre, depuis qu'elle vivait au manoir, sa sœur s'était épanouie et elle riait parfois de bon cœur.

Et dire que ce temps d'apprentissage auprès de madame Légaré tirait à sa fin… Pauvre Marion !

Que dirait-elle quand son père passerait la chercher ? Car il ne faisait aucun doute que le grand Tonin se présenterait au manoir pour exiger le retour de Marion sous le toit de la maison familiale.

L'espace d'un battement de cœur, Ovide eut une petite amertume dans la bouche, comme le goût rance d'un regret d'avoir si peu connu sa sœur. Ils auraient peut-être dû faire front commun contre les parents, avec l'espoir de voir s'améliorer l'atmosphère sous le toit des Couturier. Peut-être. C'étaient tous les autres enfants qui auraient pu alors en profiter. Cependant,

Marion et lui n'en avaient jamais parlé et, au bout du compte, rien ne dit qu'ils se seraient bien entendus.

La tête ailleurs, Ovide trébucha contre une racine, lâcha un juron et poussa un soupir d'impatience. L'instant présent venait de rattraper son pitoyable passé et il prit subitement conscience qu'il faisait quasiment nuit.

Ovide regarda autour de lui: la noirceur s'était glissée subrepticement entre les troncs grisâtres et le feuillage dense au-dessus de sa tête cachait la faible clarté du ciel qui se couvrait lentement. Plus question d'avancer, même avec précautions, car il risquait de tourner en rond et peut-être même de se blesser, sans le soleil pour le guider.

Ovide se laissa tomber au pied du premier sapin touffu rencontré. Si la pluie se mettait de la partie, il serait protégé.

Il enleva quelques cailloux et balaya le sol du revers de la main. Ensuite, il retira sa veste de laine élimée et il s'en fit un petit coussin pour y poser la tête. Heureusement, même si le fond de l'air avait rafraîchi, il ne faisait pas vraiment froid.

Épuisé, tant par la marche à travers la forêt que par toutes les émotions vécues durant les dernières heures, Ovide ferma les yeux.

Demain, à la barre du jour, il reprendrait la route pour enfin rejoindre un village, ou une maison, ou tout simplement un chemin qu'il pourrait suivre avec plus de facilité. À force de marcher, toujours droit devant, il finirait bien par trouver une gare, un arrêt d'autobus, une charrette ou un camion…

Le ventre d'Ovide gargouilla pour réclamer sa pitance quotidienne et l'image de la table familiale s'imprima spontanément dans les pensées du jeune homme. À l'heure qu'il était, ses parents devaient avoir compris que leur fils ne reviendrait pas, comme il l'avait promis.

Que faisaient-ils, que disaient-ils ?

Ovide imagina sans peine son père faisant les cent pas dans la pièce qui servait à la fois de cuisine, de salle à manger et de salon. Il l'entendait presque vociférer contre lui, se frappant la paume de la main avec son poing refermé. À moins qu'il ne soit déjà parti à sa recherche.

Était-il déçu, en colère ?

Devant cette question à laquelle Ovide préférait ne pas donner de réponse, la crampe causée par la faim qu'il ressentait depuis tout à l'heure se transforma aussitôt en spasme de peur.

S'il fallait que son père le retrouve un jour…

Ovide se recroquevilla sur lui-même, comme quelqu'un qui voudrait parer les coups et, s'obligeant à ne penser à rien d'autre qu'à une assiette bien remplie, le jeune homme finit par sombrer dans un mauvais sommeil. Dans ses rêves, les arbres immenses de la forêt se refermaient autour de lui comme les barreaux d'une cage et, quand il voulait crier pour appeler à l'aide, aucun son ne sortait de sa bouche grande ouverte…

# PREMIÈRE PARTIE
## Été 1927

« Pourquoi faut-il que les choses qu'on espère depuis longtemps soient souvent gâchées par des déceptions ? J'avais pourtant passé un bel après-midi avec Agnès. Même la rencontre avec Ovide s'était bien terminée et, pour la première fois depuis un an, j'avais hâte de le revoir. Je ne comprends pas ce qui a pu se passer… Mon frère est-il sournois au point de me jouer la comédie comme ça ? Et moi toujours aussi naïve ? Pourtant, je le croyais sincère…

Quand nos visiteurs sont partis, tout juste avant le souper, tout le monde était de bonne humeur. Je ne l'aurais jamais cru, mais madame Félicité aussi était souriante et gentille. La cuisine sentait le poulet rôti et madame Éléonore a promis à tout le monde que la prochaine fois, elle les inviterait à manger. Monsieur Émile a répondu qu'il attendrait cette invitation avec impatience en se tapant sur le ventre et ça nous a bien fait rire, madame Éléonore et moi. C'est pour ça que jamais je n'aurais pu imaginer que la journée finirait aussi mal.

Jamais !

Je ne veux pas retourner chez mes parents. Pourtant, c'est ce que je suis obligée de faire parce que ma mère doit garder le lit pour les six prochains mois, à cause de l'autre bébé qu'elle attend. Ce n'est pas juste ! Pourquoi c'est moi qui dois faire ça? Ludivine n'est pas capable? Depuis le temps que ma sœur me remplace, il me semble qu'elle aurait pu s'occuper de la maison toute seule. Il n'y a rien de bien difficile dans le fait de faire du ménage et de préparer des repas. Surtout des repas aussi simples que ceux que notre mère a l'habitude de cuisiner… si on peut appeler ça de la cuisine!

Il y a surtout que je ne veux pas laisser madame Éléonore. C'est avec elle que je veux rester pour continuer d'apprendre à faire de bons petits plats, comme elle le dit. Je veux aussi continuer à lire, tous les soirs, quand le travail est fini. Il y a tellement de beaux livres qu'on a le droit d'emprunter dans la bibliothèque de monsieur O'Gallagher! Il y en a encore plus que dans la classe de monsieur Chartrand…

Puis, il y a monsieur James que je ne verrai plus. Parti comme c'est là, avec mon père qui m'attend en bas, sur le perron, je n'aurai même pas le temps de lui dire au revoir.

Non, je ne veux pas partir. Ça me fait peur. Si je reste trop longtemps chez mes parents, je suis certaine que c'est toute ma vie qui va être gâchée! »

# CHAPITRE 1

*Le dimanche 4 septembre 1927,*
*en fin de soirée, dans la cuisine du manoir,*
*en compagnie de madame Légaré*

Jamais Éléonore Légaré n'aurait pu imaginer qu'un jour elle pleurerait autant sans en mourir. C'était pourtant ce qu'elle était en train de vivre.

Depuis le départ de Marion, de longues minutes auparavant, les larmes de la pauvre cuisinière étaient intarissables.

Ruth et Pascaline, les deux femmes de chambre, avaient bien tenté de la réconforter, mais sans grand résultat.

Puis, madame Donatienne, la gouvernante, s'était présentée à la cuisine à son tour, mais elle avait fait chou blanc, elle aussi.

En désespoir de cause, monsieur Tremblay, le majordome, s'en était mêlé, mais à sa manière, silencieuse et discrète. Le grand homme tout de noir vêtu s'était contenté de s'asseoir en face de madame

Éléonore et, sans prononcer la moindre parole, il avait posé sa main ossue, mais toute chaude, sur celle de la cuisinière. Quand les sanglots se faisaient plus bruyants, il resserrait son étreinte. Ce fut ainsi que, lentement, les larmes s'étaient taries pour finalement se transformer en soupirs entrecoupés de reniflements.

— Je m'excuse, monsieur Tremblay, arriva à prononcer madame Éléonore, tout en s'essuyant le visage avec un coin de son tablier… Je suis en train de vous faire perdre votre temps avec mon gros chagrin. Je… J'ai l'air d'un vrai bébé et…

— Pas du tout, madame Légaré, interrompit Théodule Tremblay, tout en glissant vers elle un petit carré de batiste propre pour qu'elle puisse se moucher. Je vous connais depuis assez longtemps pour savoir que ce n'est ni un caprice ni une preuve d'immaturité. Sachez que moi aussi, je suis fort inquiet pour la pauvre Marion… Mais quel être grossier que ce monsieur Couturier. C'est à n'y rien comprendre !

— Pourquoi dites-vous ça, monsieur Tremblay ? hoqueta la cuisinière.

— Parce que c'est la vérité, pardi ! Je n'arrive pas à comprendre comment un être aussi barbare que cet Antonin Couturier ait pu engendrer une gamine douce et gentille comme Marion. Ça dépasse l'entendement.

— Oui, comme vous dites… C'est vrai que c'est plutôt surprenant. On entendait crier monsieur Couturier jusque dans la cuisine.

— Crier vous dites ? Il hurlait, oui. Comme si quelqu'un ici était responsable de ses déboires. On n'y est pour rien dans la fugue de son fils ni dans le fait que le galopin ait emporté les gages de Marion avec lui. Quel abruti d'oser réclamer le remboursement de cet argent !

— Pauvre monsieur O'Gallagher ! Il devait être dans tous ses états.

— Effectivement. Ce n'est pas arrivé souvent que je le voie perdre patience, mais ce soir, il était furieux… Par la suite, j'ai cru entendre, entre autres choses, que c'était pour se débarrasser du père de Marion le plus rapidement possible qu'il a accepté que celle-ci nous quitte dès ce soir.

— C'est l'évidence même, monsieur Tremblay. Personne n'aimait entendre monsieur Couturier hurler de la sorte… Il n'en demeure pas moins que pour moi, c'est tout un choc.

À ces mots, la pression de la main du majordome se fit plus forte.

— J'admets que ça doit être difficile. Mais il faut comprendre monsieur O'Gallagher, n'est-ce pas ? Il était hors de lui !

— Bien sûr… On le serait à moins que cela, vous ne croyez pas ?

— Je suis tout à fait d'accord avec vous, madame Légaré. La grossièreté m'a toujours exaspéré, moi aussi. Et les cris encore plus ! Quand les deux se conjuguent en même temps que l'impertinence, c'est à devenir fou !

— Mais qu'allons-nous faire, monsieur Tremblay ? On ne peut pas tourner la page comme si de rien n'était.

— On ne peut pas, c'est certain, rassura aussitôt le majordome. Mais de là à savoir ce que l'on doit faire… Je vais laisser retomber un peu de poussière et j'en reparlerai avec monsieur O'Gallagher. S'il y a quelqu'un qui peut intervenir dans cette situation désespérante, c'est bien lui.

— Heureuse d'entendre que je ne suis pas la seule à m'affoler !

— Mais non ! On aime tous la jeune Marion, et vous le savez fort bien…

À ces mots, la cuisinière esquissa un sourire tremblant que le majordome prit pour un retour au calme. Tant mieux ! Il n'était pas vraiment à l'aise devant l'étalage des émotions, même si, en ce moment, personne n'aurait pu s'en douter, tant il était fidèle à son image de rectitude.

— Là-dessus, madame Légaré, comme je vous vois remise de vos émois, je vais vous souhaiter une bonne nuit. Je suis épuisé.

— Ah oui ? Eh bien, bonne nuit, monsieur Tremblay… La mienne va probablement me sembler fort longue, car j'ai l'impression que le sommeil va me bouder.

— Peut-être, oui, qu'il y a matière à réflexion, dans cette terrible soirée que nous venons tous de passer, mais vous devriez tout de même faire un petit effort. Ce serait dommage de ne pas profiter des quelques heures à venir pour reprendre des forces. S'il faut livrer combat à ce monsieur Couturier, nous en aurons sûrement besoin... Pour le mouchoir, ajouta-t-il en montrant la boule chiffonnée que madame Légaré tenait dans sa main, vous pouvez le garder. Maintenant, si vous voulez bien m'excuser...

— Bien sûr, monsieur Tremblay, bien sûr. Et merci pour votre gentille visite dans ma cuisine. Elle m'a fait du bien.

L'instant d'après, le manoir était plongé dans le silence.

Madame Légaré n'avait cependant pas la moindre envie de monter se coucher tout de suite. Elle se doutait bien qu'en passant devant la porte de la chambre de Marion, elle se remettrait à pleurer comme une Madeleine, et si tel était le cas, elle craignait de déranger tous les membres du personnel qui avaient déjà regagné leur chambre. De toute façon, il y avait eu suffisamment de larmes pour aujourd'hui. Les siennes, qui avaient débordé durant près d'une heure, et celles qu'elle avait vues briller au coin des yeux de Marion quand celle-ci s'était précipitée dans ses bras au moment du départ.

— Pauvre petite, murmura Éléonore Légaré en se relevant pour remplir la bouilloire. Dans le fond, c'est elle la pire dans tout cela, pas moi.

La cuisinière éplorée était bien décidée à rester dans la cuisine pour un long moment encore. Plutôt que de monter se coucher, elle tenterait de réfléchir afin de trouver une solution à ce qu'elle qualifiait de malheureux gâchis.

« Pourquoi pas ? se dit-elle en jetant un regard derrière elle, comme si elle espérait voir apparaître sa jeune protégée sortant de la réserve. Tant qu'à avoir un chagrin immense, un chagrin si grand qu'il m'empêcherait de dormir, autant qu'il serve à quelque chose. »

Sur ce, elle déposa la bouilloire sur le rond du poêle et tourna le bouton pour l'allumer.

Tout d'abord, elle prendrait un thé bien chaud et essaierait de manger un peu. C'était sa façon à elle d'affronter les émotions trop fortes. Ensuite, quand elle serait plus calme, elle réfléchirait à la situation le plus froidement possible. Il y avait sûrement un moyen de satisfaire tout le monde. Il y avait sûrement quelque chose de tout simple qu'on ne voyait pas encore.

— C'est comme l'arbre qui cache la forêt, soupira-t-elle en ébouillantant les feuilles de thé.

Ensuite, elle sortit la boîte de petits biscuits au beurre et s'installa au bout de la table. Lorsqu'elle serait bien rassasiée et qu'elle aurait repris un certain contrôle sur son chagrin, elle tenterait de dormir un peu. Comme l'avait si bien dit le majordome, une fois la poussière retombée, on y verrait sûrement plus clair.

Pendant ce temps, Marion arrivait en vue de la maison de ses parents. La lumière brillait encore à la fenêtre, ce qui voulait dire que sa mère ne dormait pas. En effet, par souci d'économie et de sécurité, quand tout le monde avait regagné son lit pour la nuit, on éteignait toutes les lampes de la maison. Et tant pis pour ceux qui avaient peur dans le noir !

La route entre le manoir et la maison familiale des Couturier avait été pénible. Porté par la rage qui bouillonnait en lui, le grand Tonin avait avalé le chemin à grandes enjambées, tempêtant contre cet O'Gallagher qui n'avait pas eu la décence de lui offrir l'une de ses autos et son chauffeur privé pour les ramener chez eux, Marion et lui. Après tout, la nuit était tombée depuis un bon moment déjà.

— Sont ben toutes pareils, les riches ! avait-il grommelé. Une bande de frais chiés qui se prennent pour d'autres. C'est juste une bonne affaire que je t'aye sortie de là, ma fille ! Ouais, une ben bonne affaire. Pis il y a l'autre, là ! Le maudit Ovide... L'espèce de sans-cœur !

Tout en marchant, Antonin Couturier avait regardé autour de lui, sourcils froncés et narines dilatées, espérant peut-être apercevoir son fils, cet Ovide qu'il abreuvait de bêtises en même temps qu'il dénigrait Patrick O'Gallagher. Le grand Tonin s'était alors promis de faire tout en son pouvoir pour retrouver son fils, mort ou vif lui important fort peu ! Il voulait au moins savoir ce qu'il était advenu de lui pour arrêter de se poser des tas de questions qui, sinon, resteraient sans réponse. Le grand Tonin détestait ne pas maîtriser une situation et, en ce moment, il avait la sensation qu'Ovide faisait exprès pour le narguer. Cette perspective le mettait hors de lui.

Tout au long de la route, à quelques pas derrière son père, Marion avait tenté de garder le rythme, silencieuse, obligée de courir par moments pour ne pas être trop distancée. Le baluchon suspendu à son épaule lui battait les reins, et quelques nuages arrivés en procession depuis l'horizon, vers l'ouest, cachaient la lune et rendaient la course particulièrement difficile sur ce chemin caillouteux.

Puis, ils avaient traversé le cœur de cette petite ville de campagne que Marion connaissait depuis toujours. L'église, le presbytère, le magasin de Clermont Godbout, l'usine de vêtements sur une rue transversale qui engageait les femmes, et le moulin à farine, au bord de la rivière, qui, lui, procurait du travail à bien des hommes. Ensuite, il y avait eu l'étang, où elle s'était souvent promenée le dimanche après la messe pour admirer les belles robes des passantes…

Ce fut en croisant la maison du maître d'école, Athanase Chartrand, que Marion avait senti quelques larmes lui piquer les yeux parce qu'au même instant, le nom de madame Éléonore s'était invité bien naturellement dans ses pensées. Pourtant, depuis son départ du manoir, Marion obligeait son esprit à sautiller de son frère disparu à la maison vers où elle se dirigeait; de sa sœur Ludivine à sa mère alitée; de la petite Anita à bébé Léon, qu'elle allait enfin connaître. Ce faisant, la jeune fille avait tenté par instinct de ne pas penser à celle qu'elle avait appris à aimer avec tant d'affection et de tendresse.

Madame Éléonore…

Marion avait vivement détourné la tête pour ne plus voir la maison du maître, mais le mal était fait: une sorte de détresse insondable l'avait subitement submergée. Elle avait inspiré profondément, ne voulant surtout pas éclater en sanglots devant son père. Néanmoins, revoir l'école du village lui avait fait repenser à tous les livres qu'elle ne lirait pas en compagnie de madame Éléonore et le chagrin ressenti, emmêlé à beaucoup de déception, lui avait aussitôt encombré la gorge, rendant la respiration difficile. Elle avait alors revu la cuisine du manoir, sombre, mais chaleureuse, et l'odeur du café frais moulu lui était même montée au nez, puis celle de la tarte aux pommes, et le parfum de la vanille, et…

Marion avait vigoureusement secoué la tête pour effacer les images et longuement reniflé pour repousser les larmes, trottinant de plus belle pour ne pas trop s'éloigner de son père.

Qu'allait-elle devenir sans madame Éléonore ? Sans ses conseils, sa présence chaleureuse, ses remarques toujours pertinentes ? À quoi ressembleraient désormais ses journées sans les éclats de rire de celle qu'elle aimait comme une mère ?

Marion savait trop bien ce qui l'attendait chez ses parents pour oser avoir confiance en l'avenir. Ne restait peut-être qu'une franche discussion avec sa mère pour essayer de renverser la vapeur. Elle ferait miroiter l'addition de quelques bonus à ses gages, prétendant que ce surplus était uniquement réservé aux employés d'expérience, ce qui aurait été son cas dès le mois prochain, puisque cela aurait fait un an qu'elle travaillait pour la famille O'Gallagher. Toutefois, elle ne parlerait pas des quelques sous qu'elle avait intentionnellement omis d'ajouter à son revenu du jour de l'An, comme madame Éléonore avait réussi à l'en convaincre.

— Ces sous-là, ma belle, c'est comme un cadeau, avait déclaré la cuisinière dès qu'elles avaient regagné leur espace de travail après la remise des enveloppes du premier de l'An, celles que monsieur O'Gallagher avait pris l'habitude de remettre en grande pompe, dans le hall d'entrée du manoir. Tu n'as pas besoin de donner cet argent-là à tes parents.

— Vous croyez ?

— J'en suis certaine.

— Pourtant, j'ai l'impression que ce serait comme un vol. Après tout, j'ai promis de…

— Tu as promis de donner tes gages, Marion, pas tes cadeaux. Penserais-tu offrir à ta sœur la jolie robe bleue que madame Stella t'a achetée en guise d'étrenne à Noël ?

— Mais non, voyons ! Pas tout de suite, quand même !

— Alors c'est la même chose.

— Si vous le dites, madame Éléonore…

Ce fut à partir de ce jour-là que madame Légaré avait toujours semblé contrariée quand Ovide se présentait au manoir, au début de chaque mois, pour quérir l'argent de sa sœur.

— Voir que ça a du bon sens, marmonnait-elle en malmenant ses casseroles. À tout le moins, c'est exagéré !

Mais Marion avait tenu bon et quand elle répétait que l'argent servait à aider à nourrir les petits, chez ses parents, madame Éléonore semblait se radoucir.

Aujourd'hui, alors qu'elle retournait à la maison familiale contre son gré, Marion comprenait mieux ce que la cuisinière avait tenté de lui expliquer à maintes reprises. Son salaire, elle l'avait gagné à la sueur de son front et il aurait été normal que ses parents acceptent un juste partage.

— Veux-tu que je leur parle ? avait même suggéré une madame Éléonore qui semblait fort sûre d'elle-même.

L'offre était tentante ! Néanmoins, chaque fois que le sujet avait été abordé, Marion avait vivement refusé l'aide de la cuisinière. À la simple idée de voir madame Légaré affronter son père ou sa mère, Marion en avait un frisson d'épouvante. Tant qu'elle donnait l'entiè-reté de sa paye à ses parents, la jeune fille y puisait l'assurance de ne jamais quitter le manoir. Alors, tant pis pour l'injustice qu'elle subissait.

Néanmoins, cette bonne volonté n'avait finalement servi à rien, puisqu'elle devait tout de même retourner chez elle.

Malgré la noirceur tombée, Marion écarquilla les yeux en arrivant devant la maison familiale. La bicoque lui paraissait encore plus décrépite que dans le souvenir qu'elle en gardait.

Puis, où dormirait-elle ? Dans le même lit que ses deux sœurs après s'être sommairement lavée à l'eau froide au lavabo de la cuisine ?

À cette pensée, Marion eut un geste de recul.

Maintenant qu'elle connaissait un autre mode de vie, fait de respect et d'intimité, la promis-cuité imposée chez ses parents avait quelque chose d'indécent.

Non, Marion ne voulait pas rester ici durant les six prochains mois. Elle ne voulait pas même rester pour une toute petite semaine.

La jeune fille ferma les yeux à l'instant où son père se mit à l'appeler depuis le perron de la maison, visi-blement impatient.

— Envoye, Marie ! Aboutis, que je puisse aller me coucher.

Marion inspira profondément. Pour ce soir, elle n'avait pas le choix de jouer le jeu jusqu'au bout, depuis son prénom que ses parents n'avaient jamais utilisé comme il était inscrit sur son baptistaire, jusqu'à sa présence ici. Elle ne dirait rien et se montrerait docile. N'était-ce pas là l'image qu'elle avait toujours projetée ? Toutefois, dès demain, elle parlerait avec sa mère. Josette Couturier était peut-être une personne froide et sévère, aux critiques faciles et à la main leste, il n'en restait pas moins qu'elle était aussi une femme intelligente. Elle devrait donc comprendre qu'avec les gages de sa fille, surtout s'ils étaient plus élevés, elle pourrait engager une servante. Pourquoi pas ? De toute façon, qu'est-ce que ça changerait pour elle que ce soit sa fille ou une étrangère qui s'occupe de la maisonnée ?

Voilà ce que Marion dirait à sa mère, demain, quand elle lui apporterait son thé du matin : elle ferait miroiter encore plus d'argent que tout ce qu'elle avait pu leur donner cette année. Avec un peu de chance, la grande Josette ne pourrait résister à l'envie de toucher à ce pactole parce qu'une fois la servante payée, il lui resterait probablement encore quelques sous pour nourrir la famille.

Sur cette réflexion, Marion redressa la tête en pensant aux pièces de monnaie qu'elle avait gardées depuis le jour de l'An et que, tout à l'heure, elle avait laissées bien cachées au fond du placard de sa chambre au manoir, à l'exception d'un cinq sous glissé dans sa chaussure, juste au cas où. Nul doute qu'elle trouverait bon usage à cet argent, puisqu'elle pourrait s'en servir pour arrondir le montant de ses gages et ainsi justifier sa prétention. En dernier recours, madame Éléonore accepterait sûrement de l'aider. Il y avait sa robe neuve, aussi, qu'elle n'avait pas jugé bon d'emporter avec elle. Sa mère n'aurait donc pas l'occasion de lui faire le reproche de se donner des grands airs !

Ce fut donc avec le sourire bienveillant de la cuisinière en tête et en affichant une assurance qu'elle était loin de ressentir que la jeune fille monta les quelques marches de bois brut qui menaient à la porte sans fenêtre.

En posant le pied dans la grande pièce qui sentait les graillons, après un regard navré sur la médiocrité des meubles, elle se jura que dans moins d'une semaine, elle serait de retour au manoir.

Au réveil, le lendemain, après une nuit à somnoler tant bien que mal aux côtés de Ludivine, retenant ses larmes et bougeant le moins possible, Marion était toujours aussi décidée. Toutefois, elle comprit sans tarder que ce ne serait pas ce matin-là qu'elle discuterait avec sa mère. En fait, l'accueil de celle-ci vint brouiller les cartes au point où Marion ne savait plus sur quel pied danser.

— Ma grande fille, enfin !

Connaissant bien son aînée, et après une longue réflexion et quelques soubresauts d'impatience devant Ludivine, qui se lamentait du surplus d'ouvrage,

Josette Couturier avait décidé de présenter une amabilité de parade. « Après tout, on n'attire pas les mouches avec du vinaigre », se répéta-t-elle tout en observant Marion, qui entrait dans la chambre avec une tasse fumante à la main. Elle jouerait donc la carte de la gentillesse tant et aussi longtemps que cela lui semblerait nécessaire. Par la suite, elle ajusterait son tir au fil des événements.

— J'avais tellement hâte que t'arrives ! Ben contente de voir que ton patron a accepté de te laisser partir vite de même.

Si la chose était Dieu possible, la voix de Josette était douce comme une cuillerée de miel. Marion en resta sans réplique.

— Viens ! Viens t'assire à ras moi, on va jaser un peu avant que Léon se mette à brailler parce qu'il a faim…

Marion hésita.

Était-ce bien cette même femme qui l'avait mise à la porte de sa maison quelques mois auparavant pour la simple raison que Marion portait une robe neuve qui aurait pu susciter l'envie de sa sœur ? À l'entendre minauder ainsi, c'était à croire que Josette avait tout oublié !

— Tu dois ben avoir hâte de voir ton nouveau petit frère, non ? susurra-t-elle en tapotant le matelas à ses côtés. Tu vas vite comprendre que c'est un bon bébé. En autant qu'on lui donne à manger, il est content.

Devant cet accueil presque chaleureux, Marion osa un pas, puis un second. Avait-elle le choix ?

— Oui… C'est sûr que j'ai hâte de connaître le petit Léon, concéda-t-elle en approchant du lit.

Sur ce, Marion s'arrêta sans chercher à s'asseoir. Elle était sur la défensive.

Depuis quand sa mère était-elle aussi gentille ? La jeune fille ne se rappelait pas l'avoir déjà vue aussi roucoulante. Jamais. Néanmoins, à cause de l'insistance du regard de sa mère, Marion posa une fesse sur le pied du lit et elle lui tendit la tasse de thé. Encouragée par cette docilité, Josette prit une première gorgée, se cala dans l'oreiller de plumes qu'elle avait réclamé de son mari, puisqu'elle serait obligée de garder le lit durant de longs mois, puis elle poursuivit.

— Mais dis-moi donc, ma fille… Paraîtrait-il que tu veux qu'on t'appelle Marion, astheure ?

— C'est-à-dire…

C'était sûrement Ovide qui en avait parlé, sinon sa mère ne serait pas au courant de cette exigence. Marion hésita.

Était-ce un piège ?

Bien malgré elle, la jeune fille se sentit rougir comme un coquelicot tandis que son cœur battait jusque dans sa gorge. Devait-elle répondre franchement et avouer qu'elle détestait depuis toujours être appelée Marie ?

Ce fut à cet instant qu'elle entendit dans sa tête la voix de madame Éléonore affirmant que toute vérité n'était pas nécessairement bonne à dire.

— Dans le doute, ma belle enfant, il vaut mieux parfois s'abstenir !

Et prétendre qu'elle doutait en ce moment serait un euphémisme ! Marion détourna donc la question.

— C'est comme ça qu'on m'appelait au manoir, laissa-t-elle tomber sans mentir, tous ses sens en alerte.

Brusquement, la vie d'avant son court passage chez la famille O'Gallagher, celle placée sous le signe des compromis, de la servilité et des déceptions, fondit sur Marion à la vitesse de l'éclair. Comment avait-elle pu imaginer qu'elle pourrait discuter calmement avec Josette Couturier, alors qu'elle ne l'avait jamais fait de toute sa vie ? Puis, ce serait sa mère tout crachée de retourner à son avantage une réponse trop honnête. Surtout si celle-ci avait été servie avec confiance.

— Oui, c'est comme ça que tout le monde m'appelait au manoir, répéta alors Marion avec un peu plus d'assurance.

— Tu m'en diras tant…

Josette fixait sa fille avec une intensité qui la mettait mal à l'aise. Marion pencha la tête, s'attendant à une bordée de bêtises.

Il n'en fut rien.

— Si c'est ce que tu veux, pourquoi pas ? murmura Josette, après quelques instants de réflexion. On a beau dire, c'est quand même ton vrai nom. C'est celui qu'on avait choisi parce que ton père l'avait entendu chez un de ses employeurs, pis qu'il trouvait que ça faisait chic… M'en vas avertir les autres, crains pas… Bon ! C'est ben beau tout ça, mais faudrait peut-être que je te dise ce que j'attends de toi, ma fille… Pour commencer, c'est toi qui vas mener dans la cuisine ! Après tout, c'est ben ça que t'es supposée avoir appris au manoir, non ?

— C'est vrai.

— Comme ça, je m'en remets à toi pour toutes les affaires qui ont rapport aux repas. Ensuite…

Décontenancée, Marion avait quitté la chambre de ses parents sur le bout des pieds quand Josette l'avait finalement congédiée.

— Astheure que je sais que je peux compter sur toi pour voir à l'essentiel, m'en vas pouvoir dormir tranquille. Ferme la porte en sortant.

Au bout du compte, quand le soir arriva, Marion n'avait rien dit de particulier à sa mère ni rien demandé, faute de temps et de courage.

Tout au long de la journée, les gestes de la vie d'avant s'étaient imposés avec une facilité déconcertante à celle qui pensait avoir tout oublié. Depuis la vaisselle à faire dans de l'eau tiédasse jusqu'à l'ennui des siens qui s'était amenuisé au fil des jours et des semaines, tout lui était facilement revenu. Si cela n'avait été de la présence boudeuse de sa sœur Ludivine, à qui Josette avait confié les tâches les plus ingrates, comme celle de voir à mettre de la chaux dans les latrines, puisque Ovide n'était plus là pour s'en charger ; et s'il n'y avait pas eu ses remarques désobligeantes et ses entêtements, Marion aurait pu dire que la journée n'avait pas été aussi difficile que ce qu'elle avait craint.

Léon était un bébé rieur et Marion aimait les bébés.

Quant à Anita, après un long moment de réserve à l'observer de loin, elle s'était enfin décidée à l'approcher. Toutefois, la tendre complicité entre elles, tout comme l'attachement maternel que Marion avait jadis ressenti pour sa petite sœur, n'existait plus.

Le temps avait fait son œuvre et Anita n'était plus un bébé, Marion s'en était vite rendu compte, car la fillette avait réclamé son indépendance à grand renfort de cris quand elle avait voulu la prendre dans ses bras. Le cœur gros, la jeune fille avait alors compris qu'elle s'était ennuyée d'un souvenir. Sans chercher à rattraper ni Anita ni le temps, elle avait suivi la petite fille des yeux, tandis que celle-ci se sauvait en riant et en lui faisant une grimace. Marion lui avait alors trouvé une certaine ressemblance avec Ludivine. Dommage… Elle avait pris une longue inspiration pour éloigner la déception, puis elle était retournée à ses occupations.

Comme madame Éléonore le lui avait déjà conseillé, elle garderait l'image d'une petite Anita sage et souriante cachée bien précieusement au fond de son cœur, et elle n'entretiendrait aucun regret.

Ne restait plus qu'à trouver l'occasion pour parler de ses gages. Maintenant qu'Ovide s'était enfui et que la paye de l'été était bel et bien perdue, l'argent restait le seul sujet susceptible de toucher sa mère. Marion serait patiente. Il ne servait à rien de brusquer les choses. Elle savait par expérience que ce serait elle qui s'en mordrait les doigts si elle la bousculait. Autant profiter de la bonne humeur de Josette Couturier pour le temps où cela allait durer. Toutefois, le jour où ses parents se plaindraient du manque à gagner, et ce jour-là finirait bien par arriver, Marion essaierait de leur faire entendre raison.

« À peine trois jours et j'en ai déjà assez. Anita est un vrai tourbillon d'énergie qui passe son temps à me contredire. Comme Ludivine quand elle était petite, si je me rappelle bien. C'est dommage. Quant à bébé Léon, il est gourmand comme ce n'est pas possible, alors il crie à tue-tête pour manger. Ils m'épuisent, tous les deux. Je m'ennuie tellement du calme qui régnait sous le toit de la famille O'Gallagher. Même les soirées de réception étaient moins affolantes que l'ordinaire d'ici. Tout ça, c'est sans compter toutes les fois où notre mère demande quelque chose. Ce n'est pas mêlant, elle n'arrête pas ! Une tasse de thé, une serviette humide, un bout de papier pour écrire, une pomme... Une chance que c'est Ludivine qui s'occupe de vider le pot de chambre parce que je pense que je me sauverais comme Ovide si on m'obligeait à faire ça. D'ailleurs, je me demande bien où il est rendu, lui... Par contre, avec l'argent qu'il a dans ses poches, je ne m'inquiète pas trop. C'est vraiment choquant de dire ça parce que c'est moi qui l'ai gagné, cet argent-là, mais Ovide a tout ce qu'il faut pour bien vivre pendant un certain temps.

Non, le pire dans tout ça, c'est l'ennui que je ressens pour madame Éléonore. Quand je disais que je m'ennuyais d'Anita, l'an dernier, ce n'était rien à côté de ce que j'éprouve en ce moment. Si au moins je pouvais avoir quelques heures à moi, j'en profiterais pour courir jusqu'au manoir pour l'embrasser, lui dire que je ne l'oublie pas et lui dire surtout de garder l'espoir que tout redevienne comme avant. Mais je n'ose pas demander un peu de temps libre. J'ai tellement peur que ça réveille la mauvaise humeur de ma mère. Déjà que c'est surprenant qu'elle soit encore aussi facile à vivre! Mais je la connais bien et un rien pourrait tout changer… Dieu sait ce qu'elle serait capable de me dire ou inventer pour me montrer que c'est elle qui décide et que je n'ai rien à exiger… Je vais donc attendre encore quelques jours. Si les parents ne parlent pas d'argent, c'est moi qui prendrai les devants. Je finirai bien par trouver un prétexte pour le faire… Je pense que pour l'instant, c'est la fugue d'Ovide qui les tracasse. Je les entends en discuter à voix basse dans leur chambre, et je peux comprendre… N'empêche que j'envie mon frère d'avoir eu un courage que moi je n'ai pas.

En attendant, je peux toujours écrire à madame Éléonore. En cachette. Je vais aussi envoyer une lettre à Agnès pour lui parler de tout ce qui m'arrive. Il me semble que ça me ferait du bien de me confier à quelqu'un de mon âge. Peut-être qu'elle va avoir une bonne idée pour m'aider. Je suis vraiment chanceuse qu'Agnès ait pensé à me donner son adresse en ville, juste avant de repartir du manoir, parce que je me sentirais encore plus seule… Oui, c'est ce que je vais faire le plus vite possible : écrire mes deux lettres. Par la suite, j'attendrai d'aller faire des commissions chez Clermont Godbout pour acheter des enveloppes et des timbres. Je pense que je ne pourrais pas trouver meilleur usage pour les cinq sous que j'ai gardés, quand on m'a forcée à quitter le manoir.

Et tant mieux si j'arrive à tout dépenser d'un coup parce que je suis tannée de toujours sentir un cinq sous au fond de mon soulier ! »

## CHAPITRE 2

*Le jeudi 15 septembre 1927, à Montréal
sur la rue Adam, dans l'appartement
d'Émile Fortin et de son épouse Lauréanne*

Par habitude, Lauréanne avait laissé la lettre sur la table de la cuisine, appuyée tout contre le bol de pommes qu'elle y déposait chaque année, du mois de septembre jusqu'aux premières neiges. C'était sa décoration d'automne, comme elle le disait elle-même : un beau napperon de dentelle et son bol de cristal rempli de pommes rouges invitantes, qu'Émile et Agnès se faisaient un plaisir de manger au fur et à mesure qu'elle en ajoutait.

Ce n'était pas la première lettre que sa nièce recevait et ça ne serait pas la dernière non plus, puisqu'elle entretenait une correspondance assidue avec son amie Geneviève, qui habitait à Sainte-Adèle-de-la-Merci, là où Agnès avait elle-même vécu durant de nombreuses années avec sa famille. Voilà pourquoi, une fois la lettre déposée à l'endroit habituel, Lauréanne l'avait oubliée. Elle avait tant à faire, aujourd'hui, avec tous les fruits qu'elle voulait mettre en compote pour ensuite en faire des conserves !

Cependant, cette fois-ci, ce fut son père Irénée qui aperçut la lettre en premier, dès l'instant où il entra dans la cuisine. De soucieux qu'il était, son visage s'éclaira d'un sourire.

— Ben regardez-moi donc ça !

Le vieil homme s'approcha aussitôt de la table et, sans aucune gêne, il prit l'enveloppe comme si elle lui était adressée. Irénée la retourna, poussa un soupir d'agacement, puis il la souleva à la hauteur des yeux pour la mirer comme un œuf devant la fenêtre où brillait un soleil éclatant.

— Que c'est que vous êtes en train de faire, son père ? C'est pas à vous cette lettre-là ! lança alors Lauréanne, en se retournant à demi, une pomme dans une main et l'économe dans l'autre.

Irénée haussa les épaules, sans quitter la lettre des yeux.

— Sacrifice que tu peux être téteuse, toi, des fois… Je le sais ben que c'est pas à moi. J'suis pas niaiseux, pis je sais lire ! Non, j'essaye juste de voir de qui ça vient.

— Voyons donc ! C'est pas vraiment poli, ce que vous faites là. De toute façon, qu'est-ce que ça peut ben changer pour vous de savoir de qui ça vient ? Ça doit être une lettre de Geneviève, comme d'habitude !

À ces mots, Irénée poussa un second soupir. D'impatience, cette fois-ci.

— Ben non, justement. Ce que tu peux être fatigante, des fois, ma pauvre Lauréanne ! T'as pas remarqué ça, toi, que c'était pas la même main d'écriture que celle de Geneviève ?

— On dirait ben que non ! Imaginez-vous donc que je me suis pas arrêtée à ça.

— Ben t'aurais dû ! C'est pour ça que j'essaye de voir de qui ça vient. Pis je pense que j'ai ma réponse.

— Vous m'en direz tant… Pis ? Ça vient de qui, cette lettre-là, si c'est pas de Geneviève ?

À ces mots, Irénée tourna enfin les yeux vers sa fille. Une lueur de moquerie traversait son regard.

— Coudonc… C'est quoi cette question-là ?

— Ben là…

Comme une gamine prise en défaut, Lauréanne se sentit rougir. Pour camoufler son embarras, elle revint face au comptoir et se remit à peler la pomme à petits gestes vifs, sans répondre. À côté du bol de pommes, il y avait des pêches et des poires, plus un gros panier de tomates, parce qu'elle avait aussi l'intention de faire du ketchup. Devant l'attitude de sa fille, le sourire du vieil homme s'accentua, faisant retrousser sa moustache.

— Tu peux ben faire la leçon aux autres ! nota-t-il, tout en reportant les yeux sur l'enveloppe. Par contre, si Marion avait écrit son nom à l'endos comme elle aurait été supposée, j'aurais pas faite mon écornifleux.

— Ouais… C'est vrai que c'est de même que les sœurs du couvent nous avaient enseigné de le faire, admit Lauréanne sans se retourner… Comme ça, selon vous, la lettre viendrait de Marion ?

— C'est ce que je viens de te dire, maudit batince ! Quand on regarde ben comme il faut, on voit la signature à travers le papier de l'enveloppe. Pis je te ferais remarquer, ma fille, que toi avec, t'es curieuse. Autant que moi ! Avoue donc, une bonne fois pour toutes, qu'il y a rien de ben méchant là-dedans. Tout le monde est un peu pareil, non ?

— Mettons, oui…

Ceci étant admis sur un ton hésitant, Lauréanne esquissa un sourire, elle aussi. Délaissant ses pommes, elle s'approcha de la table à son tour.

— Vous avez ben raison, confessa-t-elle alors à son père. Moi avec, j'suis curieuse.

— Me semblait aussi !

— Quand même ! C'est pas nécessairement agréable d'être trop curieuse.

— Pourquoi tu dis ça ?

— Parce qu'astheure que je sais que ça vient de Marion, j'ai ben hâte d'apprendre ce qu'elle a de bon à dire à notre Agnès, pis j'vas regarder l'heure tourner jusqu'à ce qu'elle revienne de l'école.

Sur ce, Lauréanne tendit la main pour reprendre la lettre, qu'elle remit à sa place sur la table.

— Me semble, ajouta-t-elle, qu'il a pas dû se passer grand-chose depuis qu'on est allés au manoir. Ça doit pas faire ben plus que dix jours.

— T'as peut-être pas tort. N'empêche que cette lettre-là fait juste prouver que j'avais raison. Pis en sacrifice, à part de ça !

— Raison ?

— Ben oui ! Parle pas sur ce ton-là, batince, on dirait que tu me prends encore pour un imbécile, pis ça m'énerve ! Avoue quand même que c'est moi qui arrêtais pas de dire que Marion pis Agnès avaient toute ce qu'il fallait pour ben s'entendre...

— Ah ça ! On dirait ben, oui, que vous aviez vu clair, approuva Lauréanne. Mais ça nous dit pas ce qu'elle a de bon à raconter, par exemple... Il nous reste juste à attendre pour le savoir ! Pendant ce temps-là, il faut que je finisse de peler mes pommes pour les mettre à cuire avant de toutes les voir brunir.

— Menute, ma fille ! C'est ben beau tout ça, mais j'étais pas venu te retrouver dans la cuisine pour parler d'Agnès pis de ses amies.

— Ça serait-tu que vous auriez déjà faim, son père ? Le dîner est pas encore prêt, mais je pourrais quand même...

— Laisse faire mon appétit, Lauréanne, c'est pas ça non plus... Même si je commence à avoir une petite faim, j'suis capable d'attendre encore un peu... Non, en fait, j'aurais besoin d'un conseil.

— Un conseil ? Ben va falloir m'expliquer ça pendant que je travaille, sinon vous allez être le premier à chialer que ma compote est pas aussi belle que d'habitude.

Lauréanne était revenue devant le comptoir et elle avait repris son couteau et une grosse pomme toute rouge.

— De toute façon, demanda-t-elle par-dessus son épaule, depuis quand vous me demandez conseil pour quelque chose, vous ?

— Sacrifice de batince ! Commence pas à faire ta renoteuse, toi là, c'est pas le temps. Toute est ben assez compliqué comme ça !

— Compliqué ? Ben voyons donc, son père ! Vous m'intriguez.

— Ah oui ? Si c'est de même, ma fille, lâche tes pommes, pis viens t'assire à la table avec moi. M'en vas toute t'expliquer ça. Pis promis, je dirai rien si la compote est pas aussi blanche que de coutume.

Ces quelques mots furent amplement suffisants pour que Lauréanne laisse aussitôt retomber son économe sur le comptoir et s'approche de la table pour s'y tirer une chaise.

— Allez-y, je vous écoute, lança-t-elle tout en s'assoyant. Mais essayez quand même de faire ça vite, j'ai ben de l'ouvrage devant moi. Après la compote, je veux faire du ketchup aux fruits.

— Miam ! Il y a rien de meilleur que ça. Un vrai dessert ! Crains pas, j'vas me dépêcher. En fait, c'est pas mon intention qui est compliquée à comprendre, c'est plutôt la manière de faire qui est plus difficile à trouver... Ouais, je pourrais dire ça comme ça !

— J'ai rien compris !

— Ça me surprend pas ! Laisse-moi parler... Imagine-toi donc que l'autre jour, je me suis mis à penser qu'il faudrait ben que...

Au fur et à mesure qu'Irénée lui faisait part de ce qu'il appela « l'idée du siècle », le visage de Lauréanne passa d'une émotion à une autre. D'abord franchement surprise, elle se montra par la suite plutôt intéressée, puis sincèrement émue.

— Mais c'est ben fin, son père, d'avoir pensé à ça !

— Ouais, c'est ce que je me dis, moi avec... J'suis pas mal fier de ma trouvaille, tu sauras... Tu vois ben que j'suis pas juste un vieux malcommode.

— Mais je le sais ! Pis vous êtes de plus en plus souvent gentil, à part de ça... Mais y avez-vous ben pensé ? Ça risque de vous coûter pas mal cher !

— Veux-tu ben te mêler de tes affaires, Lauréanne ! C'est pas pantoute là-dessus que je veux avoir ton avis. Si je pense que j'ai les moyens de faire ça, c'est que c'est vrai. J'ai jamais eu de dettes dans ma vie, pis vous avez jamais manqué de quoi que ce soit, ton frère pis toi. De toute façon, quand ben même ça me coûterait un bras, ça te regarde pas.

— Vous avez ben raison.

— Merci. Pis ? Que c'est que t'en dis, de mon idée ?

— Je me répète, son père : c'est pas mal fin d'avoir pensé à ça. C'est sûr que ça va faire toute une surprise à matante Félicité… Mais je me demande…

Sur ce, Lauréanne tourna un regard pensif vers la fenêtre, ce qui impatienta Irénée au bout de quelques instants à peine.

— Tu te demandes quoi, encore ? Batince, Lauréanne, tu le sais que j'haïs ça quand tu tournes autour du pot de même. Envoye, déballe ce que t'as à dire, pis arrête de farfiner comme ça, ça m'énerve !

— Oui, oui, j'vas faire ça vite… Vous allez probablement me dire que ça me regarde pas, mais j'aimerais quand même vous poser une question.

— Pose-la, ta damnée question, qu'on en finisse !

— Pourquoi vous faites ça ?

— Pourquoi je fais quoi ? Le cadeau ? Me semble que c'est ben simple à comprendre, ma pauvre fille : c'est pour montrer à Félicité que j'apprécie toute ce qu'elle a fait pour moi.

— Reste que c'est gros en titi ce que vous voulez lui donner !

— Comme c'était gros de sa part d'accepter d'investir son argent dans un chalet avec moi. Après toute, elle me devait rien, cette femme-là. On pouvait même pas prétendre qu'on était des vrais amis, elle pis moi. Des amis comme je le suis avec Napoléon, je veux dire. Malgré ça, c'est grâce à elle si j'ai pas eu chaud en ville durant les deux derniers étés. Pis ça, pour moi, ça a ben gros de l'importance.

Tout en parlant, Irénée soutenait le regard de sa fille.

— Ça fait ben des fois que Félicité me parle du village, poursuivit-il, pis de l'ennui qu'elle en a, par bouttes. C'est ben beau dire qu'elle aurait pas été capable de se séparer de Marie-Thérèse pis de sa famille, faut quand même admettre que vendre sa maison pour s'en venir demeurer en ville avec eux autres, ça a été tout un changement pour elle. Après toute, elle est pus très jeune, la Félicité ! Batince ! Elle est même plus vieille que moi d'un bon cinq ans !

— Ben d'accord avec vous, son père. Mais ça me dit pas pourquoi…

— Sacrifice, Lauréanne ! Arrête de m'interrompre, pis tu vas finir par toute comprendre…

— Promis, je dis pus un mot… Pis ?

— L'autre soir, juste avant qu'elle reparte pour la ville, Félicité a recommencé à parler de l'ennui de son village. On était assis sur la galerie, elle pis moi, comme on fait souvent, pis on se berçait. Mais cette fois-là, par contre, c'était pas sa maison qui lui manquait, c'était la chance qu'elle avait eue d'aller jouer du piano au couvent aussi souvent que ça lui tentait, pendant ben des années. Pis cette chance-là, ben, elle l'avait pus. C'est de ça qu'elle parlait, Félicité, ce soir-là : de son ennui du piano ! C'est en réfléchissant à ces mots-là, durant la fin de semaine où je me suis retrouvé tout seul au chalet, que j'ai eu l'idée d'acheter un piano. D'autant plus que Félicité avait rajouté qu'elle faisait pas pantoute d'arthrite dans les mains, pis qu'elle trouvait dommage de pas pouvoir en profiter. C'est dans les genoux, elle, qu'elle a mal, le matin quand elle se réveille. Je le sais parce qu'elle se lamente tous les jours que le Bon Dieu amène en descendant le petit escalier du chalet… Pis ? Astheure que tu sais toute, Lauréanne, que c'est t'en penses de mon idée ?

— Il y a juste du bon là-dedans, c'est ben certain… Un piano, on rit pus ! Tout le monde serait content de recevoir un beau cadeau de même. Pis où c'est qu'elle va le mettre, son piano ?

— C'est là que ça se complique, batince de batince ! lança Irénée en se grattant vigoureusement la tête. Icitte, à cause du salon qui a rapetissé pour faire une chambre à Agnès, il y aurait pas tellement de place pour l'installer. Chez Jaquelin, à cause du magasin qui occupe tout le rez-de-chaussée, pis la trâlée d'enfants qui vivent sur le reste des étages, on y pense même pas. À mon avis, il reste ben juste au chalet qu'il y aurait de la place, entre la porte pis la fenêtre de la grande pièce. Mais là, c'est l'humidité de l'hiver qui me fait peur. Je voudrais donc pas que ce piano-là soye toute magané après juste un hiver. C'est pour ça que je voulais ton avis.

— Bonté divine… Je sais pas trop quoi vous répondre, son père. Je connais pas ça, moi, les pianos.

— Sacrament ! Que c'est j'vas faire d'abord ?

Sur ce, Lauréanne et son père échangèrent un regard navré.

— L'idéal, je pense, ça serait peut-être d'en parler à Émile, suggéra finalement Lauréanne, qui finissait toujours par songer à son mari quand une situation lui semblait impossible à régler. Que c'est vous en dites ?

— T'as peut-être ben raison, ma fille ! C'est vrai qu'Émile est de bon conseil, d'habitude. Ouais, c'est ce que j'vas faire ! À soir, après le souper, m'en vas toute répéter ce que je t'ai dit à ton mari. On verra ben ce qu'il en pense, lui ! Émile… Comment ça se fait que j'ai pas pensé à lui ? Tant pis, tu l'as faite à ma place, pis c'est ben correct de même. Astheure, tu peux retourner à tes pommes. Le fait de t'avoir parlé, ma fille, ça va m'aider à patienter jusqu'au retour d'Émile.

— Sage décision ! On peut toujours compter sur mon mari.

— Je le sais. Pis en plus, Agnès est à la veille d'arriver. On va enfin savoir cc qu'il y a dans la lettre de Marion. Ça va me changer les idées !

Irénée ne pouvait si bien dire !

En effet, la lettre de Marion avait tout ce qu'il fallait pour le divertir et Lauréanne aussi, par la même occasion !

— Matante, matante !

Dès qu'elle avait aperçu la lettre sur la table, à son retour de l'école, Agnès s'en était emparée et elle s'était excusée auprès de son grand-père pour aller se réfugier dans sa chambre afin de la lire tranquillement. Jusque-là, rien de particulier, puisque Agnès avait toujours agi de cette façon quand il y avait du courrier pour elle. Rongeant son frein, Irénée n'avait donc rien exigé, d'autant plus que le regard de sa fille posé sur lui avec insistance avait été assez éloquent pour lui clore le bec !

Quelques instants plus tard, Agnès revenait d'elle-même à la cuisine en courant.

— Vous devinerez jamais, matante ! Il y a…

— Deviner quoi, ma belle ?

— T'es ben drôle, toi ! échappa Irénée en lançant un regard furibond vers Lauréanne qui, encore une fois, avait coupé la parole à quelqu'un sans raison. Me semble que c'est clair qu'Agnès nous parle de la lettre de Marion. Laisse-la donc aller au bout de ce qu'elle a à dire !

À ces mots, Agnès se tourna vivement vers Irénée.

— Ben voyons donc, grand-père ! Vous saviez ça, vous, que la lettre était de Marion ? demanda-t-elle sur-le-champ, sourcils froncés, oubliant son excitation pour un instant.

— Ben oui, je savais ça, imagine-toi donc ! J'avais deviné, rapport que c'était pas l'écriture de Geneviève. De qui d'autre ça aurait pu venir ? Pis ? Que c'est qu'elle a de bon à raconter, ta nouvelle amie ?

— Elle vit pus au manoir !

Cette annonce plutôt confondante tomba sur la cuisine, causant toute une surprise. Un instant de silence s'ensuivit.

Lauréanne fut la première à retrouver ses esprits.

— Que c'est tu racontes là, toi ? demanda-t-elle, car elle doutait quand même un peu de ce qu'elle venait d'entendre.

Lauréanne avait délaissé la soupe qu'elle était en train de brasser pour s'approcher d'Agnès.

— Me semble que ça se peut pas, ajouta-t-elle en soutenant le regard de sa nièce.

— Sacrifice, Lauréanne ! lança alors Irénée, visiblement agacé. C'est quoi cette manie-là de toujours toute faire répéter comme si tu croyais jamais personne ? Ou ben t'es dure de comprenure, ma pauvre fille, ou ben t'es dure de la feuille, mais t'as un problème !

— Ni un ni l'autre, son père. Je vous le dis : ça se peut pas, une affaire de même, répéta Lauréanne avec assurance. À moins que Marion aye faite une grosse bêtise, pis que...

— Ça non plus ça se pourrait pas, matante, coupa Agnès. Marion, c'est pas une fille à faire des niaiseries.

— C'est ce que j'avais cru comprendre d'elle, murmura alors Lauréanne, décontenancée. Veux-tu ben me dire ce qui se passe, d'abord ?

— Ça, ma pauvre Lauréanne, si t'arrêtes pas de parler, on le saura jamais, lança Irénée avec humeur, tout en se redressant sur sa chaise. La Marion, c'est une bonne fille, je l'ai toujours dit. Envoye, Agnès, raconte-nous comment ça se fait qu'elle est pus au manoir ? Elle aimait pus son travail ?

— Pantoute, grand-père ! Pas plus tard que la semaine dernière, Marion pis madame Légaré nous disaient combien elles trouvaient ça agréable de travailler ensemble. Je vous en avais même parlé, l'autre jour ! En plus, elles avaient toutes sortes de projets de lecture pour occuper les longs mois d'hiver. Pis là, tout d'un coup, Marion m'annonce qu'elle est retournée dans sa famille pour s'occuper de sa mère.

À ces mots, Irénée assena une tape sur la table.

— Sacrifice, pourquoi te poser des questions, Agnès ? Ce que tu viens de dire, ça explique toute !

— Comment ça ?

— Batince, me semble que c'est clair ! C'est juste normal qu'une fille comme elle aille aider ses parents en cas de besoin.

— Quand même, grand-père ! De la manière qu'elle écrit ça, j'suis pas sûre pantoute que Marion est ben heureuse de son sort. C'est comme qui dirait une corvée imposée, une sorte de pénitence… En plus, son frère Ovide s'est sauvé de la maison, pis…

— Ça brasse donc ben dans cette famille-là ! s'exclama Irénée qui, du coup, en avait oublié la tante Félicité et son piano !

— Ouais… C'est un peu ce que Marion m'a écrit, vous saurez. En fait, elle écrit que ça s'est fait ben vite, pis que le soir même où on est allés les voir, elle repartait pour chez elle avec son père qui était pas de bonne humeur pantoute. Depuis ce jour-là, elle essaye de trouver une solution pour retourner au manoir.

— Pauvre enfant, murmura alors Lauréanne, en soupirant. Ça a pas quinze ans encore, pis ça vit des ben grosses déceptions.

— En parlant de désappointement, enchaîna spontanément Agnès, Marion m'a même avoué l'autre jour que…

La jeune fille se tut brusquement, ne sachant trop si elle pouvait parler de cette confidence de Marion, qui lui avait dit que si elle avait à se choisir une famille, elle opterait pour madame Légaré sans la moindre hésitation. D'où probablement cette grosse tristesse de ne plus vivre au manoir… Alors, pour contourner ce qu'elle voyait comme un problème de conscience, Agnès ajouta :

— Pis il y a aussi madame Légaré, dans toute cette histoire-là ! Elle avec, elle doit trouver ça ben dur que Marion soye repartie.

— C'est certain ! renchérit alors Lauréanne avec fougue. On a juste à voir les yeux de cette femme-là quand elle regarde Marion pour comprendre qu'elle lui est ben attachée. Pauvre madame Légaré !

Subitement, Lauréanne comprenait qu'elle n'avait pas eu un gros effort à fournir pour se mettre à la place de la cuisinière. Un bref regard vers Agnès avait suffi ! Que deviendrait-elle si, du jour au lendemain, on lui enlevait sa nièce ?

— Pis c'est pas tout, matante ! lança cette dernière sur un ton qui fit sursauter Lauréanne. Marion me demande de ben réfléchir à sa nouvelle situation, pis si jamais j'avais une idée pour lui venir en aide, elle apprécierait vraiment que je lui réponde…

— Idée pas idée, ma belle Agnès, c'est sûr que tu dois lui envoyer une réponse, nota alors Lauréanne, reprenant rapidement sur elle. De la manière que t'en parles, la pauvre Marion doit se morfondre sans bon sens. Une petite lettre de réconfort serait sûrement pas pour y nuire !

— C'est ben ce que je me dis… N'empêche ! Vous le savez ben que moi pis les lettres, ça fait deux ! Déjà que ça me prend tout mon petit change pour écrire à Geneviève sans toujours me répéter ! J'suis comme matante Félicité, tiens ! Elle non plus, elle aime pas…

Agnès se tut brusquement, pour reprendre aussitôt avec fébrilité.

— Ben oui, matante Félicité ! Comment ça se fait que j'ai pas pensé à elle tusuite ? Faut que je lui parle de tout ça. S'il y en a une qui peut trouver une manière d'arranger les choses pour Marion, c'est bien elle.

— Ben parlé, ma fille ! approuva Irénée dans la foulée. C'est vrai que Félicité a souvent des bonnes idées pour secourir le monde. Rappelle-toi quand la maison chez vous a passé au feu ! C'est elle en bonne partie qui vous a aidés durant l'hiver qui a suivi… Pis en plus, Félicité a le numéro de téléphone du manoir pour appeler madame Légaré. Les nouvelles vont se rendre plus vite comme ça.

— C'est bien que trop vrai, ce que vous dites là, grand-père !

Agnès était tout excitée. Elle se tourna vivement vers Lauréanne.

— Dans ce cas-là, pouvez-vous me servir tusuite, matante ? J'vas prendre le temps de passer chez mes parents avant de retourner à l'école. Le midi, c'est toujours matante Félicité qui tient le magasin pendant que le reste de la famille mange en haut. Je devrais pas trop déranger.

— Pas de trouble, ma belle, voilà ton bol de soupe !

— Merci. Je me dépêche de la manger avec un bout de pain, pis je m'en vas tusuite après. C'est pas mêlant, si je parle pas de ça avant de retourner à l'école, j'aurai pas pantoute la tête à travailler durant l'après-midi !

Comme l'avait espéré Agnès, la vieille dame était seule au magasin de Jaquelin et Marie-Thérèse. « Épicerie Lafrance » pouvait-on lire sur une belle affiche de métal que Jaquelin avait fait installer au-dessus de la porte, juste à côté de celle de Coca-Cola, peinte en rouge pompier. Quand Agnès entra dans le commerce, une clochette tinta.

— Ah ben, ah ben ! Regardez-moi ça qui c'est qui est là ! lança Félicité, sincèrement heureuse de voir sa petite-nièce. Quel bon vent t'amène, ma belle fille ?

Lauréanne aurait-tu besoin de quelque chose de pressant ?

— Bonjour, matante ! Non, Lauréanne a besoin de rien pantoute. C'est plutôt ça qui m'amène !

Tout en parlant, Agnès avait sorti la lettre de la poche de son manteau et elle l'agitait devant elle.

— Tenez, lisez-moi ça ! C'est Marion qui m'a écrit. Je pense que ça va pas très bien au manoir !

— Tu m'inquiètes, toi là ! Donne !

Félicité tendait déjà la main vers la lettre.

Cela ne lui prit que quelques instants pour lire le court billet. Elle leva un regard désolé vers Agnès.

— Mais c'est ben triste tout ça ! Pauvre madame Légaré, murmura-t-elle, devinant sans difficulté ce que la cuisinière du manoir devait ressentir.

Spontanément, c'était à elle que la vieille dame avait pensé en premier lieu.

— Pis pauvre Marion aussi ! compléta aussitôt Agnès sur le même ton.

— Ben sûr ! T'as ben raison de parler de même, Agnès. Elle avait l'air de tellement aimer ça, travailler au manoir ! Mais il en reste pas moins que madame Légaré doit être toute chavirée, elle avec. C'est comme si moi j'avais été séparée de ta mère quand elle était jeune. Je l'aurais pas pris ! T'as ben faite de venir m'en parler, Agnès. Pas plus tard que tantôt, m'en vas téléphoner chez monsieur O'Gallagher.

Agnès décocha alors un grand sourire. De toute évidence, la jeune fille était soulagée de voir que la tante Félicité prenait la situation au sérieux.

— Merci, matante ! Je savais ben que je pouvais compter sur vous...

— Deux menutes, ma belle ! C'est pas le fait de téléphoner à madame Légaré qui va faire en sorte que j'vas régler le problème.

— Je sais tout ça, craignez pas. Mais ça va quand même nous donner plus de détails, non ? J'suis pas mal curieuse de savoir comment la cuisinière du manoir voit la situation !

— Pour ça, t'as pas tort. Ça nous dira peut-être pas quoi faire pour les aider, mais bonne sainte Anne, on va toujours ben en avoir le cœur net !

— C'est ce que je pense moi aussi ! Si ça dérange pas trop, je repasserais par ici à la fin des cours.

— T'as ben beau, ma belle. En espérant seulement que j'vas avoir du nouveau à t'apprendre !

En fin de compte, il n'y avait pas grand-chose d'autre à ajouter à la lettre de Marion, sauf peut-être que la pauvre cuisinière n'en menait pas large.

— J'ai rarement vu quelqu'un être aussi abattu que cette femme-là, déclara-t-elle à sa petite-nièce quand plus tard dans la journée, celle-ci la rejoignit à l'appartement de ses parents, situé au-dessus du magasin. Je pensais jamais qu'on pouvait avoir autant de peine pour une séparation qui, selon elle, devrait être juste temporaire.

La vieille dame secouait la tête avec tristesse. Assise sur une chaise berceuse installée dans la cuisine expressément pour elle, la tante Félicité surveillait Albert et la petite Camille, les deux plus jeunes de sa nièce Marie-Thérèse.

— La mère de Marion sera pas en famille jusqu'à la fin des temps, bonne sainte Anne ! conclut-elle alors en soupirant. Malgré tout, j'ai promis à madame Légaré que j'vas faire mon gros possible pour passer la voir en fin de semaine.

— Moi aussi, je veux y aller !

— T'auras beau, ma fille. Sauf que ton amie Marion sera pas là, c'est comme ben évident.

— Pis ? Je pourrais peut-être essayer d'aller la voir chez ses parents ? suggéra Agnès avec une lueur d'espoir au fond du regard, tandis qu'elle se penchait pour prendre Camille dans ses bras.

— C'est une idée...

Toutefois, et fort curieusement d'ailleurs, Félicité ne semblait pas très chaude à cette proposition.

— Ben quoi, matante ? C'est pas correct ce que je viens de dire là ?

— Non, non, c'est pas ça... Ta suggestion est ben d'adon. Mais disons, ma belle, que je préférerais en parler avec madame Légaré avant toute chose.

— C'est sûr, ça, qu'on va lui en parler ! D'autant plus que, selon ce que Marion elle-même m'en a dit, ses parents ont pas l'air commodes.

— C'est ce que j'ai cru comprendre moi avec, confirma Félicité… Ben si c'est de même, tu diras à ton oncle Émile que j'vas passer le voir à soir. Ça a ben l'air qu'on va avoir besoin de ses services encore une fois.

— Pas de trouble ! Vous savez comment il aime ça, faire du taxi, il devrait pas dire non. En attendant, moi, je fais un saut au magasin pour embrasser mes parents. Tenez, je vous redonne Camille, pis je me dépêche de filer chez nous. J'vas aider matante Lauréanne à préparer le souper parce qu'elle est ben occupée. Elle est en train de faire des conserves pour l'hiver… À tantôt ! Ça va sûrement faire plaisir à tout le monde de vous voir !

Agnès poursuivit donc sa route le cœur léger, arrivant à se convaincre assez facilement que si la tante Félicité avait décidé de s'en mêler, c'était qu'il y avait sûrement une solution au problème.

À peine entrée dans la cuisine de sa tante Lauréanne, Agnès annonça donc la visite de la vieille dame pour le soir même.

Lauréanne accueillit la nouvelle par un sourire.

— C'est pas pire de le savoir à l'avance comme ça ! J'vas en profiter pour sortir mon meilleur café.

Malheureusement, et malgré toute l'affection qu'il ressentait pour Félicité, Irénée, lui, ne put s'empêcher de grimacer.

— Comment ça Félicité icitte à soir ? demanda-t-il, visiblement agacé.

— Comment ça, grand-père, que ça a pas l'air de vous faire plaisir ? répliqua Agnès du tac au tac, sur un ton moqueur, tout en se débarrassant de son sac d'école, qu'elle déposa contre le mur.

— Parce que je voulais parler avec Émile de quelque chose qui me tient à cœur, pis que Félicité a pas besoin d'entendre, bougonna Irénée.

— Vous lui faites des cachotteries, astheure ?

À ces mots, le vieil homme lança un regard assassin à sa petite-fille.

— Batince, Agnès ! Tu le fais exprès, ou quoi ? Depuis quand je fais des cachotteries au monde, moi ? C'est pas mon genre, pis tu le sais. Quand j'ai de quoi à dire, j'y vas pas par quatre chemins… Non, ça serait plutôt une surprise que je prépare pour notre Félicité.

Agnès, qui était déjà en train de se laver les mains, tourna la tête vers Irénée.

— Ah oui, une surprise ? Ben là, grand-père, vous me faites plaisir !

— De quoi tu parles ? C'est pas pour toi, la surprise, c'est…

— Pour matante Félicité, j'ai ben entendu, craignez pas, interrompit Agnès, toute souriante. C'est pour ça que je suis contente.

— Pourquoi ?

— Tout simplement parce qu'on fait jamais rien de spécial pour elle. On célèbre même pas sa fête parce qu'elle veut pas ! Pourtant, matante Félicité est toujours la première à penser à tout le monde, pis elle s'offre tout le temps à aider pour organiser les fêtes.

— Dans ce cas-là, on va dire que mon idée, c'est une manière d'y dire merci pour toute ce qu'elle fait pour tout le monde.

— Votre idée ?

— Tu verras t'à l'heure, quand Émile sera arrivé. Comme ça, je serai pas obligé de me répéter trois fois…

— Ben là ! Vous allez me laisser me languir pendant tout ce temps-là sans rien dire ?

— C'est ça qui est ça, un point c'est toute ! On va discuter de mes plans durant le souper avant que Félicité nous tombe dessus. Astheure, en attendant qu'Émile arrive, j'vas profiter des dernières chaleurs de la journée pour aller fumer dehors.

L'instant d'après, la porte d'en avant claquait sur un Irénée songeur. Toutefois, à force d'y penser, de retourner la question dans tous les sens, l'explication du vieil homme fut simple et claire quand il s'adressa enfin à son gendre Émile, revenu de la brasserie Molson, où il travaillait à titre de maître brasseur. Les deux hommes étaient assis à la table, attendant que Lauréanne et Agnès les servent.

En quelques phrases succinctes, Irénée avait fait part de son intention de gâter Félicité et de la difficulté à réaliser son projet. Quand il se tut enfin, Agnès, qui avait écouté avec attention, se mit à applaudir, tout heureuse de l'initiative de son grand-père.

— Ben là, je suis fière de vous ! lança-t-elle depuis le poêle où elle aidait sa tante à préparer les assiettes.

Quant à Émile, il affichait un grand sourire.

— Bateau d'un nom ! Tu parles d'un adon.

À ces mots, Irénée tourna vivement la tête vers son gendre, partagé entre la curiosité d'entendre ce qu'il avait à dire et le plaisir de sentir qu'il approuvait son projet.

— Comment ça, un adon ?

— C'est un peu fou à dire de même, mais votre suggestion arrive juste au bon moment !

— Sacrifice, Émile ! Va falloir que tu soyes un peu plus clair parce que je vois pas pantoute ce que t'essayes d'insinuer.

— Disons que moi avec, j'ai eu une idée. Une idée qui pourrait bien vous servir, vous allez vite le comprendre.

— Servir comment ? Pour le cadeau de Félicité ?

— En partie, oui. C'était pas dans mon projet, rapport que je connaissais rien de vos intentions, mais pourquoi pas faire d'une pierre deux coups ? Laissez-moi vous expliquer…

Et tandis que Lauréanne et Agnès s'asseyaient enfin à la table avec les deux hommes, Émile parla.

— L'idée m'est venue l'autre vendredi, quand j'suis allé vous reconduire au chalet, déclara-t-il après avoir avalé deux ou trois bouchées de son pâté au poulet. C'était ben beau au bord du fleuve, ce soir-là, avec le soleil qui se couchait, pis toutes les belles couleurs de l'automne. C'est là que je me suis dit que c'était ben de valeur d'être obligés de fermer la maison de campagne pendant des mois, pis de pas pouvoir en profiter durant l'hiver. Après tout, si on calcule comme faut, on a dû passer au moins six fins de semaine au bord de l'eau durant l'été, Lauréanne pis moi, pis on a ben aimé ça. C'est en me rappelant les belles soirées à jaser avec vous pis avec la tante Félicité, à faire des feux sur la grève ou ben à jouer aux cartes sur la galerie que j'ai eu l'idée d'installer du chauffage dans le chalet.

— Du chauffage ?

— Pourquoi pas ? Comme ça, on pourrait y aller toute l'année !

— Batince, le gendre ! Tu y vas pas avec le dos de la cuillère ! Du chauffage, on rit pus ! En plus du poêle à bois, tu veux dire ?

— En plein ça ! Oh ! Je vois rien de ben compliqué. Une sorte de fournaise à l'huile qui fonctionnerait toute seule. Comme ça, on aurait pas besoin d'être là tout le temps pour y voir, comme avec les fournaises au charbon. On règle le thermomètre, pis ça marche tout seul.

— Ça existe, ça ?

— Comme j'suis là devant vous ! Ça marche au mazout, au *fioul* comme ils disent.

— Eh ben… Pis ?

Il y avait de l'espoir dans la question d'Irénée. Les yeux tout grand ouverts, Lauréanne et Agnès suivaient la discussion avec intérêt.

— Je me suis renseigné, pis ça serait faisable, expliquait justement Émile. Pas besoin d'être en ville pour avoir une fournaise de même. En autant qu'on a l'électricité, ça peut marcher. En plus, nom d'une pipe, c'est pas si cher que je l'aurais pensé...

— Ah non ? Remarque, mon pauvre Émile, que même pas cher, ça risque de l'être un peu trop pour nos moyens, à Félicité pis moi. Surtout si je me lance dans l'achat d'un piano pis...

— Mais j'ai jamais eu l'intention de vous demander de payer, interrompit Émile, toujours aussi souriant. Voyons donc, le beau-père ! Vous en avez déjà fait ben assez pour toutes nous autres. Non, c'est moi qui paierais pour le chauffage, l'installation de la fournaise, du réservoir pour le mazout, pis ce que ça coûterait chaque fois qu'il faudrait le faire remplir.

— Ben voyons donc ! Pourquoi tu ferais ça pour Félicité pis moi ?

— Ça serait comme une sorte de remerciement pour tout le plaisir qu'on a d'aller au chalet, ma Lauréanne pis moi... Que c'est vous en dites, de ma proposition ?

— Sacrifice, Émile ! Il y a pas grand-chose à dire à part que je te trouve ben *smatt* d'avoir pensé à ça... C'est sûr que ça serait ben agréable d'aller au chalet un peu n'importe quand. C'est Napoléon qui va en

faire toute une tête ! Des plans pour qu'il fasse pareil !
Oh… Chut ! Pus un mot sur nos projets. J'entends
Félicité qui monte l'escalier… Batince que j'ai hâte
d'y voir la face quand elle va comprendre qu'astheure,
elle a un piano à elle toute seule !

— En attendant, grand-père, il y a le problème de
Marion à régler, chuchota Agnès. C'est pour ça que
matante Félicité est là.

— C'est ben que trop vrai, approuva ce dernier sur
un même ton de conspiration, tout en faisant un clin
d'œil à sa petite-fille. Il y a l'histoire du manoir qui
est pas réglée.

— Le manoir ? Qu'est-ce qu'il a, le manoir ?
demanda Émile entre deux bouchées, n'y comprenant plus rien. Dites-moi pas qu'il est passé au feu lui
aussi ?

— Pantoute, répliqua Félicité, qui venait d'entrer
dans la pièce et qui avait entendu la fin de la conversation. Il y a le feu nulle part, pis il y a personne de
mort non plus !

La vieille dame était tout essoufflée d'avoir gravi le
long escalier en colimaçon qui donnait sur la galerie
arrière de la maison.

— Bonne sainte Anne qu'il y en a des marches à
monter en ville ! observa-t-elle en prenant de longues
inspirations. M'en vas y laisser le peu de forces qui me
reste !

— Prenez le temps de vous asseoir, matante,
fit gentiment Émile, en désignant une chaise libre

devant lui. Comme on dit, pour rester dans le ton de la conversation, il y a pas le feu ! Quand vous aurez repris votre souffle, vous nous direz ce qui vous amène chez nous !

— Merci ben…

Félicité s'installa en expirant bruyamment, comme une baudruche qui se dégonfle. Puis, elle déposa son sac à main devant elle, tout en glissant un regard de connivence à sa petite-nièce. Ensuite, elle revint à Émile.

— Heureusement qu'il y a pas de drames aussi grands qu'un feu ou un décès, redit-elle sur le ton d'une constatation, tout en secouant sa toque grise, parce qu'il me semble qu'on a assez donné dans ce domaine-là. Mais j'vas quand même avoir besoin de votre aide, Émile.

— Ah oui ?

— C'est comme je vous dis !

— Ben là… Demandez, Félicité, pis vous recevrez !

— Cher Émile ! On peut toujours compter sur vous… Astheure, même si j'ai l'impression de me répéter, que c'est que vous diriez d'une promenade dimanche prochain ?

« *Bonyenne d'affaire ! Comment ça se fait que je n'y arrive pas ? Les parents ne me mangeront pas tout rond, voyons donc ! Le pire qu'il pourrait m'arriver, c'est que je reçoive une taloche en arrière de la tête, pis ça ne serait pas la première. C'est même arrivé souvent quand j'étais petite, pis je n'en suis pas morte ! Malgré ça, je ne suis pas capable de leur parler. Ni à mon père ni à ma mère. Les mots n'arrivent pas à sortir. On dirait qu'ils restent bloqués dans ma gorge et que si j'essayais quand même de dire quelque chose, ça ferait juste une sorte de couac, comme un canard.*

*Je ne suis pas à l'aise devant mes parents. J'ai l'impression que mon cœur est trop gros pour ma poitrine et qu'il bat trop fort. Je n'arrive pas du tout à leur faire confiance... Pourquoi je me sens comme ça, tandis que c'était si facile avec madame Éléonore ? C'est pas mêlant, je n'ai même pas osé insister pour aller à la messe ce matin. Pourtant, ça m'aurait fait du bien de sortir un peu de la maison, de renifler autre chose que le pot de chambre qui traîne en dessous du lit des parents, et le petit lard ou le « baloney » que je fais cuire pour le repas du soir. Mais non ! Quand ma mère m'a dit de rester ici pour voir à elle et à Léon pendant que la famille partait pour l'église, j'ai dit oui, comme d'habitude, sans* protester, parce que Ludivine, elle, s'était permis de chialer en disant que c'était toujours elle qui faisait les « jobs » plates depuis que notre mère est malade. Elle n'a pas tort, c'est vrai qu'elle en fait quand même beaucoup, mais est-ce que c'est une raison suffisante pour que j'aie l'impression d'être obligée de faire certaines choses à sa place, en plus des miennes ? Comment ça se fait que je suis peureuse au point de ne pas être capable de donner mon opinion ?

Ludivine le fait bien, elle !

Une chance que ma mère n'est pas si pire que ça avec moi depuis que je suis revenue… Par contre, si elle est fine comme ça, c'est peut-être juste parce que je fais tout ce qu'elle me demande sans jamais prononcer un mot de travers…

C'est un peu fou de dire ça, mais si je m'ennuie beaucoup de madame Légaré, je m'ennuie aussi d'Ovide. Il me semble que s'il était là, les choses seraient différentes… À commencer peut-être par pouvoir parler normalement avec nos parents pour essayer de trouver une solution, parce qu'avec Ovide, le père se donne la peine d'écouter. Des fois. »

# CHAPITRE 3

*Le dimanche 18 septembre 1927,*
*à Villeneuve, au manoir O'Gallagher,*
*par un après-midi frais, mais ensoleillé*

Dès leur arrivée dans la cour du manoir, plutôt que de stationner son auto, Émile avait prétexté l'envie de découvrir la ville, car il ne voyait pas en quoi il lui serait utile de rester ici pour consoler madame Légaré. Elles étaient trois pour le faire, c'était amplement suffisant !

— J'vas vous laisser entre femmes pour un petit moment. Vous allez être plus à votre aise.

— Voyons donc, Émile ! Vous pouvez rester avec nous autres, avait protesté Félicité, tout en enfilant ses gants. On a pas de cachettes à vous faire.

— C'est pas la raison. Vous savez très bien que j'ai pas l'habitude d'être gêné par quoi que ce soit. Non, c'est juste qu'il fait beau, pis que j'ai envie d'en profiter un peu. Faut pas oublier que du lundi au vendredi, je passe mes grandes journées enfermé à mon travail. Ça va me faire du bien de m'éventer. De toute façon, j'aime ça découvrir des petites villes nouvelles. Hein, Lauréanne ? Tu le sais, toi, que ça m'amuse de fouiner un peu partout.

— Oh oui !

— Vous voyez bien ! C'est pour ça que j'vas tirer parti du beau soleil d'aujourd'hui pour aller me promener. J'vas écornifler par la vitrine des commerces, si jamais il y en avait. Ça va être plaisant de voir autre chose que mes cuves de brassage. Mais craignez pas ! J'vas revenir à temps pour goûter aux bons biscuits de madame Légaré.

— Si elle en a fait, murmura Félicité, avant de se glisser hors de l'auto. Pas sûre, moi, que cette fois-ci, elle a eu le cœur de nous préparer des petites gâteries.

— Si c'est le cas, ça sera pas plus grave que ça… Je peux comprendre, vous savez. En attendant que je revienne, saluez bien madame Légaré pour moi, pis on se reverra t'à l'heure !

Émile attendit que la porte de la cuisine s'ouvre devant Félicité, Lauréanne et Agnès, puis, sur un dernier signe de la main, il fit demi-tour et regagna la façade du bâtiment pour se diriger vers la ville, sans savoir qu'il était épié.

En effet, assis à la fenêtre de sa chambre, James surveillait attentivement les allées et venues de cette auto qu'il avait longtemps attendue. Il la regarda s'éloigner dans l'allée bordée de trembles, puis il s'écarta de la vitre en soupirant.

Dire qu'il s'ennuyait et qu'il se faisait du souci pour Marion serait un euphémisme ! Plusieurs fois par jour, le nom de la jeune protégée de madame Éléonore lui traversait l'esprit et ça lui faisait le cœur gros. Cependant, il semblait bien qu'il n'était pas le seul à se tourmenter ainsi, puisque madame Légaré avait demandé la permission de recevoir encore une fois sa nouvelle amie, madame Félicité. James se doutait bien que ce n'était probablement pas pour discuter de la pluie et du beau temps !

Cela faisait deux semaines aujourd'hui que Marion avait quitté le manoir en catastrophe, et James n'en pouvait plus de ne pas avoir de ses nouvelles.

Tout avait commencé l'autre dimanche, celui que le jeune homme qualifiait de jour sombre. Quand il s'était présenté à la serre pour rejoindre Marion et cette Agnès venue la visiter, comme il avait été précédemment convenu, les deux filles brillaient par leur absence. Pourtant, c'était bien là que Marion lui avait donné rendez-vous, James n'aurait pu se tromper d'endroit.

— Des fois qu'on aurait rien à se dire, Agnès et moi, avait-elle chuchoté au déjeuner, tandis qu'il l'aidait à empiler quelques assiettes sales avant de rejoindre ses parents. Je vais être à la serre de monsieur Quincy, sur le petit banc à l'autre bout du potager. Laissez-nous une petite demi-heure, question d'apprendre à se connaître un peu, puis vous pourriez vous joindre à nous. Qu'est-ce que vous en pensez ?

James avait aussitôt accepté. Cette conversation à venir mettrait un peu de piquant dans son dimanche et comme il n'avait pas de permission à demander à quiconque pour se balader du côté de la serre, tout devrait fonctionner sans anicroche !

Toutefois, lorsqu'il était arrivé au rendez-vous, les jeunes filles n'y étaient déjà plus.

En fait, il n'y avait qu'un garçon que James avait reconnu comme étant le frère de Marion, celui qui se présentait au manoir au début de chaque mois. Il croyait avoir entendu entre les branches qu'Ovide venait ainsi chercher les gages de sa jeune sœur, mais James n'en était pas tout à fait certain. Quoi qu'il en soit, il avait été déçu de ne pas voir les deux filles ce dimanche-là. Mais comme il était d'une nature plutôt généreuse, il s'était tout de même dit que si Marion n'avait pas jugé bon de l'attendre, c'était que la rencontre se passait bien. Il avait donc rebroussé chemin, se promettant cependant de lui demander, dès le lendemain après le déjeuner, comment s'était déroulée la visite d'Agnès.

Malheureusement, il n'y avait pas eu de lendemain avec Marion, puisque le père de celle-ci s'était présenté en soirée, réclamant le retour de sa fille à la maison familiale.

— C'est ben dommage pour vous, avait déclaré Antonin Couturier, froidement et sans détour, mais on a besoin d'elle chez nous !

— Mais nous aussi, nous avons besoin d'elle à la cuisine, avait rétorqué le père de James aussi poliment que s'il avait été devant un ministre !

Pourtant, le père de Marion avait plutôt piètre allure. Malgré cela, la politesse de Patrick O'Gallagher n'avait pas semblé l'impressionner. Il avait riposté avec véhémence, se permettant même de glisser une pointe d'impertinence dans sa réponse.

— Ça reste que Marion, c'est ma fille à moi ! De quoi c'est que vous vous mêlez, vous là ? Si je dis qu'on a besoin d'elle tusuite, ça va être tusuite ! Dites-vous ben que c'est pas de gaieté de cœur qu'on va devoir se passer de ses gages, mais on a pas le choix. C'est toujours ben pas de notre faute si ma femme doit garder le lit pour les six prochains mois.

Le ton était hostile, arrogant. Néanmoins, Patrick O'Gallagher était resté de marbre. Cependant, pour répondre, il avait pris un ton altier, celui qu'il employait quand il se sentait en position d'autorité et qu'il voulait que son vis-à-vis en prenne conscience.

— Je comprends très bien votre situation et je vais en tenir compte… Mais nous avions quand même une entente, n'est-ce pas ? Si nous parlions de la semaine prochaine, monsieur Couturier ? Le temps de nous retourner, ma femme et moi, et que…

— Pas question ! C'est tusuite que j'ai besoin de ma fille ! Que c'est vous comprenez pas dans ces mots-là ? Pis ça serait pas pire si elle avait ses gages de l'été avec elle, comme de raison ! Ça aiderait à compenser ce qu'elle nous rapportera pus durant les prochains mois.

— Oh ! Pour les gages, c'est autre chose. Votre fille les a déjà reçus.

Ça avait été à ce moment précis que la conversation avait dégénéré en esclandre. Le grand Tonin avait élevé la voix quand il avait compris qu'Ovide était passé au manoir avant de prendre le large avec l'argent.

Le père de Marion s'en était même pris à Patrick O'Gallagher pour ce manque de surveillance, avait-il allégué. Puis, d'un même souffle, il avait exigé le remboursement de cet argent qui, disait-il, lui appartenait.

James, impuissant, avait assisté à cette rencontre, puisqu'il était lui aussi dans le petit salon, en train de disputer une partie de billard avec son père, quand Antonin Couturier avait fait irruption au manoir. Finalement, Patrick O'Gallagher avait mis le père de Marion à la porte, en vociférant, lui aussi, ce qui avait grandement impressionné James, qui n'avait jamais entendu son père s'emporter à ce point. Seule concession offerte au grand Tonin : il pourrait emmener immédiatement sa fille avec lui.

— Et que je n'entende plus jamais parler de vous ! Quant à l'argent, vous n'avez qu'à trouver votre fils pour le récupérer ! Monsieur Tremblay va vous reconduire jusqu'à la porte. Vous attendrez votre fille à l'extérieur. La soirée est belle, vous n'en souffrirez pas.

Inutile de dire que la partie de billard avait été interrompue sur-le-champ. James avait attendu que son père se soit retiré dans sa chambre, puis il s'était glissé silencieusement dans l'escalier menant au sous-sol. Il s'en voulait de ne pas être resté plus longtemps, quand il était au jardin. Il aurait dû deviner que si Ovide était là, c'était pour venir chercher les gages de sa sœur, comme il avait entendu dire, et que celle-ci ne tarderait pas. Certes, il n'aurait pu changer quoi que ce soit à la situation qui avait prévalu, mais au moins, il aurait eu la chance de voir la jeune fille une dernière fois.

Les sanglots bruyants de madame Légaré avaient arrêté James entre les deux étages. Il était subitement intimidé par ces pleurs incontrôlables.

Pauvre madame Éléonore !

James avait donc fait demi-tour, comprenant, à la détresse de la cuisinière, que Marion était bel et bien partie, et il avait, lui aussi, versé quelques larmes dans l'oreiller. La seule véritable amie qu'il avait eue brièvement sous le toit du manoir n'était plus là. Reviendrait-elle un jour ?

Dès le lundi, James avait laissé traîner ses oreilles un peu partout dans la maison, mais curieusement, plus personne ne parlait de Marion. À croire qu'elle s'était tout bonnement volatilisée, ou qu'elle n'avait jamais existé !

Puis, en début de semaine, madame Légaré avait timidement demandé la permission de recevoir madame Félicité une seconde fois. Parce qu'il était un brave homme et qu'il avait bon cœur, Patrick O'Gallagher avait accepté d'emblée et il avait même déclaré que pour ce dimanche, il inviterait toute la famille à dîner au restaurant.

— Ça vous laissera tout votre temps, madame Légaré. Je sais combien vous êtes éprouvée et débordée en ce moment. Ça ne doit pas être facile de vous retrouver subitement toute seule à la cuisine, n'est-ce pas ? La situation est bien malheureuse, j'en conviens, mais que voulez-vous qu'on y fasse ? D'autant plus que vous n'acceptez personne d'autre pour vous seconder… Je suis désolé d'avoir à le dire, mais il ne faut pas oublier que monsieur Couturier, même s'il est un être parfaitement détestable, a tout à fait raison d'affirmer que Marion reste sa fille. C'est mon épouse qui me l'a répété l'autre soir. Je comprends, cependant, que vous sentiez le besoin d'un peu de réconfort… Va donc pour votre amie dimanche prochain. Je profiterai de l'occasion pour faire un saut à l'entrepôt après le repas. J'ai quelques commandes en retard et mon épouse, tout comme Tiffany et Béatrice, aime bien fureter dans toutes ces babioles que nous avons en transit chez nous. Elles en profiteront pour se choisir quelques colifichets !

James, qui n'était pas très loin, avait tout entendu, mais il avait cependant décliné l'invitation à dîner de son père sans la moindre hésitation.

— Je suis désolé, père, mais je ne serai pas de la sortie. Notre titulaire nous a donné un premier travail long qui va sûrement demander des heures de préparation ! Je vais donc profiter de ce dimanche sans partie de croquet ni repas formel à l'heure du midi pour avancer dans mes recherches.

— À ta guise, mon garçon. J'avais cependant l'intention de vous amener manger au Ritz.

Le Ritz Carlton !

Les yeux de James s'étaient aussitôt mis à étinceler de plaisir anticipé. En une fraction de seconde, le jeune homme avait vu défiler à la queue leu leu dans son esprit un rosbif bien saignant, une portion de foie gras au torchon et quelques pâtisseries françaises, toutes plus appétissantes les unes que les autres.

C'est que l'on dînait fort bien à la salle à manger du Ritz Carlton, James le savait depuis longtemps. Pour un fin gourmet comme lui, doublé d'un gourmand impénitent, la tentation avait été très forte ! Un gargouillis bruyant s'était même fait entendre, mais le jeune homme avait tenu bon !

— Dommage, père, mais je resterai tout de même à la maison.

Patrick O'Gallagher avait alors réprimé un sourire. Que se passait-il pour que son fils décline pareille invitation ?

— C'est tout à ton honneur, James, de prioriser tes études ! avait-il déclaré sans chercher plus loin. Tu seras donc le maître de la maison, puisque monsieur

Tremblay nous accompagnera à Montréal. Il va profiter de notre périple en ville pour aller saluer ses parents.

Si le prétexte d'un travail scolaire avait une assise de vérité, James aurait pu attendre un peu avant de s'y mettre ! Il avait tout de même de longues semaines devant lui pour mener le projet à terme. Mais qu'à cela ne tienne ! Le simple fait d'entendre parler de Marion et de savoir peut-être ce qu'elle était devenue avait, à ses yeux, nettement plus d'importance qu'un banal repas, aussi bon soit-il. Ainsi, peut-être s'endormirait-il plus facilement le soir.

Et cela, c'était sans avoir à ajouter qu'il avait trouvé plutôt ennuyante chacune de ses visites à l'entrepôt O'Gallagher and son...

La semaine avait été longue. Chaque jour, à l'arrivée comme au départ du collège, James ne pouvait s'empêcher d'étirer le cou pour regarder vers le magasin de Clermont Godbout, puis vers la boulangerie, effleurant au passage la devanture de l'apothicaire.

Sait-on jamais, Marion irait peut-être y faire quelques courses pour ses parents ?

Malheureusement, jusqu'à maintenant, il n'avait jamais aperçu la chevelure mordorée de celle qu'il espérait tant voir se promener à travers la foule des passants...

Puis, le dimanche était enfin arrivé.

De sa fenêtre, James avait assisté au départ de sa famille, accompagnée du majordome, monsieur Tremblay. Les deux hommes s'étaient installés à l'avant de l'auto, tandis que sa mère et ses sœurs prenaient place à l'arrière. Ils semblaient tous d'excellente humeur, car même Béatrice bavardait joyeusement. Ils ne seraient de retour qu'en toute fin d'après-midi.

James avait poussé un soupir de soulagement quand l'auto conduite par son père avait disparu au bout de l'allée. Il était surtout heureux de voir partir le majordome, car il pourrait ainsi faire un saut à la cuisine en toute impunité. En effet, le règlement lui interdisant l'accès au sous-sol avait été remis en vigueur dès son retour des vacances au chalet.

Désœuvré après le départ de ses parents, James avait passé quelques heures à la bibliothèque. Tant qu'à attendre, au moins rendrait-il cette attente productive ! L'oreille tendue et sursautant au moindre bruit, le jeune homme avait tout de même trouvé quelques livres susceptibles de lui être utiles pour sa recherche. Sans grand appétit, à l'heure du midi, il avait demandé à Adam, le valet des hommes de la maison, de lui monter un simple sandwich au jambon et un verre de lait.

— Puis, comme il n'y a personne d'autre que moi à la maison, vous pourrez disposer de votre après-midi.

— Vous êtes bien certain, monsieur ?

— Tout à fait. C'est mon père lui-même qui m'a dit que je serais le maître des lieux pour le temps que durerait sa promenade à Montréal. Donc, si je dis que vous pouvez utiliser le reste de la journée à votre guise, c'est que c'est vrai !

— Si c'est comme ça… Je vais demander à Quincy s'il aimerait m'accompagner jusqu'au centre-ville de Villeneuve. La promenade autour de l'étang est fort agréable quand il fait beau comme aujourd'hui. Nous serons de retour en fin d'après-midi.

James avait grignoté son sandwich perché sur le rebord de la fenêtre de sa chambre pour être certain de ne pas rater l'arrivée de madame Félicité. C'est ainsi qu'il avait pu saluer Adam quand ce dernier s'était retourné en quittant le manoir, et effectivement, Quincy l'accompagnait.

Ce fut en début d'après-midi que l'auto grise que James connaissait bien pour l'avoir vue à quelques reprises chez leurs voisins durant l'été était apparue au bout de l'allée.

Enfin !

Le jeune homme s'était penché à la fenêtre pour la voir disparaître au coin de la maison, puis, quelques instants plus tard, il avait vu revenir cette même auto, celle qui, présentement, était en train de s'éloigner dans l'allée. C'était le temps ou jamais de se diriger vers l'escalier menant à la cuisine.

En longeant le long couloir de l'étage, James ne savait plus trop ce qui l'avait poussé à vouloir rester chez lui, sinon qu'il souhaitait de tout son cœur que la conversation qu'il y aurait à la cuisine tourne autour de Marion.

Fallait-il qu'il s'ennuie !

Surtout qu'il ne savait même pas s'il aurait le courage de s'immiscer dans la discussion ! Pourtant, il lui semblait qu'il aurait quelque chose d'important à dire. En effet, pour en avoir parlé avec Marion durant l'été, quand ils s'étaient retrouvés sur la plage du chalet en compagnie de sa sœur Béatrice, James savait que sa jeune amie n'était sûrement pas heureuse de ce revirement de situation. Sinon, pourquoi Marion lui aurait-elle confié, sur un ton très sérieux, presque grave, qu'elle aimait madame Légaré comme une mère ?

— Parce que c'est la première femme qui est aussi gentille avec moi, avait-elle ajouté en soupirant. Je suis bien avec elle. Je suis bien chez vous, monsieur James. J'espère y rester encore longtemps. Avec madame Éléonore, je n'ai jamais peur d'être réprimandée.

Ce jour-là, Marion n'était pas allée plus loin dans ses confidences. Elle avait vigoureusement secoué la tête, comme pour empêcher les mots de s'imposer, et James avait respecté son silence. L'instant d'après, ils s'élançaient tous les deux dans les eaux fraîches du fleuve pour rejoindre Béatrice, comme si de rien n'était.

Quel bel été !

Mais qui s'était fort mal terminé...

James se faufila jusqu'à l'escalier du sous-sol et il en descendit quelques marches pour pouvoir épier la conversation qui se tenait dans la cuisine de madame Éléonore.

Les voix étaient feutrées, mais facilement reconnaissables.

— Si vous saviez comme je trouve ça difficile !

C'était la voix de madame Éléonore, toute chagrine. Celle de madame Félicité – qui d'autre ? – lui répondit, sur un ton plus retentissant.

— On serait bouleversé à moins que ça, ma pauvre amie.

— Quand même ! Me semble que la pire, dans toute cette histoire-là, c'est plutôt Marion, observa alors une voix qui semblait assez jeune, mais particulièrement déterminée.

James en déduisit que ce devait être Agnès. Il ne la connaissait pas vraiment et ne l'avait vue que de loin durant le séjour au chalet. Il descendit alors quelques marches supplémentaires. Si la toute nouvelle amie de Marion participait à cette réunion, peut-être pourrait-il s'y joindre sans risque de se faire éconduire ? Le jeune homme tendit encore l'oreille.

— Mais qu'est-ce qu'on peut faire pour améliorer votre sort et celui de Marion ?

Là, c'était la dame Félicité qui avait repris la parole.

— J'ai beau pas avoir la langue dans ma poche, poursuivit-elle, je sais pas trop comment je pourrais aborder le père de Marion pour qu'il veuille m'écouter. Après toute, on se connaît pas, lui pis moi, pis me semble que c'est à lui qu'il faudrait s'adresser, non ?

— Pourquoi pas à sa mère ?

— Ouais, peut-être ben…

— À mon avis, si on y allait ensemble, on les verrait tous les deux en même temps, pis on pourrait discuter, proposa Agnès.

— N'empêche qu'on ne les connaît pas vraiment, ces gens-là ! protesta madame Éléonore d'une voix effarée, donnant ainsi raison à la tante Félicité. Ce que j'en sais me vient du peu que Marion m'a confié et cela me suffit amplement pour susciter un doute. Je ne suis pas du tout certaine que les parents de Marion nous accueilleraient à bras ouverts. Personne n'aime voir quelqu'un débarquer sans préavis !

— Ça, c'est certain !

— Ben que c'est qu'on fait, d'abord ?

Et patati et patata !

James réprima un soupir d'impatience. Il savait que l'on parlait de son amie, soit, et c'était bien ce qu'il avait espéré. Il n'en restait pas moins que la conversation ne mènerait nulle part si elle se poursuivait sur ce ton !

De marche en marche, James était arrivé au sous-sol. Il s'approcha de la cuisine à pas de loup, ne sachant trop comment signifier sa présence. Il repensa à l'excuse du verre d'eau, mais il afficha aussitôt une moue, jugeant qu'il l'avait déjà trop souvent employée.

James en était là dans sa réflexion quand Lauréanne, qui n'avait rien dit jusqu'à présent, aperçut le garçon du coin de l'œil.

— Je m'excuse de vous interrompre, matante, murmura-t-elle en posant la main sur le bras de Félicité pour attirer son attention, mais je vois quelqu'un dans le corridor. C'est un garçon qui me semblerait avoir l'âge de notre Agnès ou de Marion, je dirais ! Il veut peut-être quelque chose, ajouta-t-elle un peu plus fort, en se tournant vers la cuisinière.

Madame Légaré détourna aussitôt les yeux et, sans la moindre hésitation, elle esquissa un beau sourire. Le même que celui qu'elle réservait à Marion, observa alors Félicité. La vieille dame suivit donc le regard de la cuisinière pour s'attarder à son tour sur un jeune homme qui, de prime abord, lui sembla fort gentil. En fait, il lui faisait penser à Benjamin, le jeune frère d'Agnès. Tous les deux, ils avaient une chevelure plutôt flamboyante.

— Ah, c'est vous, monsieur James ! s'exclamait la cuisinière au même instant. Je peux faire quelque chose pour vous ?

— Euh... Pas vraiment, madame Éléonore. Je... Je vous ai entendue parler de mademoiselle Marion et je... Je peux venir m'asseoir, moi aussi ?

Il y avait tant d'attente dans la voix et le regard de James qu'Éléonore sentit aussitôt son cœur se serrer.

— Bien sûr, monsieur James, venez ! lança-t-elle sans réfléchir davantage.

Puis, se tournant vers Félicité et Lauréanne, la cuisinière précisa :

— Je vous présente James O'Gallagher, le fils de la maison ! Il connaît bien Marion, comme vous devez vous en douter, et lui aussi, je crois bien qu'il se désole de la situation… Allez, monsieur James, approchez…

Puis, comme s'ils étaient tous les deux seuls dans la pièce, madame Légaré demanda sur un ton très doux :

— Vous aussi, vous vous ennuyez, n'est-ce pas ?

— Oh oui !

Ces deux mots étaient un véritable cri du cœur et le regard qui l'accompagnait était tout brillant ! Peut-être de larmes retenues, ou d'espoir ?

Éléonore Légaré se dit alors qu'elle ne s'était pas trompée. L'amitié qu'elle avait vue poindre entre Marion et James, durant les derniers jours de leur séjour à la maison de campagne, n'était pas qu'une amitié de circonstances. Les liens étaient sincères et l'attirance mutuelle !

Malheureusement, si elle-même voyait cette complicité d'un bon œil, les deux jeunes gens étant des personnes droites et fières, et cela peu importent leurs ascendants, il en allait autrement avec monsieur Patrick, pour qui les convenances étaient de la toute première importance, secondé en ce sens par un monsieur Tremblay plutôt à cheval sur les principes !

— Les gens de la domesticité n'ont surtout pas à fraterniser avec la famille O'Gallagher, point à la ligne ! répétait à l'envi le majordome un peu guindé.

Jusqu'à maintenant, madame Légaré avait toujours adhéré à la pertinence de cette règle parce que, selon elle, cela allait de soi. Son père ne lui avait-il pas déclaré, lors de son embauche au manoir, que le respect des classes sociales était primordial ?

— N'oublie jamais, ma fille, avait-il dit sérieusement, de toujours tenir ton rang. C'est à ce prix que tu vas conserver ton emploi. Comme le dit si bien le proverbe, à chacun son métier, et les vaches seront bien gardées !

Il n'en restait pas moins, pour madame Éléonore, que cette nouvelle amitié entre James et Marion, même si elle dérogeait aux règles établies, n'était pas une raison suffisante pour tenir la jeune fille éloignée du manoir.

« Oh que non ! » se dit alors Éléonore en jetant un regard en coin à James qui approchait lentement de la table, visiblement intimidé.

Il y allait de son attachement personnel pour cette jeune personne qu'elle aimait tendrement et de son besoin réel d'une aide efficace en cuisine. Puis, le monde évoluait ! Ce qui pouvait paraître essentiel à une époque ne l'était peut-être plus aujourd'hui, dans une société moderne où tout un chacun avait le droit de revendiquer une meilleure place au soleil. Quant aux parents de Marion, Éléonore avait une petite idée de ce qu'elle pourrait leur dire et même de ce qu'elle pourrait éventuellement faire pour améliorer la situation. Car, pour l'instant, il était là le nœud du problème, et nulle part ailleurs !

Dans un long soupir, la cuisinière laissa filer un dernier malaise devant ce qu'elle s'apprêtait à faire, puis elle se redressa et elle tira une chaise pour que James puisse s'installer à côté d'elle.

Après tout, en ce moment, il n'y avait ni maître ni majordome à la maison, n'est-ce pas ?

Éléonore fermerait donc les yeux sur cet écart de conduite et s'en excuserait en cas de besoin, mais elle irait au bout de ses convictions. D'un geste décidé, elle tapota la chaise, invitant ainsi monsieur James à se joindre à leur discussion.

Et tant pis pour les conséquences !

— Nous parlions justement de Marion, fit-elle alors tout bonnement, tandis que James, soulagé, se faufilait jusqu'à elle.

— J'y pense moi-même très souvent, déclara-t-il avec un grand sérieux, tout en prenant place à la table.

— Nous cherchions ensemble une solution pour qu'elle puisse reprendre sa place ici, dans ma cuisine, expliqua madame Éléonore. Sans pour autant causer de préjudices à ses parents, bien entendu.

À ces mots, James promena les yeux autour de lui sur ce qui ressemblait à une assemblée improvisée.

— Et si nous y allions en délégation ? demanda-t-il tout souriant, laissant entendre par là qu'il savait déjà de quoi ces dames discutaient au moment de son arrivée.

— Aller où, monsieur James ?

— Chez Marion, voyons !

D'un regard circulaire, James sembla quêter l'approbation autour de lui. Agnès lui renvoya un petit sourire. Il lui trouva l'air gentil et il comprit pourquoi Marion semblait si heureuse d'avoir enfin la chance de la rencontrer. Toutefois, madame Éléonore, elle, avait froncé les sourcils.

— Vous n'y pensez pas !

James tourna vivement la tête vers la cuisinière.

— Mais n'était-ce pas là ce dont vous parliez à mon arrivée ?

— Bien sûr ! Mais ce n'était qu'une supposition !

— Et si je vous répondais que moi, je vois cette supposition comme une proposition ?

À ces mots, madame Légaré retint un long soupir de découragement, ayant l'impression d'être en train de perdre le contrôle de la situation. Elle ferma brièvement les yeux, se disant qu'elle aurait dû s'en tenir aux consignes et renvoyer monsieur James à ses appartements !

— Doux Jésus ! lança-t-elle enfin, en levant les yeux vers le jeune homme. Que dirait votre père s'il venait à apprendre que vous vous êtes présenté chez les parents de Marion ?

— Il serait contrarié, sans aucun doute, réfléchit alors James à voix haute, le regard vague.

Il resta ainsi, sans bouger, silencieux, durant un court moment, puis il s'ébroua et fixa madame Légaré droit dans les yeux.

— Mais je sais qu'il finirait par me pardonner, conclut-il avec assurance.

— À vous peut-être bien, oui, acquiesça madame Éléonore, il vous aime tellement. Mais il en irait tout autrement pour moi, monsieur James. Je suis persuadée que si votre père apprenait que c'est moi qui vous ai entraîné dans cette aventure, il me montrerait la porte sans la moindre hésitation ! Déjà que vous êtes dans ma cuisine en ce moment, alors que cela vous est de nouveau interdit… Que deviendrais-je sans emploi, je vous le demande un peu ?

— Oui… En effet, ça serait très embêtant de vous voir quitter le manoir, madame Éléonore. Tant pour vous que pour nous, d'ailleurs ! Mais mon père irait-il jusque-là ?

— Probablement qu'on ne le saura jamais, car voyez-vous, je n'ai nullement l'intention de sonder le terrain ! L'enjeu est trop gros. Oh ! Je ne serais pas condamnée à la mendicité, puisque je suis convaincue que mon vieux père serait très heureux de me voir revenir chez lui, mais bon… Nous n'en sommes pas là ! Alors, monsieur James ? Selon vous, une fois la visite chez les parents de Marion écartée, que pourrions-nous raisonnablement faire ?

Un long soupir découragé fut l'unique réponse du jeune homme.

— Je ne sais pas, laissa-t-il finalement tomber dans un souffle.

— Pis nous autres non plus, jeune homme !

Félicité venait de se glisser dans la conversation encore une fois.

— Personne, ici, à part madame Légaré, connaît la famille de la jeune Marion, ajouta-t-elle. Pis c'est vite dit, ça là ! En réalité, elle a ben juste rencontré son frère Ovide pis…

— Mais moi je connais son père !

Affalé un instant sur la table, James s'était redressé comme un pantin sort de sa boîte.

— Enfin, précisa-t-il, j'étais là, dans le petit salon, quand il est venu chercher sa fille.

— Ah oui ? Pis ? De quoi c'est qu'il a l'air, le père de Marion ?

— Il n'a pas l'air commode… Il ne sent vraiment pas très bon et il n'est même pas poli !

— Ça nous fait une belle jambe, ça là ! échappa Félicité, visiblement bousculée par la tournure que prenait la discussion.

— James a raison, confirma alors Éléonore. Si moi non plus je ne l'ai jamais vu, c'est exactement ce que monsieur Tremblay m'a confié, l'autre soir, sur un ton qui laissait voir à la fois son exaspération et son indignation.

— Ben là, madame Légaré ! S'il est pas parlable, cet homme-là, comment c'est qu'on va pouvoir lui parler ? intervint Agnès sur un ton découragé.

À ces mots, la cuisinière sembla se tasser sur sa chaise, visiblement déprimée.

— Le moins qu'on puisse dire, c'est que ça va être difficile. Le majordome dit de monsieur Couturier qu'il est un grossier personnage, révéla-t-elle.

Un lourd silence s'abattit sur la cuisine.

— Voulez-vous que je vous dise de quoi, madame Légaré ? déclara enfin Félicité, j'avoue finalement que ça me surprend pas pantoute.

— Pourquoi dites-vous ça, matante ? demanda alors Lauréanne en se tournant vivement vers Félicité. Comment pouvez-vous parler comme ça sans même connaître le père de Marion ?

Avant de répondre, Félicité sembla consulter madame Légaré du regard. Elle attendit un discret signe d'assentiment de la part de la cuisinière avant de poursuivre.

— Au point où on en est, je crois que je peux en jaser librement. Tu vas voir, ma pauvre Lauréanne, que c'est pas ben ben compliqué : un père qui exige la totalité des gages de sa fille peut pas être quelqu'un de ben civilisé !

— Parce qu'il faisait ça ?

— Eh oui ! C'est à peine croyable, n'est-ce pas ? répondit Éléonore, heureuse de voir que son amie Félicité pensait la même chose qu'elle. Tous les mois, je la voyais remettre à son frère le plein montant d'argent qu'elle avait mérité grâce à son travail.

— Pauvre Marion ! Astheure, je comprends pas mal mieux sa lettre ! compléta alors Agnès.

À ces mots, tous les regards convergèrent vers elle.

— Que c'est tu veux dire par là, ma belle ? Tu verrais-tu une solution qu'on voit pas de notre bord, toi là ?

— Une solution, je sais pas trop… Mais ce que j'ai senti, par exemple, c'est que Marion avait beaucoup de peine. De la manière qu'elle a écrit ça, c'était ben évident que c'était pas son choix de retourner vivre chez ses parents. Mais qu'à cause de sa mère malade, pis de son frère qui s'était sauvé avec son argent, elle a été obligée de suivre son père… Elle m'avait donné l'impression d'être complètement découragée, pis je m'étais pas trompée… Mais je pense à ça ! Ça marche pas, leur affaire !

Tout en parlant, Agnès avait froncé les sourcils. Elle semblait réfléchir intensément.

— Ben voyons donc, Agnès ! Je te suis pas pantoute, ma belle fille. Que c'est tu veux dire ?

— Je pense, matante, que les parents de Marion se sont mis dans le trouble en venant la chercher.

— Bon ! Une autre affaire !

— Laissez-moi finir ! Vous allez voir, c'est pas compliqué pantoute ! Si Ovide était resté ici, à Villeneuve, les parents de Marion seraient venus la chercher pour voir à sa mère pendant qu'Ovide, lui, aurait travaillé pour remplacer les gages de Marion… Du moins, c'est ce que je pense comprendre de la lettre de Marion. Ça se tient-tu jusque-là ?

— Tout à fait ! Je vois très bien où vous voulez en venir, lança James, tout souriant.

Le jeune homme avait rapidement saisi ce qu'Agnès essayait d'expliquer. Il voyait même poindre enfin une solution. Il en était tout fébrile.

— C'est certain, mademoiselle Agnès, que cette hypothèse tient la route, répéta-t-il, prenant le relais des explications. Si nous comprenons la même chose, vous et moi, selon le plan des parents de Marion, leur fille retournait chez elle pour s'occuper de la maisonnée pendant qu'Ovide travaillait pour donner sa paye à ses parents. Cela me semble tout à fait juste.

— Le problème, c'est qu'Ovide s'est sauvé, enchaîna Agnès, sur le même ton. En plus, il est parti avec l'argent de Marion.

— Et je peux dire que monsieur Couturier n'avait pas du tout l'air content quand il a appris que l'argent avait disparu, intervint James. Je suis persuadé qu'il ne s'y attendait pas du tout.

— Et comme Marion a toujours prétendu que cet argent-là servait à nourrir la famille, ajouta madame Éléonore, c'est bien évident que sa paye va vite leur manquer. Ça rejoint ce que je pensais.

— Exactement ! lança Lauréanne qui, si elle ne participait pas vraiment à la discussion, n'en perdait toutefois pas le moindre mot. La décision était prise et probablement qu'Ovide devait revenir chez lui avec sa sœur et l'argent. J'en mettrais ma main au feu ! Il a plutôt choisi de prendre le large sans rien dire et selon tout ce que j'ai entendu ici, cet après-midi, je peux dire que je le comprends. N'empêche qu'en venant chercher sa fille, monsieur Couturier savait pas encore que l'argent était parti avec son garçon.

— C'est en plein ce que je disais, torpinouche ! s'écria Agnès. Sans le savoir, les parents de Marion se mettaient dans le trouble en exigeant le retour de leur fille ! C'est quand le père de Marion a compris que son fils s'était sauvé, avec l'argent en plus, qu'il a vu rouge !

— Quand même, Agnès ! Si la mère est obligée de rester couchée, il faut toujours ben…

— … engager quelqu'un pour remplacer Marion auprès de sa mère ! lança James, tout en interrompant la tante Félicité. Pourquoi est-ce que ça devrait obligatoirement être Marion qui s'occupe de sa famille ?

— D'accord, pour le principe, approuva Félicité, à qui ce James plaisait de plus en plus. Mais avec quel argent ils vont pouvoir engager quelqu'un ?

— Avec celui que Marion pourrait continuer de donner si elle travaillait encore ici, déclara Éléonore toute pimpante.

À force d'y penser, elle en était arrivée elle aussi à cette conclusion heureuse qui, ma foi, semblait ne recevoir que des approbations autour d'elle. Rassurée, elle allait poursuivre sur sa lancée quand elle fut devancée par la tante Félicité.

— Ben sûr que c'est logique tout ça, poursuivit la vieille dame, continuant ainsi de valider l'opinion de madame Légaré, mais ça fait juste régler une partie du problème, ça là !

— Pourquoi vous dites ça, matante ?

— Parce que si l'argent de Marion sert à payer une engagée, il restera pus grand-chose pour faire manger les enfants… Me semble que c'est pas difficile à comprendre, bonne sainte Anne !

— J'ai l'impression que l'on tourne en rond, laissa alors tomber James, tout enthousiasme subitement disparu.

— Mais non, mais non !

Curieusement, au fil des répliques échangées, madame Légaré semblait avoir repris sur elle. Malgré les obstacles qui donnaient l'impression de ne jamais vouloir cesser de s'accumuler, elle était souriante.

— Tout ce que l'on vient de dire, figurez-vous que j'y avais longuement réfléchi, déclara-t-elle calmement. Je me disais cependant que c'était ma grande envie de voir Marion revenir au manoir qui me faisait penser de la sorte. Mais comme vous semblez tous voir la situation sous le même angle que moi, laissez-moi vous exposer mon idée… Admettons que Marion gagnerait suffisamment d'argent pour payer à la fois une engagée auprès de sa mère et la nourriture de la famille, ne serait-ce pas là à l'avantage de tous ?

— C'est ben certain que ça serait l'idéal, soutint la tante Félicité, tout en opinant vigoureusement de la tête.

Puis, plantant son regard dans celui de madame Légaré, elle ajouta :

— Vous avez l'intention d'en parler avec votre patron ?

— Il faudra assurément que j'en discute avec monsieur O'Gallagher avant toute chose. Après tout, il lui revient de droit de prendre la décision finale quant au retour de Marion sous son toit.

— Pis c'est aussi à lui de dire s'il est d'adon pour augmenter ses gages, comme de raison !

James suivait la discussion avec un intérêt croissant, son regard passant de la tante Félicité à la cuisinière. Il se redressa à la dernière suggestion de la vieille dame.

— Pour ça, madame Félicité, c'est moi qui pourrais en parler à mon père ! suggéra-t-il, tout heureux. Qu'est-ce que vous en pensez, madame Éléonore ?

À ces mots, la cuisinière posa sa main sur celle du jeune homme et la tapota.

— Cher monsieur James ! Je vous reconnais bien là. Vous êtes le digne fils de vos parents, qui ont toujours fait preuve de générosité envers autrui. Mais ce ne sera pas nécessaire de vous impliquer. Au sujet de l'argent, je peux très bien m'en sortir toute seule. Après tout, cela fait plus de vingt ans que je travaille sans avoir à beaucoup dépenser. J'ai tout de même une bonne réserve.

— Bonne sainte Anne ! J'ai-tu ben compris, moi là ? Voyons donc, madame Légaré… Vous voulez toujours ben pas nous laisser croire que c'est vous qui donneriez de l'argent gagné à la sueur de votre front à cet espère de malotru qui sert de père à Marion ?

— Et pourquoi pas, si cela permet à ses enfants de manger convenablement et à Marion de reprendre sa place auprès de moi dans cette cuisine ? demanda alors madame Éléonore sur un ton à la fois très doux et résolu.

Cette question, qui n'en était pas vraiment une, n'appelait aucune réponse.

Un ange passa.

— Ben là… J'en reviens pas, murmura finalement Félicité, résumant en quelques mots ce que tout le monde semblait penser.

Pourtant, madame Éléonore restait souriante.

— Allons, madame Félicité ! Ce n'est pas si difficile à accepter ! Vous connaissez l'attachement que j'ai pour cette jeune fille, n'est-ce pas ?

— C'est ben certain, ça !

— Alors, admettez avec moi que quelques sous de plus ou de moins dans ma petite réserve ne m'empêcheront pas de dormir. C'est de savoir Marion probablement malheureuse qui me rend triste.

— Ouais, ça, je peux le comprendre… Bonne sainte Anne, oui ! répliqua la tante Félicité en pensant à sa nièce Marie-Thérèse, pour qui elle avait accepté de vendre sa propriété afin de la suivre à la ville.

Pourtant, Dieu sait qu'elle l'aimait, sa petite maison !

— D'accord, je pense comme vous, madame Légaré, admit-elle enfin. Mais une fois qu'on a dit ça, comment vous allez vous y prendre ?

— Je vais tout simplement faire abstraction de ma retenue habituelle et agir comme une bonne mère ou une bonne marraine le ferait sans doute. Voilà pourquoi je vais me rendre seule chez les parents de Marion. Mais auparavant, comme vous me l'avez souligné, je dois en parler à monsieur O'Gallagher.

— Ben coudonc !

Félicité échangea un regard avec Lauréanne, puis un autre avec Agnès, avant de demander :

— Que c'est qu'on est venues faire là-dedans, nous autres, finalement ? La solution, vous auriez ben fini par la trouver toute seule !

— La solution, même si je me refusais à l'envisager froidement, je l'avais. Je l'avoue. Cependant, il me manquait le courage pour agir adéquatement… Ce que vous avez fait, madame Félicité, c'est m'apporter votre soutien, vos encouragements, et cela, voyez-vous, ça n'a pas de prix. C'est forte de votre appui à vous tous ici que je vais avoir l'audace d'agir et de me présenter à la porte de la famille Couturier.

— C'est vrai que se sentir soutenu, ça donne un coup de pouce pour aller par en avant, reconnut Félicité en secouant sa toque grise.

— Tout à fait, approuva la cuisinière.

— Et moi, si vous le permettez, madame Éléonore, déclara alors Agnès, je vais écrire à Marion pour qu'elle arrête de s'en faire. J'suis certaine que de savoir que vous avez décidé de prendre la situation en mains, ça va ben gros l'aider à patienter.

Madame Légaré resta songeuse un instant, puis elle tourna les yeux vers la jeune fille.

— Et pourquoi pas ? accepta-t-elle enfin. Si votre lettre peut soutenir Marion, je ne serai certainement pas contre une telle initiative. Dites-lui tout simplement que je pense à elle et que je m'occupe de tout ! En espérant de tout cœur que cet envoi ne tombera pas entre de mauvaises mains !

Ensuite, comme le jeune garçon assis à sa gauche avait lui aussi beaucoup d'importance aux yeux de la cuisinière, elle ajouta :

— Vous aussi, monsieur James, vous serez dans mes pensées ce jour-là. Je connais l'amitié qu'il y a entre Marion et vous... Et comme le dirait sans doute notre majordome : à la grâce de Dieu !

## DEUXIÈME PARTIE

# Automne 1927

« Maintenant que je sais que madame Éléonore veut que je revienne au manoir et qu'elle va tout faire pour que ça se réalise, il me semble que les journées vont me paraître moins longues. Je vais patienter le temps qu'il faudra pour que la situation se règle sans causer trop de chicanes. Je déteste les cris et ici, depuis ces derniers jours, ça recommence à parler fort. Mon père en veut de plus en plus à mon frère, mais comme il ne sait pas trop comment faire pour le retrouver, à part en parler un peu partout autour de lui sans grand résultat, ça le met en beau fusil, comme le dirait sans doute madame Éléonore. Il ne se gêne pas pour le hurler à tue-tête et pour l'accuser de tous les maux de la Terre. Finalement, autant j'espérais revoir Ovide un jour, autant maintenant, je prie pour qu'il ne revienne jamais. Mon père lui en veut tellement que je n'ose imaginer l'accueil qu'il lui réserverait.

C'est toujours la même chose ici : parce que l'argent commence à manquer, mon père va devoir travailler encore plus fort, et c'est ça qui le rend d'aussi mauvaise humeur. Quand il est obligé de se lever tôt tous les jours, il devient comme enragé. Il se lamente que son dos lui fait mal et c'est comme si nous autres, les enfants, on était responsables de sa douleur. Il a même crié après bébé Léon, qui est juste une grosse boule de bonne humeur.

Je pense que toute la ville doit savoir qu'Antonin Couturier est tanné, tellement il en parle tout le temps et sur un ton qui me fait craindre le pire. Je n'aime pas ça, je n'aime vraiment pas ça.

Une chance que c'est moi qui suis allée au bureau de poste hier matin. Comme ça, personne à la maison ne sait que j'ai reçu une lettre d'Agnès et c'est très bien ainsi. Si c'était mon père qui avait pris la lettre, il l'aurait sûrement lue et je me doute un peu que je me serais fait disputer. Surtout qu'Agnès parle de leur visite au manoir et de l'intention de madame Éléonore de venir voir mes parents. Ce qui m'intrigue, par contre, c'est quand elle écrit dans sa lettre qu'elle doit faire un voyage vers Québec et qu'elle ne sait pas trop comment s'y prendre pour y arriver sans que personne le sache autour d'elle… C'est à cause de son grand frère Cyrille qu'elle voudrait bien retrouver. Comme quoi on a toutes chacune nos problèmes ! »

## CHAPITRE 4

*Le samedi 1ᵉʳ octobre 1927, à Québec,*
*sur la rue Saint-Joseph, puis dans un parc,*
*sur la rue du Prince-Édouard*

Habituée maintenant de vivre dans une grande ville, Agnès marchait d'un bon pas sans se soucier des passants.

— Envoye, Fulbert, avance ! lança-t-elle par-dessus son épaule. Tu sais comme moi qu'on a juste une journée pour retrouver Cyrille pis Judith. J'ai promis à matante Félicité que je serais revenue demain avant le souper au plus tard. On a donc intérêt à se grouiller. Québec, c'est pas Montréal, c'est ben certain, mais c'est pas un village non plus.

— Je vois bien cela, reconnut un grand jeune homme, plutôt agréable de sa personne, qui marchait à deux pas d'Agnès, tournant la tête comme une girouette pour ne rien rater de cette ville qu'il découvrait. As-tu vu ? Ils ont des grands magasins, ici aussi, comme ceux de la rue Sainte-Catherine.

J'aimerais ça entrer une minute pour essayer de comparer la marchan…

— Voyons donc, Fulbert ! coupa Agnès en se retournant d'un bloc. À quoi tu penses ? On a vraiment pas de temps à perdre à examiner les magasins. De toute façon, que ça s'appelle… euh… Paquet ou Pollack, lut-elle sur les devantures des bâtiments, en se cassant le cou, ça doit ben ressembler à Dupuis Frères ou ben Eaton. Une robe, c'est une robe, pis une paire de culottes, ça restera toujours ben une paire de culottes ! Regarde ! Les mannequins qu'on voit dans leurs vitrines sont les jumeaux de ceux qu'on a à Montréal.

Sur ce, Agnès poussa le plus formidable des soupirs, au point où quelques passants se tournèrent vers elle, intrigués.

— J'haïs ça quand j'ai l'impression de tourner en rond !

— Qu'est-ce que tu veux qu'on fasse d'autre ?

— Être efficaces, peut-être !

Agnès pivota sur elle-même, sourcils froncés, heurtant du coude une vieille dame qui passait lentement à côté d'elle. La jeune fille s'excusa, rougissante, puis elle se mit à détailler le faubourg.

Outre l'enfilade des magasins, il y avait aussi, de l'autre côté de la rue, une immense église, mais rien qui ressemblait à une maison d'habitation, du moins comme celles qu'elle connaissait de son village ou de son quartier à Montréal.

Agnès revint face à Fulbert et poussa un second soupir au moment où un tramway passait près d'eux, dans un bruit strident de métal. Elle grimaça.

— On aurait dû mieux planifier notre affaire au lieu de s'en remettre au hasard, laissa-t-elle finalement tomber quand le wagon se fut éloigné.

— En faisant quoi? rétorqua Fulbert. On ne connaît ni la ville ni âme qui vive à Québec, à l'exception de Cyrille et de ta cousine. Difficile, dans de telles conditions, de planifier quoi que ce soit.

— Je le sais, Fulbert, je le sais! N'empêche... À moins d'un coup de chance, c'est pas en faisant les cent pas sur la rue principale qu'on va retrouver mon frère! As-tu la lettre avec toi?

— Oui, pourquoi?

— Donne-la-moi. Je veux la relire. Il y a une phrase là-dedans qui a faite toute la différence pour moi, pis c'est en la lisant que j'ai eu envie de parler avec matante Félicité. Elle a toujours des bons conseils à donner, pis je savais qu'avec elle, il y avait aucun danger que tout le reste de la famille soye mis au courant.

En effet, à la lecture de la seconde lettre que Fulbert avait eu la gentillesse de venir lui montrer, Agnès avait vite compris qu'elle ne pourrait désormais vivre plus longtemps avec son lourd secret. C'en était trop! Dès le lendemain, elle en avait donc discuté avec la tante Félicité, à l'abri des oreilles indiscrètes, dans l'épicerie de ses parents, à une heure de la journée où le commerce était plutôt tranquille. Elle lui avait alors expliqué que depuis un an, son frère Cyrille et leur cousine Judith habitaient ensemble à Québec, qu'elle-même le savait depuis un bon moment déjà, mais qu'elle avait promis de ne pas en parler.

— Pauvres enfants, avait alors murmuré la vieille tante, sur un ton chagrin.

Puis, elle avait levé les yeux vers Agnès pour la fixer longuement avant d'ajouter :

— Ces deux mots-là, ça vaut autant pour toi, ma belle fille, que pour ton frère pis la jeune Judith… Notre grand Cyrille, à Québec ! Je me doutais ben qu'il lui était rien arrivé de grave parce que c'est un garçon intelligent pis débrouillard, mais quand je pensais à lui, par exemple, je pouvais pas m'empêcher d'être inquiète, pis de me poser des questions… Comme ça, il serait à Québec avec Judith… J'en reviens pas ! Fallait-tu qu'ils ayent peur qu'on les retrouve pour aller se cacher aussi loin. Pis toi, tu savais ça ?

— Ben oui… Depuis Noël, à part de ça.

— Ça a pas d'allure, Agnès, d'avoir gardé un secret comme celui-là pendant aussi longtemps. Bonne sainte Anne ! Tu devais ben en perdre le sommeil par bouttes !

— Un peu, oui. Mais comprenez-moi, matante ! J'avais peur de parler. S'il avait fallu que moman finisse par apprendre toute l'histoire, ça aurait été épouvantable ! Comme je la connais, elle aurait probablement toute raconté à mononcle Anselme, qui, lui, l'aurait sûrement répété à sa femme. Pis vous connaissez matante Géraldine, hein ? Avec elle, ça risquait de faire ben du sparage. Je voulais surtout pas ça pour mon frère.

— C'est sûr que Géraldine a la tête dure pis les idées ben arrêtées, avait concédé la tante Félicité, secouant gravement la tête. Apprendre que sa fille est rendue à Québec, c'est comme rien qu'elle aurait voulu faire le voyage dans la même journée pour la retrouver, pis j'suis pas sûre pantoute que ça aurait été une bonne affaire pour les deux jeunes…

Sur ce, la tante Félicité était restée silencieuse durant un bon moment, perdue dans ses pensées, puis elle avait secoué la tête avant de demander :

— Pis toi, Agnès, si tu sais ce qu'ils sont devenus, Cyrille pis Judith, tu saurais-tu s'ils sont mariés ?

— Oh…

À cette question, enveloppée de sous-entendus, Agnès était devenue toute rouge.

— Je vois ben où c'est que vous voulez en venir, matante, mais je peux pas vous répondre, rapport que Cyrille en a pas parlé.

— Ouais… De toute façon, dans un cas comme dans l'autre, mariés ou pas, j'suis sûre que notre Géraldine aurait trouvé quelque chose contre.

— En plein ce que je me disais ! C'est pour ça que j'ai préféré me taire. Mais là, j'ai comme un malaise pis…

— Pis c'est fini, ce temps-là, avait tranché la tante Félicité, en lui tapotant le bras en guise de réconfort. Sans éventer ton secret, on va quand même essayer de trouver une solution.

Et Félicité l'avait finalement trouvée, cette solution, et en quelques jours à peine: Agnès irait aux renseignements !

— Moi ? À Québec ?

Elles étaient encore une fois toutes les deux dans l'épicerie.

— Pourquoi pas ? T'as pas les yeux dans ta poche, pis t'es débrouillarde ! avait tranché la vieille dame.

Mais comme Agnès était un peu jeune pour faire le voyage seule, Félicité avait aussi décidé que Fulbert l'accompagnerait.

— Arrange-moi une rencontre avec l'ami de ton frère, pis j'vas toute vous expliquer comment je vois ça.

Ce qui fut fait dans la semaine.

— Comme ça, j'vas dormir tranquille, avait déclaré Félicité, le jour où elle avait enfin exposé son plan aux deux jeunes.

— Je te fais confiance, mon garçon, pis tu me ramènes notre Agnès en un seul morceau ! Surtout pas de niaiseries !

Tandis qu'elle avait prononcé ces quelques mots, la tante Félicité avait décoché un regard acéré vers Fulbert. Même si peu de gens ou de situations arrivaient à impressionner le jeune homme, à ce moment-là, il s'était senti bien petit.

— Promis ! avait-il lancé avec une ferveur qui ne trompait pas.

Ils étaient tous les trois attablés au petit casse-croûte de la rue Ontario, devant un bol de frites pour les deux jeunes et un thé pour la vieille tante. Maintenant âgé de dix-sept ans, Fulbert n'était plus contraint de passer ses fins de semaine au collège de Trois-Rivières et il rentrait chez lui tous les vendredis. La rencontre avait donc été facile à planifier.

— C'est ben beau tout ça, mais qu'est-ce que j'vas pouvoir dire à matante Lauréanne pis à mes parents ? avait alors demandé Agnès. Moi, ça me fait pas peur d'aller à Québec avec Fulbert, même que ça me tente pas mal d'essayer de retrouver Cyrille pis Judith, mais j'suis pas sûre pantoute que les parents vont être du même avis que nous autres !

— Parce que tu t'imagines que j'y ai pas pensé ?

— Ben...

— Laisse-moi t'expliquer !

En effet, pour ne pas susciter de questionnements chez sa nièce Marie-Thérèse ou chez Lauréanne, la vieille dame allait tout ramener à madame Éléonore et à Marion.

— On va prétendre que tu vas prier la bonne sainte Anne, dans sa propre église, pour régler le problème de Marion. Comme j'suis trop vieille pour faire ce voyage-là, c'est toi qui vas le faire à ma place.

J'ai déjà vérifié, pis toute peut s'arranger facilement. Il y a une communauté de religieuses à Sainte-Anne-de-Beaupré où tu pourrais aller dormir. Du moins, c'est ce qu'on va prétendre… Laisse-moi parler à ta mère, j'vas toute lui expliquer ça ben comme il faut, pis elle pourra pas dire non !

— Quant à moi, ça ne sera vraiment pas difficile pour trouver une excuse ! Je n'aurai qu'à dire à mes parents que je passe la fin de semaine chez un ami et ils n'y verront que du feu. Et comme ils n'ont jamais vérifié…

Voilà pourquoi, en ce moment, Agnès se retrouvait à Québec en compagnie de Fulbert.

La jeune fille déplia les deux feuilles de papier brouillon que le jeune homme lui tendait. Beiges et rugueuses, elles étaient surtout bien froissées d'avoir été très souvent lues et relues.

« Dans mon cas, je crois que la boucle est bouclée, écrivait Cyrille. Je suis arrivé là où j'aurais dû être depuis le début au lieu de faire le collège. J'aurais surtout dû faire confiance à mes parents au lieu de m'enfuir comme un voleur.

Aujourd'hui, il est trop tard. »

— C'est ce passage-là qui a déclenché l'envie de retrouver Cyrille, fit Agnès en pointant une ligne avec l'index. Quand il dit qu'il est arrivé là où il aurait dû être depuis le début.

— Pourquoi cette phrase-là plutôt qu'une autre ? demanda Fulbert. Moi, je ne vois rien là-dedans qui puisse te mettre la puce à l'oreille.

— Je sais ben. C'est juste comme ça, murmura Agnès tout en esquissant une moue indécise. Cyrille peut pas vouloir dire qu'être à Québec est ce qui était prévu pour lui, pour son avenir. Ça aurait aucun sens. Non, ça doit vouloir dire autre chose, pis quand j'ai lu la lettre pour la première fois, j'ai eu l'impression que c'était comme une sorte d'appel à l'aide. À la relire, j'ai encore la sensation qu'un détail m'échappe. On dirait que Cyrille veut faire passer un message. Mais j'arrive pas à savoir lequel. Matante, elle, c'est le « trop tard » qui l'a faite sortir de ses gonds. Elle m'a répété au moins trois fois que dans la vie, il est jamais trop tard pour bien faire, pis qu'on avait pas le droit de rester les bras croisés sans agir.

— C'est drôle ! Mon père aussi me répète cette maxime-là assez souvent merci quand il trouve que je fais mon paresseux ! Finalement, c'est grâce à ta grand-tante si on est ici tous les deux.

— Ouais… Même qu'elle a ben gros insisté auprès de mes parents, qui voulaient pas me laisser partir… Bonté divine ! Voir que j'suis pas capable de me débrouiller toute seule ! J'vas quand même avoir seize ans dans une couple de mois.

— Et moi, j'en ai dix-sept ! En fait, l'important, c'est qu'au bout du compte, on est ici tous les deux, même si on ne sait pas trop par où commencer nos recherches.

Sur ce, Fulbert haussa les épaules en levant les bras, comme désabusé devant la situation.

— C'est vrai, admit Agnès sur le même ton. Avoir su que ça serait aussi simple de mentir aux parents, on serait peut-être venus ben avant, hein, Fulbert ? C'est aussi beaucoup grâce à toi si on est ici. Après tout, c'est à toi que mon frère a écrit. T'aurais ben pu jamais m'en parler, de ces lettres-là, pis je serais toujours rongée par l'inquiétude de pas savoir ce qu'est devenu Cyrille. Pis en plus, c'est toi qui as payé le billet pour le train, pis qui vas aussi payer pour nous trouver à chacun une chambre d'hôtel, au besoin. C'est cher, tout ça mis ensemble.

À ces mots, Fulbert se tourna vivement pour cacher la rougeur qui lui était montée au visage. Il aurait dépensé jusqu'à son dernier sou pour avoir cette chance inouïe d'être seul avec Agnès durant de nombreuses heures, mais cela, personne n'avait besoin de le savoir pour l'instant.

— Bof ! fit-il avec une indifférence calculée pour cacher son embarras, feignant subitement de s'intéresser à la façade de l'église aussi grande qu'une cathédrale. Moi, je n'ai rien payé du tout. C'est mon père qui a permis ça, avec l'argent de poche qu'il me donne toutes les semaines. Je n'arrive jamais à tout dépenser, tu sais.

— Quand même ! Moi, le peu que je gagne à l'épicerie de mes parents, il dure jamais longtemps. *Pfitt !* L'argent me file entre les doigts comme c'est pas possible… Je pense que je mange trop de patates frites au restaurant de la rue Ontario, analysa Agnès. C'est pas mêlant, avec Marie-Paul pis Louisa, on doit ben y aller au moins trois fois par semaine, hiver comme été…

— Mais c'est vrai que leurs patates frites sont très bonnes !

Sur ce, Agnès et Fulbert échangèrent un sourire de connivence.

— Bon ! Que c'est qu'on fait, astheure ? demanda Agnès.

— On continue de chercher.

— Je le sais ben qu'on continue de chercher, s'impatienta la jeune fille après avoir soupiré bruyamment, ce qui fit se retourner un grand homme à l'air empesé, portant un monocle comme le notaire de Sainte-Adèle-de-la-Merci.

Comme je l'ai dit tantôt, marcher de long en large sur la rue Saint-Joseph nous donnera pas grand-chose de plus, déclara-t-elle enfin, tout en haussant le ton, puisqu'un autre tramway arrivait en sens inverse à l'autre bout de la rue.

— Et si on s'adressait au curé ? demanda alors Fulbert d'une voix tout aussi forte. S'il est comme le préfet de discipline du collège, il doit connaître tous ses paroissiens par leur petit nom !

L'hésitation d'Agnès dura le temps d'un regard sur l'église.

— T'as ben raison ! reconnut-elle. Comment ça se fait que j'ai pas pensé à ça toute seule ? À Sainte-Adèle-de-la-Merci, monsieur le curé Pettigrew savait toute ce qui se passait dans chacune des maisons de la paroisse. Même chez les mécréants, comme le dit matante Félicité… Ouais, c'est une bonne idée que t'as eue là. Si Cyrille habite dans le coin, je suis à peu près certaine que le curé d'ici doit le connaître…

Sur ces mots, Agnès repensa à ce que la vieille tante lui avait demandé et elle sentit un petit malaise lui étreindre le cœur.

— À moins que mon frère se présente pus à la messe, modula-t-elle, se demandant encore une fois s'il était marié.

Puis, elle repoussa cette idée en haussant les épaules. S'il fallait qu'elle commence à mettre des bâtons dans les roues de leur projet, surtout à propos de quelque chose qu'elle ne connaissait pas, Fulbert et elle n'arriveraient jamais à retrouver Judith et Cyrille.

— Mais ça me surprendrait ben gros que mon frère boude la messe du dimanche, ajouta-t-elle sur un ton qu'elle voulait désinvolte. Dommage que j'aye pas une photo de lui parce que…

— J'en ai une, moi !

— T'as ça, toi ?

— Eh oui !

Tout heureux d'avoir épaté Agnès, Fulbert bomba le torse.

— Figure-toi donc que j'ai pensé à la photo de classe de l'an dernier, tout juste avant de m'endormir jeudi soir. Oh, ce n'est pas une affiche de cinéma ! On a tous l'air d'une bande de têtes d'épingle, mais on peut quand même nous reconnaître un peu.

— Montre ! Je veux voir.

Fulbert glissa la main dans la poche intérieure de son veston où il remit la lettre avant de sortir un petit carré rigide, qu'il tendit à Agnès.

— Je l'ai collée sur un carton pour ne pas trop la froisser, expliqua-t-il, tandis qu'Agnès se penchait sur la photo. Des fois qu'on serait obligés de la montrer à tout un tas de gens avant de finir par retrouver Cyrille.

— Ouais... J'vas dire comme toi, vous êtes toutes ben petits, mais c'est mieux que rien. Je reconnais Cyrille, sur la rangée du haut... Ça me fait drôle d'y voir la face comme ça. C'est astheure que je comprends à quel point je m'ennuie de lui... Pis de Judith aussi ! Ben si c'est de même, mon Fulbert, on s'en va direct au presbytère. Tiens ! Reprends ta photo.

Le temps de s'orienter, et Agnès tendit le bras.

— C'est comme rien que ça doit être la maison à côté de l'église, là-bas. Suis-moi, on va aller voir.

Et sans attendre de réponse, la jeune fille prit la main de Fulbert avec autorité pour l'entraîner à sa suite de l'autre côté de la rue.

Ils n'eurent pas le loisir de remonter la hiérarchie paroissiale de Saint-Roch jusqu'au curé, car une religieuse à la mine patibulaire montait la garde dès le hall d'entrée et elle connaissait à peu près tout de ce qui se passait au presbytère et dans la paroisse. Ils allaient vite s'en rendre compte !

— Je peux quelque chose pour vous ? demanda-t-elle rudement avec, dans le regard, une ombre d'animosité, comme si elle détestait en bloc tous les jeunes de cet âge qui se présentaient devant elle.

Qu'à cela ne tienne, Fulbert vivait au collège depuis maintenant suffisamment d'années pour savoir sur quel ton s'adresser aux autorités religieuses afin de se retrouver dans leurs bonnes grâces. Se tenant droit comme un i, le jeune homme se passa la réflexion qu'une religieuse devait ressembler à tous ces frères qu'il croisait quotidiennement, et il se présenta aussitôt, enlignant son pedigree au grand complet, comme il avait coutume de le faire, sur un ton de politesse exagérée.

— Fulbert Morissette, fils de médecin, ma sœur, déclara-t-il, tout en tendant la main.

Une main que sœur Marie-du-Saint-Nom-de-Jésus ignora. Elle resta silencieuse, l'examinant plutôt avec attention par-dessus ses lunettes en demi-lune.

— Vous m'en direz tant, rétorqua-t-elle froidement. Fils de médecin… Comme si cela allait changer quelque chose. Alors, monsieur Fulbert Morissette, que puis-je faire pour vous ?

Tout en parlant, la vieille dame en cornette promenait les yeux de Fulbert à Agnès sans arriver à se faire une opinion. De toute évidence, le jeune homme avait de l'instruction et de l'éducation. De plus, il était vêtu avec soin, ce qui tranchait agréablement avec la plupart des ouvriers qui habitaient dans le quartier, mais était-ce suffisant pour faire de lui un être irréprochable ?

La religieuse en doutait grandement.

Alors…

Serait-elle en présence de deux galopins en situation délicate, venus demander au curé de la paroisse de les sortir de l'impasse en acceptant de les marier, sans la permission des parents ?

La vieille nonne retint un soupir de maussaderie. Depuis toutes ces années qu'elle était la secrétaire de la paroisse Saint-Roch, elle en avait vu de toutes les couleurs !

Devant une réponse qui tardait à venir, sœur Marie-du-Saint-Nom-de-Jésus toussota. Fulbert sursauta, tandis qu'Agnès, intimidée, reculait d'un pas derrière lui.

— Euh… J'arrive tout juste de Montréal et je me vois bien embêté, ajouta précipitamment Fulbert… J'aimerais rencontrer le curé de la paroisse, si c'était possible.

Ah, ah ! On y était !

La religieuse pinça les narines de mécontentement. Si ce jeune homme était venu d'aussi loin que

Montréal pour rencontrer un curé qu'il ne devait connaître ni d'Ève ni d'Adam, c'est qu'il avait quelque chose à cacher. Cette fois-ci, la vieille femme ne chercha nullement à camoufler sa mauvaise humeur derrière une politesse de convenance. Si ce jeune couple vivait dans le péché, il allait vite comprendre que ce n'était pas sur elle qu'il fallait compter. Elle ne lèverait même pas le petit doigt pour les aider.

— Ah oui? Vous venez de Montréal et vous voulez rencontrer notre bon curé, répéta-t-elle d'une voix tranchante. Eh bien, apprenez, jeune homme, comme vous me voyez, ici devant vous, que mon rôle premier est de filtrer la foule des visiteurs. N'entre pas qui veut au presbytère! Pas question de déranger monsieur le curé sans avoir une raison valable.

— Oh! Je m'en doute, ma sœur, je m'en doute. Jamais je n'oserais importuner un homme aussi occupé pour des bagatelles.

Fulbert avait sorti les grands violons et il parlait maintenant d'une voix charmante, presque suave.

— Non, non! Ma raison est valable, n'ayez crainte. Du moins, je le crois. En fait, je cherche à retrouver un très bon ami à moi. Un certain Cyrille Lafrance.

À ces mots, le visage de la religieuse se décrispa légèrement et elle esquissa même l'ombre d'un sourire soulagé.

— Ah bon...

Vérité ou mensonge?

Malgré un scepticisme qui lui collait à la peau depuis fort longtemps, la vieille femme haussa imperceptiblement les épaules sous sa robe lustrée par l'usure. Ce n'était pas à elle de trancher. Du moment que ce jeune couple n'était pas ici pour la mauvaise raison, elle reprendrait son rôle d'accueil, comme il se doit et comme le curé l'exigeait.

— Ce ne sera pas difficile de trouver votre ami, puisque je le connais, nota-t-elle avec un certain empressement.

À ces mots, un éclat de satisfaction traversa le regard d'Agnès. Enfin ! Ils n'étaient donc pas venus pour rien. Son cœur se mit à battre un peu plus fort.

Pendant ce temps, la religieuse poursuivait, tout en rangeant un pupitre qui n'avait nul besoin de l'être, déplaçant et replaçant à gestes saccadés crayons, cahiers et menus objets.

— Je n'aurai donc pas à ennuyer notre bon curé avec votre visite, et j'en suis heureuse ! fit-elle sans lever les yeux. Quant à votre Cyrille, sachez que c'est justement moi qui ai rempli tous les papiers avec lui.

— Les papiers ? demanda Fulbert avec une certaine étourderie. Sans vouloir être indiscret, ma sœur, de quels papiers parlez-vous ?

— Pour le baptême, ajouta la religieuse sur un ton qui laissait entendre que c'était là une évidence que le jeune homme aurait dû connaître.

Sur ce, elle leva la tête.

— On doit toujours remplir consciencieusement tous les registres de la paroisse avant un baptême.

Un baptême ?

Ce fut un réflexe, et Agnès leva les yeux vers Fulbert qui, tout comme elle, semblait tomber des nues. La nouvelle était de taille.

Et cela voulait-il dire qu'au final, son frère et Judith étaient mariés ? Ce fut ce qu'Agnès pensa aussitôt et elle en fut soulagée.

Puis, s'il y avait un baptême, c'était qu'il y avait aussi un bébé. Or, Cyrille n'en avait jamais parlé dans ses lettres.

Curieux !

Fulbert aurait bien aimé en savoir un peu plus pour ne pas gaspiller la gouttelette de crédibilité qu'il semblait avoir acquise auprès de la religieuse. Mais l'instant n'était pas au questionnement. Cependant, et heureusement pour lui, Fulbert avait une certaine maîtrise dans l'art d'embobiner les gens, puisque c'était depuis son plus jeune âge qu'il amadouait son entourage à la recherche d'éventuels amis, à coups de bonbons et de belles paroles. Il avait donc le baratin facile et il n'en était pas à une exagération près dans sa vie. Il redressa alors les épaules, afficha un sourire confiant et lança, avec une assurance qui frisait la désinvolture :

— Bien sûr ! Les papiers pour le baptême. Où avais-je la tête ? Nous sommes justement là pour l'événement.

Les mots n'étaient pas aussitôt prononcés que la religieuse retrouvait son regard sévère. Inspirant bruyamment, elle dévisagea Fulbert.

— Êtes-vous en train de vous moquer de moi, jeune homme ? L'événement, comme vous dites, a déjà eu lieu dimanche dernier ! Vous êtes en retard d'une bonne semaine. Vous ne le saviez pas ?

— Bien sûr que je le savais ! reprit Fulbert avec célérité. Et loin de moi l'idée de me moquer de vous ! Il n'en reste pas moins que je suis un ami de Cyrille et si je n'ai pas pu me libérer dimanche dernier, je suis là cette semaine… Je veux lui faire une surprise…

— Ah bon ? Une surprise. Vous m'en direz tant !

Ce fut à cet instant que la religieuse revit l'homme tout en jambes qui s'était présenté à elle afin de demander le baptême pour sa fille qui venait tout juste de naître et qui, disait-il, était plutôt petite et fragile. Le jeune père semblait réellement inquiet et il était très poli.

— C'est pour une question de santé, avait-il insisté.

Alors, le vicaire avait accepté de faire une cérémonie rapide, dans la plus stricte intimité.

À ce souvenir, la religieuse soutint le regard de Fulbert durant un instant, puis elle soupira.

— C'est gentil de penser à lui comme ça ! laissa-t-elle tomber, épuisée par ce jeune homme qui avait réponse à tout. J'ai cru comprendre que ce pauvre monsieur Lafrance n'avait plus vraiment de famille. En fait, il n'y avait que le parrain et la marraine pour assister à la cérémonie et encore, ils n'étaient pas de sa parenté.

— Quelle tristesse, n'est-ce pas ? déclara alors Fulbert, empruntant un visage de circonstance, affligé et circonspect, comme s'il était à un enterrement. Voyez-vous, je suis comme un frère pour ce bon Cyrille…

— Heureuse de l'entendre… Et vous, mademoiselle, ne put s'empêcher de demander la religieuse en tournant les yeux vers Agnès, qui êtes-vous vis-à-vis de monsieur Lafrance ? C'est drôle à dire, mais il me semble que votre visage ne m'est pas inconnu.

— Ce qui serait surprenant, nota aussitôt Fulbert, attrapant la balle au bond sans laisser la chance à Agnès de répondre. Mademoiselle est ma cousine et elle habite à Montréal, tout comme moi. Je vous présente Agnès Morissette, ma sœur. Cependant, elle connaît bien Cyrille et son épouse, d'où sa présence à mes côtés.

Fulbert parlait avec une fluidité déconcertante, se disant, à juste titre, que tant qu'à s'embourber dans les mensonges, autant que ce soit une seule et même personne qui le fasse ! Les probabilités que l'histoire se tienne n'en étaient que plus grandes. Toutefois, le jeune homme s'en faisait pour rien. Jamais Agnès n'aurait pu répondre en ce moment. Heureuse de savoir que son frère n'était plus très loin, elle n'en était pas moins sous le choc.

Cyrille et Judith avaient un enfant !

« Et moi, je suis matante », songea alors Agnès, étourdie par une telle révélation.

Néanmoins, la jeune fille était curieuse d'entendre son frère raconter son histoire et il lui tardait maintenant de quitter ce presbytère.

Pendant ce temps, son compagnon continuait de faire les yeux doux à la religieuse, minaudant et l'encensant à tout propos.

Agnès se sentit tout à coup légère comme une plume et elle se mordit le dedans des joues pour ne pas éclater de rire devant un Fulbert qui mentait avec un bel aplomb et une sœur Marie-du-Saint-Nom-de-Jésus qui semblait le croire.

— Tout cela pour vous dire, ma sœur, que j'ai parfois une tête de linotte, poursuivait donc Fulbert, toujours aussi convaincant. Pressé par le temps, ce matin, j'ai oublié l'adresse de Cyrille sur le coin de mon pupitre et malheureusement, je ne la connais pas par cœur. Pourriez-vous, s'il vous plaît, nous la donner ? Et tant qu'à y être, sauriez-vous où je pourrais trouver un petit présent à offrir aux heureux parents ? Voyez-vous, lui aussi, je l'ai oublié chez moi.

— Quelle délicate attention. Donnez-moi un instant !

Le dragon s'était transformé en mouton !

Quelques minutes plus tard, ce fut au tour de Fulbert de remorquer Agnès derrière lui pour traverser la rue en sens inverse et l'emmener chez Pollack, le premier grand magasin qui croisait leur chemin. Dès le cadeau acheté, ils se dirigeraient vers la rue du Prince-Édouard, un quartier ouvrier où habitaient Judith et Cyrille, selon les dires de la vieille religieuse.

— Mais j'ai pas d'argent pour un cadeau, moi !

— Moi j'en ai. Et j'en ai aussi pour aller manger.

— On a pas le temps d'aller manger pis…

— On va prendre le temps ! J'ai l'estomac dans les talons, puis il faut discuter ensemble pour savoir ce qu'on va donner comme excuse à Cyrille et à ta cousine.

— Donner une excuse ? Pourquoi ?

— Pour expliquer notre venue à Québec !

— Me semble que c'est pas compliqué, Fulbert. On a juste à dire la vérité parce que moi, j'ai eu ma dose de mensonges pour la journée ! C'était complètement fou de t'entendre parler t'à l'heure. Me v'là rendue ta cousine, astheure !

— Pourquoi pas ? As-tu remarqué comment cette vieille chipie te regardait ? J'ai bien l'impression qu'elle voyait une certaine ressemblance entre Cyrille et toi. Je n'avais pas vraiment le choix.

— C'est sûr que la bonne sœur avait pas l'air trop trop commode, pis qu'elle me regardait avec un drôle d'air… Quant à mon frère, on va tout simplement lui dire qu'on était inquiets et qu'on a décidé d'essayer de les trouver. C'est tout. Moi, vois-tu, en ce moment, c'est plutôt le cadeau qui m'embête.

— Pourquoi ?

— Parce qu'on sait même pas si le bébé est un garçon ou une fille... La religieuse l'a pas dit.

— Et alors ? On aura juste à demander à la vendeuse de nous aider à choisir quelque chose qui peut faire autant pour les deux. Ça doit bien exister.

— N'empêche...

Cette fois-ci, ce fut Fulbert qui s'arrêta brusquement pour dévisager sa compagne.

— Coudonc, Agnès, qu'est-ce qui se passe ? On dirait que tu n'es pas contente d'avoir retrouvé Cyrille !

— C'est pas ça...

Machinalement, comme elle le faisait si souvent avec ses amies, Agnès glissa une main sous le bras d'un Fulbert ravi. Elle voulait l'obliger à marcher au même rythme qu'elle. Maintenant qu'elle avait l'adresse de Cyrille en mémoire et qu'elle se doutait qu'il se portait bien, l'espèce de fébrilité qui l'habitait depuis quelques jours s'était changée en intense réflexion. Elle avait donc envie de marcher à pas lents, ce qui l'aidait à se concentrer.

— Je trouve que tout va trop vite, en ce moment... Ça te fait rien, toi, de savoir que mon frère a eu un bébé avec Judith ?

— Non, pourquoi ? C'est certain qu'ils sont encore un peu jeunes pour être parents, mais ils ne sont pas les seuls.

— Ben moi, tu sauras, ça me chicote... J'arrête pas de me dire que Judith est à peine plus vieille que moi… C'est pas des farces, ça là ! Est-ce que je serais prête, moi, à avoir un bébé tusuite ? demanda Agnès, songeuse.

Et sans attendre de réponse, elle enchaîna :

— Pas sûre que je serais contente. Pas sûre pantoute… Bonté divine, Fulbert ! J'vas encore à l'école ! Puis ça me met mal à l'aise en s'il vous plaît de penser que mon frère pis Judith…

— Ben pas moi, coupa Fulbert, qui n'avait surtout pas envie d'entrer dans les détails personnels concernant le couple, car il comprenait très bien à quoi Agnès faisait allusion.

Sur ce, le jeune homme prit une longue inspiration pour chasser l'image qui lui était spontanément venue à l'esprit dès les premiers mots d'Agnès. Ce n'était ni le temps ni l'endroit pour avoir ce genre de pensées intimes. Surtout pas en présence de cette jeune fille qui aurait bientôt seize ans et qui n'avait plus qu'une vague ressemblance avec une enfant. Du moins, lui ne voyait plus que la femme en elle, et c'était parfois embarrassant.

— Dis-toi plutôt que tu es devenue matante, suggéra-t-il avec entrain. Matante Agnès, ça sonne bien, tu ne trouves pas ?

— Ouais, si on veut…

Malgré cela, la jeune fille restait songeuse, indécise.

— Pourquoi ce visage trop sérieux ? Allons, Agnès, penses-y comme il faut ! Non seulement on a pu retrouver ton frère assez facilement, et pour ça, on devra remercier ta tante Félicité d'avoir eu l'idée de commencer par ce quartier-ci, mais en plus, on vient d'apprendre que Cyrille et Judith ont eu un bébé. Ça doit vouloir dire que tout va assez rondement pour eux, non ? En fait, ça devrait te faire sourire.

— Sourire, répéta la jeune fille en soupirant... C'est pourtant vrai !

Elle resta un instant silencieuse, secoua la tête énergiquement, puis leva enfin un regard joyeux vers son compagnon.

— Une chance que t'es là pour me raplomber les idées, Fulbert ! lança-t-elle sur un ton nettement plus léger. Comme ma mère le dit : un petit bébé, c'est de la joie. Faudrait ben que ça paraisse, non ? Me v'là matante... Dans ce cas-là, ça prend un beau cadeau. Pis je veux faire ma part ! Je te remettrai une partie des sous la prochaine fois qu'on se verra.

« La prochaine fois qu'on se verra... »

Agnès avait-elle vraiment prononcé ces quelques mots ?

Fulbert ne portait plus à terre !

Ils prirent le temps de manger rapidement une petite bouchée et, par la suite, ils se présentèrent au rayon des bébés chez Pollack. Fulbert était prêt à acheter le département au grand complet pour faire plaisir à Agnès ! Au bout du compte, ils se mirent d'accord pour acheter un beau landau importé d'Angleterre.

— C'est pratiquement certain qu'ils n'ont pas ça, nota Fulbert au moment où il ressortait du magasin en compagnie d'Agnès, tout en promenant devant lui un carrosse vide.

De toute évidence, le jeune homme était très fier de sa trouvaille.

— Admets que j'ai eu une bonne idée !

— C'est sûr ! Pour être une bonne idée, Fulbert, c'est une vraie bonne idée. Même mes parents avec la gang d'enfants qu'on est chez nous ont jamais eu un beau carrosse de même. Mais as-tu vu le prix ? Pas sûre, moi, que j'vas être capable de t'en rembourser la moitié avant un bon bout de temps !

— Ce n'est pas grave. Oublie l'argent pour le moment. Je n'en manque pas et tu le sais. Et ne va surtout pas croire que je dis ça pour me vanter.

— Je le sais, Fulbert. Je commence à bien te connaître, pis je dois admettre que t'es généreux, malgré tes allures de grand fanfaron, des fois… Oh ! Regarde sur le coin de la maison… Rue du Prince-Édouard, lut-elle en s'arrêtant. Ça y est, on est arrivés !

Sur ce, Agnès prit une longue inspiration.

— Bon ça recommence ! Je me sens tout énervée, comme s'il y avait des nœuds dans mon ventre. Qu'est-ce qu'on va faire si Cyrille est pas content de nous voir ?

— Ben voyons donc, Agnès ! Qu'est-ce que tu vas penser là ? C'est certain que ton frère va être content, trancha Fulbert avec autorité. Surpris peut-être, mais heureux. S'il avait vraiment voulu disparaître pour de bon, Cyrille ne m'aurait jamais écrit.

— Ouais… Vu de même… On y va ?

Au bout du compte, ils n'eurent pas vraiment besoin de chercher l'adresse. À peine avaient-ils fait quelques pas sur la rue, surveillant les numéros au-dessus des portes, qu'Agnès tendait discrètement le doigt.

— Regarde là-bas, Fulbert, murmura-t-elle… Des cheveux roux comme ceux-là, c'est plutôt rare, pis dans notre famille, il y a juste mon frère Benjamin pis Judith qui en ont. Je peux pas me tromper. Avec l'adresse que la religieuse nous a donnée, c'est sûrement ma cousine qui marche devant nous.

— Dans ce cas-là, continue toute seule, proposa Fulbert sur le même ton feutré. Moi, je vais rester ici en attendant.

— Pourquoi ?

— C'est une question de bon sens, voyons ! De quoi j'aurais l'air avec mon gros carrosse ? Je ne connais même pas ta cousine et de plus, on n'est pas supposés savoir qu'ils ont eu un bébé.

— Ouais, t'as probablement raison. Des plans pour l'effaroucher… Dans ce cas-là, donne-moi deux menutes, pis m'en vas te faire signe d'approcher quand j'aurai parlé un peu avec elle.

Dans un premier temps, les mots furent à peu près inutiles. Dès que Judith entendit prononcer son nom, elle reconnut la voix. Elle se crispa, s'arrêta et prit le temps d'inspirer profondément pour calmer son cœur affolé. Comment Agnès avait-elle pu la retrouver ?

Parce qu'elle ne pouvait faire autrement, Judith se retourna lentement. Elle était visiblement décontenancée. Durant un court instant, elle soutint le regard d'Agnès, qui s'arrêta elle aussi.

Judith tenait effectivement un bébé dans ses bras. Elle avait un grand fourre-tout pendu à son épaule, et elle n'avait pas l'air particulièrement heureuse de voir sa cousine.

Les larmes montèrent aussitôt aux yeux d'Agnès. Elle ne s'attendait pas à un accueil aussi froid. Puis, elle se dit qu'en comptant bien, ce bébé n'avait qu'une dizaine de jours et que c'était probablement suffisant pour que sa cousine soit encore faible et fatiguée.

Agnès s'approcha donc sans dire un mot. De toute façon, elle avait la gorge trop serrée pour parler. Quand elle fut à côté de Judith, elle entoura ses épaules d'un bras amical et protecteur et la serra très fort contre elle.

— Si tu savais comment c'est que j'suis contente de te revoir, finit-elle par articuler d'une voix enrouée.

Judith ne répondit pas. Toutefois, dans un geste d'abandon, elle posa la tête tout contre Agnès, comme on dépose enfin un lourd fardeau. Cependant, ce fut très bref et tout de suite après, elle recula d'un pas en secouant la tête, sans esquisser le moindre sourire. Son regard inquiet scrutait celui de sa cousine.

Refermant instinctivement les bras sur le corps du nouveau-né, Judith demanda :

— Que c'est tu fais ici, Agnès ? C'est les parents qui t'envoyent ?

— Ben non, Judith, jamais de la vie ! protesta spontanément la jeune fille.

Son cœur battait la chamade et une fine pellicule de sueur couvrait son front.

— Penses-tu que je vous aurais fait ça, à Cyrille pis toi ? Si vous êtes partis comme ça, du jour au lendemain, sans prévenir personne, c'est que vous aviez vos raisons, pis c'est pas à moi d'en juger. Non, à part matante Félicité, personne sait que je suis ici... Sauf lui, peut-être.

Et, tournant la tête, Agnès désigna Fulbert d'un geste du menton. Celui-ci leva le bras pour saluer.

— Ah... C'est qui, lui ?

La question de Judith suintait d'appréhension.

— C'est Fulbert, déclara Agnès. Fulbert Morissette, un ami de Cyrille. Ils étudiaient ensemble au collège de Trois-Rivières.

— Ah bon...

Le regard de Judith passa lentement de Fulbert à Agnès, puis, curieusement, elle recula d'un autre pas.

— Pis comment vous avez su qu'on vivait ici ?

— Ben là...

Agnès était mal à l'aise, comprenant entre les mots que Judith ne savait pas que Cyrille avait écrit à son ami. Comment allait-elle pouvoir expliquer tout ça, sans trahir son frère ?

Heureusement pour elle, Judith n'en était déjà plus là. Bousculée par les événements, l'anxiété et les suppositions, elle respirait vite et bruyamment. Alors, forçant les mots, la jeune mère laissa filer à voix haute tout ce qui lui venait spontanément à l'esprit. Il lui fallait comprendre.

Il lui fallait surtout se sentir en sécurité.

— Pis comment ça se fait qu'il a un carrosse avec lui ? demanda-t-elle en fronçant les sourcils. Vous saviez ça, vous autres, qu'on venait d'avoir une petite fille ?

Une fille !

Le cœur d'Agnès fit un bond joyeux, discordant à travers les battements d'anxiété. Depuis le décès de sa petite sœur Albertine, la simple perspective de voir naître une autre fille la comblait de joie.

— Non, avant d'arriver à Québec, je savais pas ça, précisa Agnès, soulagée de voir que la conversation prenait d'elle-même une autre tangente. C'est la religieuse au presbytère qui nous a parlé du baptême de la semaine dernière. C'est elle aussi qui nous a donné votre adresse... Pis c'est l'idée de Fulbert de vous offrir un carrosse, vu qu'on savait pas encore si vous aviez une fille ou un garçon.

— Il est pas mal beau, son carrosse, murmura alors Judith, une pointe d'incrédulité dans la voix.

Elle détaillait le landau, les yeux écarquillés, deux larmes indiscrètes roulant sur ses joues.

— C'est ben certain qu'on aurait jamais pu s'offrir ça, Cyrille pis moi, avoua-t-elle dans un filet de voix. C'est ben juste si on arrive à se payer une chambre pis de quoi pour manger. C'est pas tous les jours que…

Judith se tut brusquement. Elle n'avait pas à se plaindre devant Agnès. La vie qu'elle menait, même si elle était difficile depuis ces derniers mois, elle l'avait choisie sans contrainte parce qu'elle ne voulait pas être séparée de Cyrille.

Et si c'était à refaire, la jeune femme ferait exactement la même chose. Elle redressa alors la tête avec fierté.

— Si tu me dis que t'es ici sans que les parents le sachent, m'en vas te répondre que j'suis contente de te voir, déclara-t-elle sans la moindre trace d'hésitation, sa détermination habituelle refaisant surface.

Tout en parlant, Judith avait fait passer le bébé d'un bras à l'autre, avec une délicatesse un peu maladroite. Ensuite, d'une main énergique, elle essuya la trace de ses larmes.

— Par contre, poursuivit-elle, malgré ce que tu m'as dit, si c'est les parents qui vous envoyent, j'vas te demander de repartir comme t'es venue, pis d'oublier qu'on s'est rencontrées, toi pis moi. C'est pas demain que j'vas avoir l'intention de retourner au village, pis Cyrille non plus.

Le ton était froid, distant, mais Agnès encaissa le coup avec élégance, ne laissant rien voir de sa déception. Elle pouvait comprendre la réticence de sa cousine et l'accepter.

— Pis moi, j'avais pas pantoute l'intention de vous demander ça, répliqua-t-elle d'une voix tout aussi calme, même si elle était blessée que Judith ait pu lui prêter un mobile aussi malveillant.

Ce fut à ce moment que des années de complicité entre cousines sensiblement du même âge refirent surface. Agnès inspira bruyamment en secouant la tête vigoureusement.

— Voyons donc, Judith ! Nous entends-tu parler ? Ça a juste pas d'allure. Votre vie, ça me regarde pas une seule miette. Depuis le temps qu'on se connaît, tu devrais savoir que j'suis pas une fille à me mêler des affaires des autres.

— C'est vrai.

— Bon tu vois ! Mais je comprends comment tu dois te sentir, par exemple… Pis avec un nouveau-né, tu dois être encore ben fatiguée. Par contre, l'inquiétude des parents, pis la mienne, c'est autre chose, pis là, c'est de mes affaires. J'suis rassurée de voir que tu vas bien… Pour moi, c'était ça, l'essentiel de ma démarche en venant à Québec : apprendre comment c'est que vous alliez, mon frère pis toi. Pour le reste, ça vous regarde. Astheure, si tu y vois pas d'inconvénient, j'aimerais ça rencontrer Cyrille avant de repartir, pis peut-être aussi te présenter Fulbert. Lui avec, même s'il te connaît pas, il s'est inquiété pour vous deux !

Ce fut au parc au bord de la rivière, à l'autre bout de la rue, que les deux femmes attendirent le retour de Cyrille. Contrairement à sa nature profonde, composée surtout de curiosité et de détermination, Fulbert s'était retiré dès que les présentations avaient été faites.

— Bien content de vous connaître, Judith, avait-il dit gentiment. Maintenant, je vais vous laisser entre cousines. Vous devez avoir bien des choses à vous raconter.

Agnès n'avait pas eu le temps de le retenir qu'il s'éloignait déjà. En ce moment, Fulbert se promenait au bord de la rivière, jetant toutefois aux jeunes filles de fréquents regards inquisiteurs.

— Tu peux déposer la petite dans le carrosse, avait alors suggéré Agnès. Il est à toi, tu sais.

— Ouais… C'est ben gentil, mais je pense que j'vas quand même attendre que Cyrille revienne. Après tout, c'est un cadeau pour lui aussi, non ?

— C'est sûr…

À court de mots, Agnès regarda autour d'elle, mal à l'aise de ce silence qui semblait vouloir s'installer entre Judith et elle. Elle aurait voulu tendre les bras pour prendre le bébé tout contre elle durant un moment, mais elle n'osa pas le demander. Alors, elle s'enferma dans son silence.

D'où elles étaient assises, la rumeur de la ville leur arrivait atténuée et ce n'était pas Agnès qui allait s'en plaindre. Le bruit était bien la seule chose qui l'incommodait depuis qu'elle habitait la ville. Par contre, dans ce parc, c'était plutôt le clapotis de l'eau de la rivière qui dominait et c'était agréable. Agnès avait un peu l'impression d'être au chalet de son grand-père.

Cette constatation ouvrit enfin la porte au dialogue.

— C'est un beau parc, observa-t-elle un peu platement, espérant toutefois que ça serait suffisant pour que la conversation reprenne.

— C'est vrai.

— Pis c'est ici que tu viens attendre mon frère ?

— Des fois, oui. D'autres fois, Gisèle vient me rejoindre, pis on se promène ensemble.

— Gisèle ?

— C'est une amie que je me suis faite.

— Tant mieux pour toi. C'est important d'avoir des amies. Moi, à Montréal, j'ai Marie-Paul pis Louisa.

— Je le sais. Geneviève au village m'en avait parlé… Gisèle pis moi, on aime ben ça passer du temps entre filles. On parle de la mode pis des acteurs. Ces choses-là, ça intéresse pas Cyrille.

Judith parlait de sa vie d'une voix monotone, ce qui attrista Agnès. Ça ne ressemblait pas du tout à la cousine qu'elle connaissait, joyeuse, décidée, fonceuse.

Agnès se demanda alors si Judith était heureuse.

— … Dans la chambre qu'on loue, on a pas le droit de recevoir de visite, poursuivait la nouvelle maman sur le même ton. De toute façon, c'est pas une pièce ben agréable, surtout maintenant qu'on a été obligés d'ajouter un berceau. On est pas mal à l'étroit… Ça fait que je viens souvent ici pour attendre Cyrille ou rencontrer Gisèle. Mais depuis la naissance de la petite, c'est la première fois que je sors de notre chambre. J'étais tannée de toujours voir mes quatre murs, pis comme il fait beau pis encore chaud…

— C'est vrai que la journée est douce.

— Ouais… Depuis que j'ai lâché mon travail, je trouve le temps long, tu sais. Heureusement, le samedi, ton frère finit de travailler au début de l'après-midi. Quand il est parti, à matin, on s'était donné rendez-vous ici.

— Parce que Cyrille travaille lui avec ? demanda étourdiment Agnès.

— Ben sûr qu'il travaille ! Qu'est-ce que tu crois ? Qu'on vit d'amour et d'eau fraîche ?

Le ton de la conversation venait de changer du tout au tout. De blasé, il était redevenu cassant. Agnès se sentit rougir comme une tomate.

— Désolée, bafouilla-t-elle. J'avais pas réfléchi. Mais faut me comprendre ! La dernière fois que j'ai vu mon frère, il était encore étudiant. C'était le Cyrille avec qui j'avais passé toute ma vie.

— Ben faudra pas que tu fasses le saut quand tu vas le voir parce que Cyrille, c'est pus un enfant. Il est ben fini, ce temps-là. On vient d'avoir une fille, pis ton frère travaille dans une manufacture de chaussures pour qu'on puisse se loger pis manger, comme n'importe quel autre père de famille. Ton frère, c'est un homme, astheure.

Le ton employé par Judith était de plus en plus sec, comme si elle était sur la défensive.

— C'est un peu pour ça qu'on s'est installés à Québec, expliqua-t-elle. Depuis quelques années, les cordonneries mécaniques poussent comme des champignons par ici. Avec l'expérience qu'il avait, ça a été facile pour ton frère de se trouver du travail.

En apprenant cela, Agnès ne put retenir un sourire qu'elle aurait bien voulu partager avec Fulbert, mais il était trop loin. N'empêche qu'elle venait de comprendre le sens de la phrase que son frère avait utilisée dans sa dernière lettre.

Nul doute, Cyrille avait bouclé la boucle en devenant cordonnier, comme leur père et leur grand-père l'avaient été avant lui.

En était-il heureux ou subissait-il son sort comme Judith en donnait l'impression ?

Inconsciente de la réflexion que ses confidences avaient suscitée, Judith continuait de monologuer, berçant machinalement sa fille d'un lent mouvement des bras.

— Moi, tant que ma grossesse a pas paru, j'ai continué à travailler à la Dominion Corset, était-elle en train de confier. C'était pas un travail ben

156

agréable, surtout pour moi qui étais habituée de vivre en campagne, mais on avait pas le choix. N'empêche que j'ai trouvé ça dur de passer toutes mes journées devant une machine à coudre. Par contre, la vie était quand même un peu plus facile parce qu'on avait plus d'argent. On pouvait aller au cinéma, de temps en temps, pis au restaurant. Si on avait pas eu le bébé, on prévoyait même louer un petit appartement plutôt qu'une chambre. Mais là, avec la petite, pis moi qui travaille pus, ça sera pas possible...

Sur ce, Judith regarda à l'autre bout de la rue.

— Que c'est qu'il fait Cyrille, coudonc? gémit-elle. Me semble qu'il devrait être déjà là, lui !

Ce furent les derniers mots de Judith. Détournant les yeux, elle se mit à regarder la rivière, et Agnès respecta son silence.

Quelques instants plus tard, Fulbert fut le premier à apercevoir Cyrille, qui se dirigeait vers le parc à grandes enjambées. Il lui trouva l'air vieilli, las, préoccupé. Du souvenir qu'il avait entretenu d'un grand étudiant sérieux, mais capable de s'amuser, était né un homme qui semblait taillé à la serpe. Ses traits étaient durs et son regard accusait une fatigue indéniable. Toutefois, il aurait fallu bien plus que cela pour intimider un garçon comme Fulbert. Sans hésiter, il héla son ami.

— Eh, Cyrille, attends-moi !

Ayant aussitôt reconnu la voix de son ancien confrère de classe, Cyrille hésita à peine. Il ralentit le pas et se tourna vers la rivière, incrédule. Dire qu'il n'avait pas écrit ses lettres dans l'espérance de vivre un moment comme celui-là aurait été un mensonge. Cependant, Cyrille n'avait jamais cru un seul instant que ses désirs deviendraient réalité. Voilà pourquoi il n'avait pas parlé de ses lettres à Judith, ne voulant surtout pas susciter de faux espoirs. Sans qu'elle ait eu besoin d'en parler, il savait que la jeune femme s'ennuyait beaucoup de son village.

Fulbert arrivait déjà en courant. Cyrille ouvrit alors tout grand les bras pour l'étreindre tout contre lui.

Les retrouvailles entre les deux amis furent des plus émotives. Ils se tapèrent dans le dos et se regardèrent longuement droit dans les yeux. Fulbert parla de la vieille religieuse qui avait finalement accepté de leur donner l'adresse, et ce fut bras dessus bras dessous qu'ils approchèrent des jeunes femmes qui attendaient, assises sur un banc du parc, toujours aussi silencieuses parce qu'elles avaient l'impression d'avoir épuisé les sujets de conversation possibles.

Encore une fois, le geste fut spontané et Cyrille ouvrit les bras pour que sa sœur puisse s'y réfugier. Ils restèrent enlacés un long moment, Agnès laissant couler sans gêne toutes les larmes d'inquiétude qu'elle s'était refusé de verser au cours des derniers mois. D'un geste très doux, Cyrille les effaça avec le pouce.

— Torpinouche que j'suis content de te voir !

Puis, toujours enlacés, ils revinrent vers Judith, Fulbert marchant tout souriant derrière eux. Il se disait qu'en présence de Cyrille, tout devrait maintenant bien se passer.

Néanmoins, Judith avait toujours le même air soucieux et inquiet.

— C'est drôle, Cyrille, mais on dirait que tu savais qu'on allait avoir de la visite, lança-t-elle en guise de salutation.

— Le savoir, non, mais je l'espérais, par exemple.

— Ah bon… Tu m'as jamais parlé de ça, que t'espérais revoir ta famille vite de même. J'aurais-tu l'air d'une imbécile si je disais que je comprends pas pantoute ce qui est en train de se passer ici ?

De toute évidence, non seulement Judith ne saisissait rien à la situation, mais elle était visiblement déstabilisée et en colère.

— Me semblait qu'on voulait rester cachés pour un bon bout de temps encore, à cause des parents… J'ai rêvé ça ou quoi ?

Pour Judith, en ce moment, il n'y avait plus qu'elle et Cyrille, dans le petit parc au bout de la rue du Prince-Édouard. La présence de Fulbert et d'Agnès s'était évaporée, tant elle avait la sensation que Cyrille lui avait menti. C'était comme une tricherie entre eux, une tricherie qu'elle pouvait difficilement accepter. Ils s'étaient juré de ne jamais se mentir et de toujours tout se dire.

— Ben non, tu n'as pas rêvé ça, confirma Cyrille. C'est exactement ce qu'on a décidé de faire, toi et moi. Je n'ai rien oublié, crois-moi.

— Ben que c'est qu'ils font ici, ces deux-là, d'abord ?

— Je ne le sais pas plus que toi… Mais ce que je ressens, par exemple, c'est que j'suis pas mal heureux de voir ma sœur et mon ami. Pas toi ?

Judith laissa filer un long soupir.

— Si je pouvais comprendre, peut-être, oui, que je serais contente, admit-elle enfin.

— Ben laisse-moi t'expliquer. Tu vas voir, c'est tout simple !

S'agenouillant devant la jeune femme, Cyrille frôla la joue du bébé du bout d'un doigt, visiblement émerveillé devant ce petit être, puis il emprisonna la main libre de Judith entre les siennes et d'une voix calme et ferme, il lui parla des deux lettres qu'il avait envoyées à Montréal.

— Comprends-moi, Judith ! implora-t-il devant le regard hermétique que lui renvoya la jeune femme. C'était comme plus fort que moi : fallait que je rassure mon monde.

— Ah ouais ? Ben j'aurais aimé ça que tu m'en parles, coupa sèchement la jeune mère. Imagine-toi donc que moi avec j'aurais peut-être du monde à rassurer, même si c'est en grande partie à cause d'eux autres qu'on s'est retrouvés ici, toi pis moi. Pourquoi t'as faite ça sans m'en parler, Cyrille ? Je pensais vraiment qu'il y aurait jamais de cachotteries entre nous deux.

— Je le sais, pis je regrette, Judith. J'aurais dû t'en parler… Je pourrais quand même ajouter, pour ma défense, que c'est juste parce que je ne voulais pas que tu t'inquiètes avec ça si je n'ai rien dit.

— Mettons.

— Essaie de comprendre ! Ce n'est pas parce que ma sœur et mon ami Fulbert sont ici que nous deux on doit retourner au village demain matin… Notre vie, on l'a choisie ensemble, et elle va continuer exactement comme toi et moi on veut que ça se passe… Allons, Judith, sois honnête ! Tu n'es pas contente, toi, de voir Agnès ?

— C'est sûr que ça fait un petit quelque chose en dedans, admit la jeune femme, tout hésitante. Ça fait remonter ben des souvenirs, pas de doutes là-dessus. Des beaux souvenirs ! Mais ça fait aussi remonter ben de l'ennui… Si tu savais à quel point le village me manque !

— C'est pareil pour moi, crains pas.

— Alors, on fait quoi avec ça ?

À ces mots, Cyrille haussa les épaules avec un certain fatalisme dans le geste.

— On continue de vivre avec notre ennui, ma belle Judith. Du moins pour l'instant. Qu'est-ce que tu veux qu'on fasse d'autre ? On en parle ensemble, on se console au besoin, pis on se répète qu'on s'aime.

Judith buvait les paroles de Cyrille et l'éclat de leurs regards fut amplement suffisant pour rassurer

Agnès. Il était bien question d'amour entre son frère et sa cousine.

— Ne t'inquiète surtout pas, ajouta Cyrille, tout en serrant très fort la main de Judith, sans la quitter des yeux. On prendra les décisions qui s'imposent en temps et lieu.

— Promis ?

— Promis. Mais je ne pense pas que ça soit le temps de retourner chez nous. Pas tout de suite. J'aurais peur de me faire encore montrer la porte.

— T'as ben raison, soupira Judith. Ma mère est pas quelqu'un qui oublie facilement. Elle a la rancune tenace.

— Alors, qu'est-ce que tu dirais que pour aujourd'hui, on se contente de profiter de notre visite ?

— Pour ça avec, t'as raison, Cyrille.

Sur ces mots, Judith tourna la tête et elle offrit un sourire tremblant à sa cousine.

— Je m'excuse pour t'à l'heure. J'ai pas été ben ben fine avec toi.

— C'est pas grave, va. L'important, pour moi, c'est que vous soyez là, tous les deux ensemble, pis en bonne santé. Pour le reste, je te l'ai dit : ça me regarde pas.

— Tous les trois ensemble, corrigea alors Cyrille en se relevant. Il ne faudrait pas oublier notre petite Albertine.

À ce nom, Agnès tressaillit.

— Albertine ?

La jeune femme avait le cœur qui battait si fort qu'il lui résonnait jusque dans les oreilles.

— J'ai-tu ben compris, moi là ? demanda-t-elle d'une voix étranglée.

— Oui, Agnès, c'est ce que j'ai dit. Notre fille s'appelle comme la petite sœur qu'on a perdue... C'est Judith qui me l'a proposé.

— Mais t'es ben fine d'avoir pensé à ça, murmura Agnès, tout émue. C'est moman pis popa qui vont être contents d'apprendre ça, un jour.

— C'est ce que je me suis dit, nota alors Judith. C'est un peu ma façon à moi de m'excuser pour l'inquiétude qu'ils doivent vivre à cause de nous deux, leur faire comprendre qu'on oublie personne, parce que je le sais ben qu'on va finir par toutes se retrouver. Mais avant tout, c'était comme une manière de dire merci au Bon Dieu, expliqua la toute jeune femme, en rougissant. Tu peux pas savoir comment c'est que j'ai prié, quand j'ai compris que j'attendais un bébé. J'avais tellement peur qu'il soye infirme. C'est ce que ma mère avait prétendu et elle semblait vraiment sûre de son affaire ! Mais elle s'était trompée ! Même si on vit dans le péché, comme ils disent, notre fille est parfaite.

— Ah !

Sourcils froncés, Agnès promena son regard de Judith à Cyrille, puis revint à sa cousine.

— Ce que tu viens d'avouer, Judith, ça veut-tu dire que vous êtes pas mariés ?

— C'est ce que ça veut dire, oui, répondit alors Cyrille, visiblement sur la défensive. T'as quelque chose contre ça, Agnès ?

— Moi ? Pas vraiment. Je peux pas parler pour le reste de la famille, c'est ben certain, mais de mon côté, j'ai pour mon dire que ça me regarde pas... Par contre, pour le baptême, comment t'as fait, Cyrille ? Il me semble que...

— J'ai des papiers... Un gars à l'usine qui a une sœur secrétaire chez un notaire... C'est Roger qui a eu l'idée d'avoir des faux papiers. Ça achète la paix au besoin. Sinon, tu as raison : on n'aurait jamais pu faire baptiser notre petite Albertine, et...

— Mais ce n'est pas le cas, intervint Fulbert, qui commençait à en avoir assez de toute cette discussion émotive. Et c'est tant mieux pour la petite et pour vous deux que tout aille bien. Maintenant, qu'est-ce que vous diriez de continuer à jaser ailleurs que dans un parc ?

Tout en parlant, Fulbert s'était tourné vers son ami.

— Si tu nous invitais chez vous, Cyrille, ça serait une bonne...

— Mais je ne peux pas, mon pauvre Fulbert ! coupa ce dernier. Chez nous, je pense que c'est moins grand que la salle de bain chez tes parents ! De toute façon, on n'a pas le droit d'inviter nos amis dans notre chambre.

— Ah non ? Pourtant, c'est chez toi. Tu payes pour habiter là, non ?

— C'est certain que je paye un loyer. Toutes les semaines.

— Alors, c'est vraiment ridicule, un règlement comme celui-là, intervint Fulbert... Mais j'y pense ! Si c'est aussi petit que ça, chez toi, où est-ce que tu vas mettre le carrosse qu'Agnès et moi on vient de vous offrir ?

— Ouais... Je l'avais remarqué, tu sais, et je me doutais bien que ça venait de vous deux. Il est vraiment très beau, et je vous remercie. Malheureusement, Fulbert, on ne pourra pas le garder.

— Comment ça ?

— Tu viens de le dire : parce qu'on n'aurait nulle part où le ranger.

— Tu ne viendras pas me faire croire qu'il n'y a pas un seul petit coin dans la maison où tu vis pour...

— Oh ! De la place, il y en a, spécifia Cyrille. C'est une grande maison. Mais je n'y ai pas accès. Je paye pour ma chambre, et pour le droit d'utiliser la salle de bain au bout du corridor. On a aussi le droit de se servir de la cuisine pour préparer nos repas, mais uniquement quand la propriétaire n'en a pas besoin. Sinon, je dois payer un supplément.

— C'est ridicule, répéta Fulbert, visiblement excédé. Tu ne trouves pas, toi ?

— Eh oui ! Mais que veux-tu que je te réponde ? C'est tout ce que j'ai pu trouver avec les moyens qu'on a, Judith et moi, et...

— Et si je te disais que c'est intolérable, une situation comme celle-là ? coupa Fulbert avec fougue. Je ne peux accepter que mon ami vive comme ça ! Il y a sûrement un terrain d'entente pour que votre vie soit plus agréable. Laisse-moi m'en occuper. Je vais vous en trouver, moi, de la place.

— Voyons, Fulbert !

— Tu me connais, non ?

À ces mots, Cyrille esquissa un sourire à la fois moqueur et nostalgique.

— Justement, oui, je te connais ! Ça risque de se retourner contre moi si tu t'en mêles.

— Voyons donc ! C'est le genre de situation que je peux régler facilement, et tu le sais. Allez, Cyrille ! Montre-moi la maison où tu habites et regarde-moi bien aller !

Sachant qu'il ne servait à rien de s'obstiner avec Fulbert Morissette, fils de médecin, Cyrille capitula aussitôt.

— D'accord... C'est là, fit-il en montrant une grosse maison grise à quatre étages. La propriétaire s'appelle madame Martin. Mais fais attention ! Elle n'est pas commode.

Fulbert haussa les épaules avec désinvolture.

— Ça ne me fait pas peur ! Si elle a envie de montrer les crocs, elle va vite comprendre que je peux mordre encore plus fort qu'elle.

Curieusement, en prononçant ces derniers mots, Fulbert avait l'air on ne peut plus sérieux.

— Attendez-moi ici, tout le monde, ça ne sera pas long !

Le jeune homme s'était redressé et, en ce moment, il avait l'air presque joyeux.

— Selon ce que tu viens de me dire, je suis persuadé que ta madame Martin et moi, nous parlons exactement le même langage, proclama-t-il. On devrait arriver à s'entendre.

Sur cette conviction, Fulbert quitta le parc en sifflotant. Non seulement était-il heureux d'avoir retrouvé Cyrille et sa famille, soulagé de voir que tout le monde se portait bien, mais de surcroît, il s'apprêtait à faire ce qu'il faisait de mieux dans la vie : acheter la bonne entente et les faveurs. C'était depuis qu'il était tout petit qu'il s'exerçait à livrer bonne impression et ce n'était pas une vieille dame, tout acariâtre soit-elle, qui allait contrecarrer sa volonté. Quand il repartirait ce soir, Cyrille et Judith n'auraient plus à se désoler de ne pouvoir recevoir leurs amis à l'occasion, et ils auraient accès à la cuisine de jour comme de nuit, au moment qui leur conviendrait. Avec un bébé, la chose s'imposait.

Quant au carrosse, il n'était surtout pas question de le laisser à la merci des intempéries. Quelques billets glissés judicieusement au creux d'une main, ou sur le plateau d'une table, donneraient du poids à sa requête. La promesse d'un léger supplément envoyé par la poste tous les mois en assurerait la pérennité.

— Madame Martin !

Une tête poivre et sel hérissée de bigoudis s'était glissée dans l'entrebâillement de la porte où Fulbert venait de frapper.

— Bien le bonjour, madame. Quelle belle journée, n'est-ce pas ?

Une femme assez grande, sèche au point d'en être squelettique et vêtue d'une robe d'intérieur grise plutôt défraîchie, leva le nez vers le ciel.

— Ouais, si on veut…

Puis, reportant son regard acéré vers Fulbert, elle l'examina de la tête aux pieds avant de demander d'une voix de crécelle :

— Vous êtes qui, vous, pour venir me déranger comme ça ?

— Je m'appelle Fulbert Morissette, madame.

Comme s'il était à la fête et qu'il y avait une belle Agnès à courtiser, le jeune homme affichait son sourire le plus enjôleur.

— Je suis fils de médecin, et je suis aussi un très bon ami de Cyrille Lafrance, votre locataire. Puis-je entrer ? J'aurais quelque chose à vous proposer !

« Je suis tellement déçue ! L'autre jour, quand Agnès m'avait écrit que madame Légaré viendrait me chercher, je pensais bien que ça se ferait pas mal plus vite que ça. Mais non ! Les jours et les semaines s'additionnent et je n'ai toujours pas eu de nouvelles. Ça m'inquiète. Peut-être bien que c'est monsieur O'Gallagher qui ne veut pas que je revienne au manoir, à cause de mon père qui s'est choqué après lui ? Si c'est le cas, je peux dire adieu à mon métier de cuisinière et à madame Éléonore en même temps ! Ça me ferait beaucoup de peine ! En attendant que je sache ce qui se passe là-bas, ça va de moins en moins bien ici. Mon père est d'une humeur épouvantable. Quand il revient du travail, il ramène des bières, presque tous les jours maintenant, et il les boit durant la soirée avec ma mère, qui n'arrête pas de se plaindre qu'elle trouve le temps long. En fait, depuis au moins une semaine, elle passe son temps à nous donner des ordres et à nous critiquer, ma sœur et moi, ce qui fait que je n'ose même plus parler des gages que je pourrais remettre si je retournais travailler au manoir. J'aurais donc dû jaser de tout ça avec ma mère dès mon retour à la maison, aussi, et lui faire miroiter la possibilité d'en avoir encore plus ! Mais je redoutais les cris, qui me font perdre tous mes moyens. Quand on me parle trop fort, *c'est comme si ma cervelle se vidait tout d'un coup et que je n'arrivais plus à penser normalement. Je ne sais pas si un jour je vais arriver à me faire confiance. Je l'espère, car je m'en veux beaucoup d'être aussi peureuse et ça me rend malheureuse. Je ne comprends pas pourquoi j'étais plus sûre de moi quand j'étais au manoir... S'il y a une chose que j'envie à ma sœur, c'est bien son assurance. Ce n'est pas mêlant, elle dit tout ce qui lui passe par la tête, avec aplomb, même au risque de se valoir une taloche ! Moi, je n'ose jamais, ce qui fait que j'endure à peu près tout sans dire un mot. Va vraiment falloir que je réfléchisse sérieusement à tout ça... Ah oui ! Il y a mes gages du jour de l'An, que je voudrais ravoir. Je me croise les doigts pour que personne, au manoir, ne trouve ma cachette avec l'argent que j'ai laissé dans ma chambre. Pour l'instant, je ne peux pas écrire à madame Légaré pour lui en parler parce que je n'ai plus un seul sou noir pour poster mes lettres. Tout ce qu'il me reste pour faire passer le temps, c'est travailler, endurer l'humeur capricieuse de ma mère et de Ludivine, essayer de faire des repas avec trois fois rien et courir après un bébé malcommode parce que mon petit frère Léon rampe à une vitesse folle, un peu partout dans la maison. Il a même commencé à monter l'escalier et il est curieux comme une fouine. Le pire, c'est que ma mère me l'a confié à moi et si jamais il lui arrivait quelque chose, c'est moi qui serais finalement blâmée et punie ! Elle me le répète tous les matins, quand je vais lui porter sa tasse de thé et son croûton. Comme si je pouvais oublier qu'une menace*

comme celle-là me pend au-dessus de la tête ! Ça fait que
je ne peux jamais quitter la maison et c'est Ludivine qui
a la chance d'aller au village pour faire les commissions.
Pour ça aussi, je l'envie, en même temps que ça m'inquiète. Si jamais je recevais une lettre de quelqu'un, je
suis certaine que Ludivine le dirait à tout le monde. C'est
son genre de faire ça, et j'ai bien peur que ça virerait mal
avec les parents… J'en ai vraiment, mais vraiment assez
de cette vie-là. »

# CHAPITRE 5

*Le mardi 11 octobre 1927,
dans la cuisine du manoir, en compagnie
d'Éléonore et de madame Donatienne*

— Comme ça, monsieur n'est toujours pas revenu ?

Il y avait tellement de déception dans la voix de la cuisinière que la gouvernante releva la tête après avoir déposé le plateau du déjeuner de madame O'Gallagher sur la table.

— Eh non, madame Légaré, fit-elle en soupirant. Jour après jour, on l'espère, n'est-ce pas ? Il en va de même pour monsieur James, soyez-en assurée. Tous les matins au déjeuner, il pose la même question que vous à sa mère ou à ses sœurs et il se rembrunit quand elles avouent leur ignorance. J'ai l'impression qu'il s'ennuie beaucoup de son père. Malheureusement, une réponse claire et nette ne sera pas pour aujourd'hui non plus. Toutefois, je sais enfin pourquoi monsieur O'Gallagher n'est toujours pas ici.

— Ah oui ?

— Paraîtrait-il qu'il a rencontré une ancienne connaissance à New York et qu'ensemble, ils ont décidé de remonter jusqu'au Canada en longeant la côte pour profiter de l'automne qui est si beau cette année. Du moins, c'est ce que madame m'a dit tout à l'heure.

— L'automne qui est si beau ! s'exaspéra Éléonore. Cela me fait une belle jambe, oui. Et ma petite Marion dans tout ça ? Comme je la connais, la pauvre enfant doit se morfondre sans comprendre pourquoi je suis si lente à lui faire savoir qu'elle peut revenir.

Tout en parlant, madame Éléonore vidait le plateau et transportait la vaisselle sale vers l'évier.

Une vaisselle qu'elle laverait toute seule, dans un silence rompu uniquement par le cliquetis des assiettes et des couverts, et cet état de choses lui semblait de plus en plus lourd à supporter.

— Ça me désole tout ça, madame Donatienne. Si vous saviez !

Cette fois-ci, la voix de la cuisinière était enveloppée d'une infinie tristesse. Au point où la gouvernante qui allait quitter la pièce pour monter à l'étage prit le temps de se retourner vers Éléonore.

— Que pouvons-nous y faire ? demanda-t-elle sur un ton de constatation, tout en revenant sur ses pas. De toute façon, êtes-vous bien certaine que Marion est au courant de vos intentions ? Dans l'éventualité qu'elle ne sache rien, il me semble qu'elle ne doit pas trop…

— Oui, oui, elle est au courant, interrompit Éléonore. C'est ce que madame Félicité m'a dit l'autre jour quand nous nous sommes parlé au téléphone. Agnès aurait envoyé une lettre en ce sens à Marion. Nous en avions discuté ensemble, lors de leur visite, et j'avais donné mon accord.

— Dans ce cas-là… Que voulez-vous que j'ajoute à cela, madame Légaré ? Il ne reste plus qu'à prendre votre mal en patience en vous répétant que monsieur ne devrait plus tellement tarder maintenant.

— Je le souhaite, madame Donatienne. Je le souhaite ardemment !

— Allons, un peu de courage ! Cela fait tout de même trois semaines qu'il a quitté le manoir et il est rare qu'il parte pour plus d'un mois.

— Justement, c'est interminable, trois semaines, quand on attend quelqu'un ! Si vous saviez à quel point j'ai hâte de demander à monsieur si Marion peut revenir ! Je n'attends que cela pour rencontrer ses parents. Mais bon… C'est vous qui devez avoir raison : monsieur va nous arriver bientôt et cette attente ne sera plus qu'un mauvais souvenir.

— Et je partage vos espoirs, soyez-en convaincue ! Quand le maître n'est pas là, la maison n'est plus la même. Puis, Marion manque à tout le monde, vous savez, ajouta gentiment la gouvernante. Même monsieur Tremblay s'ennuie, il me l'a dit… Sur ce, je vous quitte. Madame Stella doit m'attendre avec impatience pour se préparer.

Le temps d'un bruit de pas rapides sur les dalles du corridor, puis le silence enveloppa à nouveau la cuisine. Éléonore jeta un regard navré autour d'elle, soupira, comme dépassée par tout ce qu'il y avait à faire, puis elle se tourna face à l'évier et mit l'eau à couler.

Le temps tombait au compte-gouttes depuis le départ de Marion et, bien que son métier lui plaise toujours autant, la gourmandise étant un défaut difficile à contrôler, la cuisinière n'y mettait plus le même entrain. En fait, durant ces dernières semaines, celle qui se targuait avec fierté de savoir renouveler ses préparations jour après jour avait néanmoins répété plusieurs menus, faute d'envie de se dépasser. C'était ainsi que, depuis quelque temps, une certaine monotonie entourait la table des maîtres et celle des domestiques à cause de repas sans grande envergure qui se ressemblaient. Ce que monsieur Tremblay lui avait fait remarquer, pas plus tard qu'hier soir, au moment où il soulevait le couvercle de la soupière que la cuisinière venait de déposer sur la table du personnel.

— Manque d'appétit, madame Légaré ?

— Mais non, monsieur Tremblay, avait rétorqué celle-ci, piquée à vif. J'ai toujours bon appétit !

De toute évidence, le point soulevé par le majordome était, aux yeux de la cuisinière, un très vilain défaut.

— J'ai de l'appétit quand je suis de belle humeur, et j'en ai encore plus quand je suis triste ou inquiète, avait-elle précisé, en accord avec sa philosophie toute personnelle de la vie. Manger m'a toujours aidée à gérer mes émotions. Depuis le temps que l'on se connaît, vous et moi, vous devriez le savoir !

— Justement, je sais tout cela... D'où ma question.

— Je suis désolée, monsieur Tremblay, mais je ne comprends pas. Que voulez-vous dire ? Mes repas ne sont plus bons ?

— Là n'est pas la question ! Vous cuisinez toujours aussi bien. Par contre, il me semble qu'un problème se pose et qu'il est évident... Que se passe-t-il pour que nous ayons encore une fois de la soupe aux légumes au menu et qu'à l'odeur qui s'échappe de votre cuisine, je puisse parier, sans me tromper, que nous aurons du bœuf braisé et du navet dans notre assiette ?

À ces mots, Éléonore s'était mise à rougir d'embarras.

— Disons que si je ne manque pas d'appétit, je manque toutefois d'un peu d'enthousiasme. Comment dire ? J'ai l'impression qu'en partant à l'épouvante, Marion a emporté dans son bagage toute mon imagination culinaire. C'est embêtant pour une cuisinière comme moi, j'en conviens, mais je n'y peux rien. Cela vous suffirait-il comme réponse ?

Le majordome avait bruyamment soupiré en levant les yeux au plafond. Mais alors qu'Éléonore s'attendait à être réprimandée de verte façon, Théodule Tremblay s'était montré plutôt conciliant.

— J'accepte ce que vous dites parce que je peux facilement le comprendre, avait-il souligné avec indulgence. L'ennui est souvent synonyme de lassitude ! Il n'en reste pas moins qu'un tantinet de variété aiderait à améliorer l'humeur de tout le monde. N'oubliez pas qu'à l'étage, on s'ennuie du maître de la maison, ce qui rend les esprits chatouilleux, de madame à monsieur James, en passant par mesdemoiselles Tiffany et Béatrice.

— Vous avez raison, monsieur Tremblay, s'était empressée d'acquiescer madame Légaré, tout en s'essuyant les mains avec son tablier avec la dernière énergie. Je me suis négligée, ces derniers temps, et je le regrette. Je vais donc faire un effort. Promis.

Voilà pourquoi, en ce moment, Éléonore tentait désespérément d'imaginer un repas susceptible de plaire à tous, du majordome à la petite Lisa, chez les membres du personnel, en passant par la famille O'Gallagher au grand complet, dans la salle à manger de l'étage. Ce qui n'était pas une mince tâche, puisque chacun avait ses petits caprices et ses préférences.

Et comme Éléonore Légaré l'avait si bien dit : chez elle, depuis ces dernières semaines, l'imagination n'était pas au rendez-vous, ni dans sa tête ni dans son cœur.

Au bout du compte, ce fut en se rappelant les plats préférés de Marion que la cuisinière élabora son menu. Potage aux poireaux avec des pommes de terre coupées en tout petits morceaux ; poulet en sauce ivoire bien beurrée ; petits légumes sautés ; et pour le dessert, ce serait indéniablement une tarte au sucre, puisqu'elle avait un jour affirmé que cette pâtisserie avait le pouvoir quasi miraculeux de guérir tous les chagrins. Cependant, cette douceur saurait-elle aujourd'hui atténuer sa propre peine ? Éléonore en doutait grandement.

Mais auparavant, il y avait le repas du midi.

Madame Légaré pensa spontanément au major-dome. Après tout, c'était lui qui avait soulevé la question de la monotonie des mets.

« Et avec raison ! », admit-elle aussitôt en son for intérieur.

Éléonore ferma donc les yeux pour réfléchir, les deux mains trempant dans l'eau de vaisselle. Comme elle aimait bien cet homme qui, selon elle, n'avait de sévère que l'apparence, elle préparerait une omelette aux champignons, ce dont il raffolait. Elle l'accompagnerait d'une simple salade chaude de pommes de terre et de quelques rondelles de carottes. Le tout serait suivi d'une compote de pommes à la cannelle, avec des petits biscuits au sucre, une des spécialités reconnues d'Éléonore.

Satisfaite de ses choix, la cuisinière se hâta de terminer la vaisselle.

Ce fut donc ainsi que, dans l'heure, des effluves alléchants commencèrent à s'échapper de la cuisine.

L'odeur des biscuits mis à cuire emmêlée à celle des pommes en train de compoter s'infiltra jusqu'au rez-de-chaussée.

Le nez du majordome, plutôt long, en fut aussitôt titillé.

Madame Légaré aurait-elle souscrit à sa proposition ?

Cette perspective lui donna envie de vérifier tout de suite et, pourquoi pas, de se régaler d'un tout petit biscuit en même temps. Or, comment arriver à ses fins sans faire preuve de cette gourmandise qui était naturelle chez lui, mais qu'il se gardait bien de montrer, puisque son père lui avait appris, dès son plus jeune âge, qu'un majordome n'avait droit à aucune faiblesse ?

La réflexion de Théodule Tremblay fut intense, mais brève. La tentation l'emporta sur la tempérance, et dans l'instant qui suivit, il quitta la bibliothèque pour se diriger vers la cuisine, tout heureux de la bonne excuse qu'il avait trouvée.

Sans chercher plus loin, il avait décidé de procéder immédiatement à la distribution du courrier, ce qu'il ne faisait habituellement que sur l'heure du dîner en ce qui concernait les domestiques. Il fit donc un arrêt dans le hall d'entrée pour prendre la lettre qui l'intéressait, puis, sans attendre, il se pointa à la cuisine. Sans même s'en rendre compte, le majordome s'y présenta le nez en l'air, tandis qu'un vague sourire flottait sur ses lèvres.

— Ça sent délicieusement bon, madame Légaré, déclara-t-il en entrant dans la pièce. En fait, la maison embaume jusque dans la bibliothèque et le petit salon ! Je vois que vous avez tenu compte de mes remarques.

— Merci bien, monsieur Tremblay… Oui, effectivement, j'ai longuement réfléchi à ce que vous m'aviez reproché hier soir et j'ai vite compris que vous aviez tout à fait raison. Mais dites-moi ? Que faites-vous ici en plein milieu de l'avant-midi ? Ce n'est pas dans vos habitudes. Serait-ce pour venir humer mes petits plats ? demanda malicieusement Éléonore.

Le majordome se redressa vivement.

— Mais non ! Qu'allez-vous imaginer là ? fit-il sur un ton offusqué. C'est tout simplement que j'ai une lettre à vous remettre. Comme vous recevez rarement du courrier, à l'exception de celui que votre frère envoie depuis la France, j'ai pensé venir vous la donner tout de suite…

— C'est gentil, ça, déclara Éléonore, tout en essuyant machinalement ses mains à son tablier.

Toutefois, au lieu de lui tendre la lettre ou de la déposer sur la table pour repartir aussitôt afin de vaquer à ses occupations, monsieur Tremblay, habituellement plutôt sûr de lui, resta silencieux et immobile de l'autre côté de la table. Il semblait hésitant. L'enveloppe toujours en main, il se jeta à l'eau après une longue inspiration.

— Allons, avouons-le candidement, soupira-t-il enfin, avec une fausse désinvolture. Voyez-vous, madame Légaré, je me demandais si, par le plus grand des hasards, vous n'auriez pas un de ces petits biscuits qui sentent si bon que je pourrais me mettre sous la dent... L'odeur qui monte jusqu'à l'étage m'a fait comprendre que j'avais un petit creux.

— Voyez-vous ça ! Curieux et gourmand en même temps... On dirait monsieur James qui parle. Je n'avais donc pas complètement tort !

— Pas complètement, non, concéda le majordome. Mais admettez tout de même, à ma défense, que ce n'est pas une détestable inclination chez moi, de venir chaparder de la nourriture. Ce qui était le cas de monsieur James avant que madame ne mette un terme à ses nombreuses visites à la cuisine.

— En effet. Et moi, je ne vous faisais pas un reproche. C'était une taquinerie. Laissez-moi vérifier, une première fournée devrait être prête.

Étirant le cou, le majordome inspecta l'intérieur du four en même temps que la cuisinière. Les petites galettes étaient dorées à souhait et il en saliva à l'avance.

— Heureusement que votre nez vous a mené jusqu'à la cuisine, monsieur Tremblay ! s'exclama Éléonore, tout en retirant la tôle, ses deux mains protégées par le tablier.

Le ton employé était particulier, fait de pétulance et de gravité, ce qui laissa le majordome un brin perplexe.

Madame Légaré se moquait-elle encore ou le remerciait-elle plutôt avec soulagement ?

— Mes biscuits ne pourraient être plus beaux ! poursuivit la cuisinière sur le même ton joyeux. Il était grand temps que je les sorte du four… Regardez-moi ça ! On dirait bien que votre vœu va être exaucé, monsieur Tremblay. Le temps de les laisser refroidir quelques instants sur la grille et vous pourrez repartir avec l'un d'entre eux.

— Et voici votre lettre, lança le majordome, tout guilleret, ce qui amena un sourire moqueur chez madame Légaré, qui déposait délicatement les galettes sur une clayette. À ce qu'il me semble, cette missive vous aurait été envoyée depuis Montréal.

À ces mots, Éléonore oublia la deuxième platée de biscuits qu'elle voulait mettre au four et elle leva les yeux vers le majordome.

— Montréal ? répéta-t-elle. Mais je ne connais personne en ville à l'exception peut-être de madame Félicité qui m'a avoué détester écrire. De toute façon, nous préférons le téléphone, l'une comme l'autre… Qui donc aurait quelque chose à me dire, je vous le demande un peu ?

— Malheureusement, je n'ai aucune réponse concluante à votre interrogation, regretta le majordome.

Puis, avec une mine d'enfant gourmand plutôt surprenante chez un homme aussi digne que lui, Théodule Tremblay demanda, tout en pointant la table du doigt :

— Je peux ?

Sur un signe de tête affirmatif de la part d'Éléonore, le majordome tendit la main pour déposer la lettre sur la table et s'emparer d'un biscuit encore tiède. Incapable de résister, il en prit aussitôt une première bouchée.

— Exquis, madame Légaré, déclara-t-il, les yeux mi-clos. Vos biscuits sont tout bonnement parfaits ! Encore une fois, vous vous êtes surpassée !

— Je n'ai pas grand mérite à faire d'aussi simples biscuits que ceux-ci, constata la cuisinière, amusée. Je n'ai même plus besoin de la recette tellement je les ai faits souvent. Mais j'accepte le compliment. Par les temps qui courent, la moindre remarque positive me fait du bien.

— Vous vous ennuyez beaucoup, n'est-ce pas ?

— Plus que cela, monsieur Tremblay ! Plus que tout ce que vous pouvez imaginer. Ma gentille Marion était un véritable rayon de soleil dans cette cuisine un peu sombre. Laissez-moi vous dire que depuis son départ, je prends conscience de façon plutôt consternante que je travaille au sous-sol.

— Je comprends ce que vous cherchez à expliquer. Mais ne désespérez pas, madame Légaré ! Monsieur devrait revenir bientôt.

— Je le sais. Tout à l'heure, madame Donatienne m'a parlé de son périple tout au long de la côte atlantique. Allez ! Prenez un autre biscuit pour votre empressement à me remettre cette lettre et laissez-moi travailler.

Et, glissant l'enveloppe dans la poche de son tablier, madame Éléonore fit mine de chasser le majordome comme elle aurait éloigné une mouche agaçante.

— Maintenant, ouste ! Sortez d'ici si vous voulez manger ce midi !

En fin de compte, il lui fallut attendre la fin de l'après-midi pour avoir le temps de lire la lettre. Le repas du soir étant prêt, à l'exception des légumes taillés en dés qu'elle ne cuirait qu'à la toute dernière minute, Éléonore pouvait enfin prendre quelques instants de repos. Deux belles tartes encore fumantes tiédissaient sur l'arrière du poêle et le poulet en sauce était dans le réchaud. Madame Légaré déposa à portée de la main un thé, où elle avait versé un nuage de lait, et les quelques biscuits qu'il restait du dîner. Puis, elle s'installa à sa chaise habituelle avant de sortir l'enveloppe de sa poche.

C'était une enveloppe de facture on ne peut plus ordinaire, en papier blanc un peu rugueux, et elle ne reconnaissait pas l'écriture de celui ou de celle qui voulait s'adresser à elle.

— Curieux, murmura-t-elle.

Éléonore retourna le pli afin de connaître l'adresse de l'expéditeur.

— Rue Adam, lut-elle à mi-voix.

La cuisinière fit mine de chercher, le front plissé par de profondes rides de réflexion.

— Non, je ne connais personne qui habite sur cette rue, constata-t-elle, de plus en plus intriguée.

Sur ce, elle croqua dans un biscuit, le fit disparaître en deux coups de dents et avala le tout avec une gorgée de thé. Ensuite, elle décacheta l'enveloppe. Il n'y avait qu'un seul feuillet. Toujours aussi curieuse, elle négligea les mots pour se rendre directement à la signature.

*« Irénée Lafrance »*

Éléonore en resta bouche bée.

— Mais que peut-il bien me vouloir, ce monsieur Lafrance ? C'est à peine si je le connais…

La cuisinière resta songeuse un moment jusqu'à ce qu'un pressentiment quasi douloureux la fît sursauter.

— Doux Jésus ! Madame Félicité ! S'il fallait qu'il lui soit arrivé quelque chose de fâcheux, je serais…

Sans terminer sa phrase, Éléonore survola les mots de la lettre à une vitesse surprenante, puis elle poussa un soupir de soulagement. Le temps d'une autre gorgée de thé, elle était totalement rassurée.

— Mais quelle bonne idée ! lança-t-elle ensuite joyeusement.

Sur ce, la cuisinière relut la lettre avec attention.

C'était une invitation à se joindre à la famille Lafrance pour ce qu'Irénée appelait une fête surprise.

*« … Notre bonne Félicité ne s'y attend pas et je veux que ça reste comme ça. Pour une fois, la fête sera en son honneur et un beau cadeau lui sera remis par la même occasion. Nous nous réunirons le samedi 15 octobre, vers*

*quatre heures, au chalet que vous connaissez. Je compte sur votre présence ainsi que sur celle de Marion, que mes petits-enfants aiment bien. »*

Et, sans plus de cérémonie, Irénée avait apposé sa signature.

Madame Légaré déposa la lettre sur la table sans pourtant la quitter des yeux. L'écriture était celle d'un enfant, malhabile, avec de grosses lettres rondes, et s'il n'y avait aucune faute d'orthographe, Éléonore se doutait bien que quelqu'un y avait vu pour Irénée. Fallait-il que cet homme tienne à ce que la fête soit parfaite en tous points pour y mettre autant d'attention !

Éléonore en fut touchée.

— Bien sûr que je vais accepter, murmura-t-elle. Je ne vois pas pourquoi monsieur Tremblay me refuserait cette sortie. En autant que le repas du soir soit prêt, il n'y verra aucun inconvénient, j'en suis certaine. Je vais donc lui en parler tout à l'heure, dès le souper, puisque la fête est à peine dans quelques jours.

Ce fut en repliant la lettre, tout heureuse à la pensée d'une si agréable escapade, que la dernière ligne de la lettre sauta aux yeux d'Éléonore.

— Mais bien sûr, s'écria-t-elle, il y a aussi Marion ! La chère enfant ! Où donc avais-je la tête ?

Éléonore était debout, tenant le billet d'une main crispée.

— J'allais oublier qu'elle était invitée… Mais comment lui transmettre cette gentille invitation, puisqu'elle n'habite plus ici ?

La cuisinière, qui en avait perdu son sourire, se laissa retomber lourdement sur sa chaise. S'ensuivit une intense réflexion, qui aboutit finalement à un fugace sourire.

— Et si j'avais à travers ce message le prétexte idéal pour me présenter chez les parents de Marion ? se demanda-t-elle à mi-voix, le regard perdu dans le vague. Ne serait-ce pas merveilleux ?

Sur ces derniers mots, son sourire s'élargit.

— Finalement, quelle belle opportunité ! Et je vais y donner suite dès maintenant.

La cuisinière se releva en bousculant sa chaise. Tout à coup, il n'y avait plus une seule minute à perdre.

Faisant fi du respect des convenances les plus élémentaires, madame Légaré se précipita hors de la cuisine sans retirer son tablier. Elle remonta le corridor d'un pas décidé jusqu'au bureau du majordome. Puis, elle y toqua avec l'index replié et attendit. Il n'y eut qu'un long silence en guise de réponse. La cuisinière soupira d'exaspération. Habituellement, à cette heure-ci de la journée, monsieur Tremblay était toujours dans son bureau. Éléonore le soupçonnait même de prendre de façon récurrente un petit alcool avant le repas du soir, car son haleine le trahissait parfois quand il se présentait pour le souper, mais bon ! Il y avait probablement droit, n'est-ce pas, avec cette lourde charge qui était la sienne ? Toutefois, pour l'instant, la cuisinière n'en était pas là. Elle s'élança alors vers l'escalier, qu'elle monta avec un bel enthousiasme, et tant pis si l'exercice la laissait avec le souffle court.

— Monsieur Tremblay, où êtes-vous ?

Debout au milieu du hall, la cuisinière ne savait vers quelle porte se tourner. Bibliothèque, petit salon, salle à manger…

— Doux Jésus, monsieur Tremblay, où êtes-vous ? demanda-t-elle encore, tout en haussant la voix. Je dois vous parler, c'est urgent !

Devant un tel raffut, le majordome pointa le nez dans l'embrasure de la porte du petit salon où il préparait la table de billard. Il avait promis à monsieur James de disputer une partie avec lui après le souper, question qu'il ne perde pas la main, en attendant le retour de son père.

— Madame Légaré ? Mais que se passe-t-il ? Vous voilà toute rouge et de toute évidence angoissée… Il y a le feu ?

— Mais non !

Éléonore prit une profonde inspiration qui eut l'heur de la calmer un peu.

— S'il y avait le feu, je ne vous chercherais pas, je vous crierais plutôt de sortir de la maison au plus vite, fit-elle remarquer avec pertinence. Non, en fait, si je voulais vous trouver, c'est à propos de la lettre que vous…

— Alors, venez ! ordonna monsieur Tremblay, tout en jetant un regard inquiet vers l'étage des chambres. Nous ne discuterons pas de vos petits problèmes dans le hall d'entrée, au risque de déranger la famille O'Gallagher. La chambre de monsieur James est tout juste en haut de l'escalier, dans l'aile gauche. Il fait présentement ses devoirs et vous le connaissez, n'est-ce pas ? Un rien détourne son attention.

— Oh ! Je suis désolée.

— Chut ! Venez me rejoindre.

Ce fut ainsi que, tout intimidée, Éléonore Légaré se retrouva dans le petit salon.

— Maintenant, assoyez-vous, le temps de vous remettre de vos émotions.

La pauvre femme regarda tout autour d'elle. Il n'y avait pas la moindre chaise. En fait, seuls des fauteuils tous plus beaux les uns que les autres trônaient dans la pièce ! Éléonore ramena les yeux vers le majordome.

— Jamais je n'oserais.

Cette fois-ci, Théodule Tremblay perdit patience.

— Assis, j'ai dit !

Le ton était sans réplique.

De plus en plus impressionnée de se retrouver ainsi dans les appartements de la famille O'Gallagher, Éléonore n'eut cependant pas le choix et elle posa délicatement les fesses au bout du siège du premier fauteuil venu, recouvert d'une tapisserie illustrant une scène de chasse. Puis, elle tendit sa lettre au majordome.

— Tenez, monsieur Tremblay, lisez ! Ensuite, vous me direz ce que vous en pensez. J'ai besoin de votre avis.

Flatté d'être ainsi sollicité pour une question d'ordre personnel, Théodule Tremblay se pencha sur la lettre avec diligence. Quelques instants plus tard, il offrait un sourire bon enfant à la cuisinière.

— Nul doute que c'est une gentille invitation, déclara-t-il alors, et je vais d'emblée vous conseiller de l'accepter. Pour une fois, nous nous débrouillerons sans vous, voilà tout !

— Merci pour votre permission, monsieur Tremblay, je n'en attendais pas moins de vous. Toutefois, ce n'est pas le but de ma demande.

— Ah non ?

— Pas vraiment, puisque je savais que vous diriez oui. Pour ce genre d'invitation, si notre travail est bien fait, vous acceptez toujours. Non, c'est plutôt à propos de Marion que j'aimerais vous entendre. Vous avez bien lu comme moi qu'elle était invitée, elle aussi, et je ne sais...

— Je vous arrête tout de suite, madame Légaré, glissa précipitamment le majordome, qui n'avait surtout pas envie de prendre quelque décision que ce soit concernant Marion avant le retour de son patron. Je ne vois pas en quoi je pourrais vous être utile au sujet de...

— Et si je vous demandais de m'accompagner chez les parents de Marion afin de lui transmettre l'invitation ? suggéra alors Éléonore, subitement inspirée devant la prestance du majordome.

En effet, il lui sembla tout à coup qu'avec Théodule Tremblay à ses côtés, elle se sentirait grandement avantagée devant cet Antonin Couturier qu'elle n'avait jamais vu, certes, mais dont elle avait entendu la voix orageuse jusque dans sa cuisine.

— Alors, monsieur Tremblay ? Que pensez-vous de mon idée ?

— Je ne sais trop…

De toute évidence, le majordome était mal à l'aise.

— Soyons francs, madame Légaré, j'aimerais pouvoir consulter monsieur O'Gallagher avant toute chose. C'est à lui de…

— Je vous arrête, monsieur Tremblay !

Éléonore Légaré ne se rappelait pas avoir été aussi fonceuse de toute sa vie. Bien entendu, elle savait ce qu'elle voulait et pouvait, à l'occasion, l'exprimer librement. Mais elle connaissait aussi les limites imposées par son rang et elle était consciente qu'en ce moment, elle les outrepassait. Fallait-il qu'elle ait envie de revoir sa chère Marion pour s'entêter ainsi ! Sans hésiter, elle poursuivit, sur ce même ton persuasif.

— Ce sera à monsieur O'Gallagher de décider si Marion va pouvoir revenir travailler au manoir, je le sais fort bien, et je suis d'accord avec ce principe. Cependant, à mes yeux, cela n'a rien à voir avec une simple invitation pour participer à une fête de quelques heures. Dans le cas qui nous occupe présentement, il me semble, monsieur Tremblay, que vous avez toutes les qualifications nécessaires et la latitude pour vous prononcer sur le sujet. Non ?

— Oui, en effet…

— Alors, pourquoi hésiter ? Si je ne transmets pas moi-même l'invitation à Marion, qui donc pourrait le faire ?

— Personne, j'en conviens.

— Voilà ! Si je ne me présente pas chez elle, Marion ne saura jamais qu'elle est conviée à la fête de madame Félicité. Il me semble que ce ne serait pas très juste pour elle. Vous ne trouvez pas ?

— Vu sous cet angle, j'admets que vous n'avez pas tort, réfléchit alors le majordome à voix haute. De tout le temps qu'elle a vécu avec nous, jamais la pauvre enfant n'a reçu la moindre carte.

— Et quand elle avait répondu à l'ordre de sa mère qui voulait la voir, ajouta Éléonore pour donner du poids à sa demande, la visite s'était terminée dans les pleurs et les accusations, et au final, Marion s'était fait montrer la porte. Rappelez-vous durant le temps des fêtes, l'an dernier !

— Effectivement, enchaîna monsieur Tremblay qui se souvenait de l'événement avec précision. Et plutôt que d'en vouloir à ses parents, la pauvre enfant avait versé toutes les larmes de son corps, compléta-t-il. Jamais je n'oublierai ce jour-là.

— Alors, vous allez m'accompagner ?

Présentée ainsi, le majordome ne pouvait qu'accepter la requête.

Ils partirent donc tous les deux dès le repas terminé, avec l'accord de madame Stella O'Gallagher, auprès de qui monsieur Tremblay avait sollicité la permission de s'absenter.

— C'est tout à fait normal de prévenir Marion qu'elle a reçu une invitation, avait-elle admis d'emblée. Profitez-en donc pour lui transmettre mes salutations. Dites-lui qu'on s'ennuie tous un peu d'elle et que si elle en avait l'occasion, une petite visite nous ferait bien plaisir.

James, qui assistait à ce bref entretien, avait aussitôt jugé que l'occasion était trop belle pour la laisser passer. Il en avait donc tiré parti pour glisser son petit grain de sel dans la conversation.

— Et moi aussi, je lui dis bonjour ! avait-il lancé avec une fougue impétueuse, faisant ainsi sourciller sa mère.

Sourcillement qui n'avait pas échappé à James ! Il avait donc ajouté, dans la foulée, sur un ton plus modéré :

— Quant à la partie de billard, monsieur Tremblay, nous nous reprendrons demain.

Il avait donc été décidé qu'en début de soirée, Adam conduirait le majordome et la cuisinière chez les Couturier et qu'il les attendrait dans l'auto pour le retour. Le chauffeur connaissait la route pour l'avoir déjà parcourue par un certain matin d'hiver particulièrement glacial. Lui non plus n'oublierait jamais cette journée-là, car la gentille Marion avait quitté la maison de ses parents beaucoup plus tôt qu'il s'y attendait, et tout au long du chemin les ramenant au manoir, elle avait pleuré à gros sanglots. Adam s'était dit, à ce moment-là, qu'il trouvait injuste qu'une si gentille fille ait autant de peine.

Madame Légaré avait donc pris place sur la banquette arrière tandis que monsieur Tremblay tenait compagnie à Adam. Les salutations qu'il devait transmettre au nom de madame Stella et de James lui donnaient l'assurance d'être bien reçu. En effet, quel parent ne serait pas fier d'apprendre à quel point sa fille avait été appréciée lors de son passage au manoir ! Elle était même invitée à venir saluer la famille O'Gallagher, ce qui était plutôt flatteur, et qui devrait ouvrir la porte à un dialogue positif quand viendrait le moment de parler de l'invitation.

À l'opposé, la cuisinière était nerveuse comme jamais et, pour tenter de calmer son anxiété, à défaut de son tablier, elle triturait un carré de batiste entre ses mains gantées. Elle avait mis son plus beau chapeau et pris son sac à main, comme il se doit quand une dame rend visite à quelqu'un et qu'elle veut faire bonne impression. Quant aux mots à dire, ils se refusaient à elle de manière absolue, de telle sorte qu'elle avait facilement accepté que monsieur Tremblay parle en premier.

— Très bonne idée, avait-elle déclaré sans hésitation, visiblement soulagée. Moi, je risque d'être trop émotive.

— C'est ce que je me disais… Cependant, n'oubliez pas la lettre d'invitation. Il serait de mise de la montrer au père de Marion pour justifier notre présence chez lui.

— Bien sûr ! J'y avais pensé, ne craignez pas. Elle est déjà dans mon sac.

Ce fut Antonin lui-même qui leur ouvrit, puisque son épouse était toujours au lit. Quand la nuit était tombée, il y avait rarement quelqu'un pour venir les visiter, alors le moindre coup frappé à la porte devenait suspect. C'était donc toujours l'un des deux parents qui répondait.

Le grand Tonin reconnut tout de suite le visiteur. C'était ce même homme qui l'avait escorté jusqu'à la porte du manoir pour y attendre sa fille sur le perron, quand monsieur O'Gallagher l'avait congédié sans ménagement.

Le père de Marion arbora aussitôt un rictus qui pouvait aisément passer pour un sourire sardonique. Pour une des rares fois de sa vie, Antonin jugea que le destin lui avait réservé une belle surprise. En effet, en ce moment, il lui offrait sur un plateau d'argent la chance de prendre sa revanche sur une humiliation qu'il n'avait pas encore digérée.

— Ben regardez-moi donc ça qui c'est qui est là !

Sur ce, il se tourna à demi et il cria, en direction de la chambre.

— Josette, je sais ben que tu peux rien voir, mais pour ton information, on a la visite des gens du manoir !

— Ben voyons donc, toi !

— C'est comme je te dis !

Puis, Antonin revint au majordome qui, poli, retira son chapeau pour se présenter.

— Bonsoir, monsieur. Je…

À ces mots, Antonin éclata de rire.

— Monsieur ? Wow ! Tout un changement, constata-t-il ensuite. Me semble, la dernière fois qu'on s'est vus, que le ton était moins d'adon… En quel honneur, à soir, j'aurais droit à vos salutations de cul serré ?

Devant un tel langage, Théodule Tremblay se mit à blêmir, tandis que madame Légaré se glissait prudemment derrière lui. Quand elle osa un regard par-dessus l'épaule du père de Marion, la cuisinière aperçut cette dernière debout à côté de la table, un torchon pressé contre sa poitrine. De toute évidence, la jeune fille écoutait avec attention le dialogue qui se déroulait entre son père et le majordome. Elle semblait craintive. Madame Légaré sentit son cœur se serrer et elle dut faire un effort pour ne pas se mettre à pleurer.

Pauvre Marion !

La cuisinière aurait tant voulu la serrer tout contre sa poitrine et la rassurer. Ou, tout au moins, lui faire un petit signe de connivence. Elle n'osa pas. Pendant ce temps, le majordome tentait d'amadouer Antonin Couturier.

— Si vous nous permettez d'entrer, madame Légaré et moi, nous aimerions vous entretenir sur...

— Ben là, j'en reviens pas ! s'exclama le grand Tonin sur un ton sarcastique.

L'homme vêtu d'une camisole grisâtre et d'un pantalon trop grand retenu par des bretelles semblait vraiment s'amuser.

— T'as-tu entendu ça, Josette ? jeta-t-il une seconde fois par-dessus son épaule en direction de la chambre. Ils veulent entrer.

— Crains pas, Tonin, j'en perds pas un mot ! répondit aussitôt Josette, qui semblait s'amuser tout autant que son mari.

— Ben tant mieux. On en reparlera tantôt !

Sur ce, le grand Tonin revint au majordome.

— Après ce qui s'est passé l'autre soir, ça vous prend tout un culot pour oser venir frapper chez nous en espérant que j'vas vous laisser entrer !

— Je regrette que...

— Vous pourrez ben regretter jusqu'à demain, ça changera rien au fait que vous mettrez pas un pied dans ma maison, trancha Antonin Couturier sur un ton menaçant. Icitte, c'est chez nous, pis c'est moi qui décide. Si vous avez quelque chose à me dire, va falloir le dire depuis la galerie.

— Dans ce cas...

Monsieur Tremblay, qui avait visiblement beaucoup de difficulté à se contenir, se tourna vers sa compagne.

— Pourriez-vous me remettre la lettre, madame Légaré ? demanda-t-il froidement.

Puis, ajustant le timbre de sa voix à la déception qu'il crut lire dans le regard de la cuisinière, il ajouta plus gentiment :

— Au point où nous en sommes, aussi bien aller droit au but, n'est-ce pas ?

Éléonore lui remit la lettre d'une main tremblante, tout en acquiesçant de la tête.

Ce fut à peine si Antonin jeta un œil distrait sur la courte missive avant de hausser les épaules avec indifférence.

Une invitation ? Et puis quoi encore...

Antonin soupira, agacé par toute cette histoire. Il pensa aux bières qui attendaient dans la glacière et son impatience augmenta d'un cran. Quoi qu'il en soit, il n'était pas question que sa fille quitte la maison. Peu importe le prétexte, elle devait rester ici parce que sans elle, rien ne fonctionnait convenablement, et le cas échéant, c'était le confort de sa Josette qui était menacé.

— Si je comprends ben, ma fille serait invitée à une sorte de fête, c'est ben ça ?

— Exactement. Ce ne serait que pour quelques heures et...

Antonin leva la main pour interrompre Théodule Tremblay qui, malgré le ton peu cordial de cette discussion, faisait visiblement de gros efforts pour rester poli. Ceci étant, il eut tort de ne pas tenir compte de l'avertissement de son vis-à-vis et il essaya de poursuivre.

— Nous viendrions chercher Marion vers deux heures, expliqua-t-il posément, et la ramènerions après le souper. Comme vous voyez, elle ne serait pas absente très longtemps et...

— Que c'est vous avez pas compris, vous là ? tonna Antonin Couturier. Quand ben même ça serait juste pour deux menutes, c'est non ! trancha-t-il sans laisser au majordome la chance de terminer sa phrase. On a besoin de Marie icitte, pis elle va rester icitte.

— Mais quand même, monsieur, se permit d'insister Théodule Tremblay, sachant pertinemment que madame Légaré serait terriblement déçue devant une réponse négative, nous pourrions prendre le temps d'en discuter un peu, vous ne croyez pas ?

Et il y avait aussi Marion !

Du coin de l'œil, le majordome voyait bien que la jeune fille n'en menait pas large. Elle avait les yeux tout brillants et elle portait le torchon à son visage pour les essuyer de façon répétée. Il tenta alors le tout pour le tout.

— Il me semble que quelques heures de détente feraient du bien à Marion et ne seraient pas une grosse...

— Calvaire ! Vous êtes qui, vous, pour décider de ce qui est bon pour ma fille ?

— Je suis le majordome de la maison O'Gallagher et...

— Pauvre innocent ! C'est pas pantoute ce que je voulais dire. Je le sais ben qui c'est vous êtes ! C'est juste que vous vous mêlez de ce qui vous regarde pas... Là, je commence à en avoir plein le dos de vos manières pis de vos insistances... Que c'est vous avez pas compris dans toute ce que je viens de vous dire ? Non, c'est non. Un point c'est toute ! Astheure, vous allez crisser votre camp de chez nous avant que je me choque pour de bon. Pis remettez pus jamais les pieds icitte parce que je pourrais être pas mal moins poli qu'à soir ! C'est-tu ben compris ?

Et sur cette menace, le grand Tonin claqua la porte.

Théodule Tremblay en tremblait d'indignation ! Il inspira profondément, expira lentement et arriva ainsi à retenir les mots crus qui lui venaient tout droit de son passage dans l'armée. Puis, il se redressa et endossa dans l'instant son statut de majordome. Avec galanterie, il offrit son bras à Éléonore pour qu'elle puisse descendre l'escalier du perron sans encombre, car elle avait les yeux ruisselants de larmes.

— Venez, madame Légaré, formula-t-il gentiment, malgré la fureur qu'il continuait de ressentir. Nous rentrons chez nous.

Quand ils arrivèrent tous les deux près de l'auto, ils entendirent des cris qui provenaient de la maison et qui ressemblaient à une argumentation soutenue.

Puis, il y eut un bruit sec qui pouvait très bien s'apparenter à une gifle, suivi d'un long silence.

Éléonore sursauta, comme si c'était elle qui avait reçu le coup. Elle porta la main à son cœur et elle détourna la tête.

La silhouette d'Antonin Couturier se découpait à l'une des fenêtres de la façade. Bien entendu, Éléonore ne pouvait que deviner la physionomie de cet homme rustre et sans cœur, mais elle sentait tout de même son arrogance la transpercer, tel un glaive chauffé à blanc.

Les larmes de la cuisinière se tarirent aussitôt, remplacées par une vague de colère qu'elle ne chercha nullement à tempérer. Elle essuya son visage délicatement, du bout de ses doigts gantés, tout en fixant l'ombre qui encombrait la fenêtre, comme si elle pouvait soutenir le regard du grand Tonin malgré la noirceur. Elle resta ainsi, immobile, durant un court moment qui lui sembla toutefois fort long. Puis, elle se retourna et ouvrit elle-même la portière de l'auto.

— Vous aviez raison, monsieur Tremblay, nota-t-elle, en se glissant sur la banquette. Il semble bien qu'il n'y aura que monsieur O'Gallagher pour dénouer cet imbroglio et tenir tête à cet idiot. Et que Dieu me pardonne ce jugement intempestif… Maintenant, retournons à la maison. Je vais nous préparer une légère collation, car nous en avons tous les deux un grand besoin !

« *Jamais je n'aurais pu imaginer que ma sœur pouvait être aussi généreuse et je m'en veux de ne pas l'avoir compris avant. Si j'avais été plus gentille avec elle, peut-être bien qu'on aurait pu être des amies, en plus d'être des sœurs... Peut-être, parce que l'autre soir, quand monsieur Tremblay et madame Éléonore sont venus, elle a pris ma défense sans la moindre hésitation, tandis que moi je restais là, sans rien dire, comme d'habitude, espérant stupidement que mes larmes suffiraient à faire comprendre à quel point j'étais déçue. Comme si le fait de pleurer aurait pu amener mon père à changer d'avis. J'aurais dû le savoir aussi que c'était perdu d'avance. Les parents se fichent pas mal de ce qu'on ressent, nous, les enfants. Finalement, j'ai compris que Ludivine ne voit pas les choses tout à fait de la même manière que nos parents, et que malgré les apparences, elle n'est pas aussi indifférente aux autres que je le croyais. Au bout du compte, à force d'argumenter avec notre père, c'est elle qui a reçu une gifle. Mais je pense bien que cette taloche-là m'a fait aussi mal qu'à elle. Je ne verrai plus jamais Ludivine de la même façon. Pourtant, quand j'ai voulu lui prendre la main pour lui montrer que j'appréciais vraiment ce qu'elle avait dit pour essayer de convaincre notre père qu'il s'était trompé, elle s'est vite* défilée en haussant les épaules avant de se sauver dans notre chambre. Depuis, Ludivine ne me parle pas plus qu'avant... Et elle est toujours d'aussi mauvaise humeur quand vient le temps des corvées. On dirait que ce qui est arrivé l'autre soir, c'était juste une sorte d'accident. Dommage. N'empêche que je n'ai plus peur que ma sœur aille au bureau de poste. Si jamais il y avait une lettre à mon nom, je suis presque certaine, maintenant, qu'elle ne la montrerait pas aux parents. Alors, j'espère recevoir quelque chose... Peut-être bien que madame Éléonore va décider de m'envoyer un petit mot pour me parler de la fête où j'aurais pu aller... Mais peut-être pas non plus, à cause de mon père qui lui aurait fait trop peur. Et dans ce cas-là, je serais probablement très déçue, mais je comprendrais. »

## CHAPITRE 6

*Le samedi 15 octobre 1927, au chalet*
*sur le bord du fleuve, tandis qu'Irénée tourne*
*comme un ours en cage en attendant la visite*

Il n'en pouvait plus.

— Sacrifice que le temps passe pas vite !

Debout à la fenêtre, Irénée Lafrance surveillait la route, tandis que sa fille Lauréanne s'affairait à vider les nombreux paniers de victuailles apportés plus tôt de la ville.

— Voyons, son père ! Pourquoi vous mettre dans un état pareil ? demanda-t-elle tout en s'activant autour de la table. Moi, au contraire, j'ai peur de manquer de temps pour finir de tout préparer. De toute façon, ça m'a jamais dérangée d'être obligée d'attendre un peu. J'suis déjà pas mal énervée de plaisir ! J'aime ça ben gros, moi, espérer une fête ou un cadeau !

— Ben parle pour toi, ma fille, parce que moi, je trouve pas ça drôle pantoute ! bougonna Irénée sans quitter la route des yeux. Une chance que j'en ai pas organisé souvent, des fêtes de même, parce que ça m'aurait rendu fou en calvaire…

Puis, se redressant, le vieil homme se retourna face à Lauréanne et lança vivement :

— S'il fallait que Félicité change d'avis à la dernière menute ! T'as-tu pensé à ça, toi ? Que c'est qu'on ferait si Félicité décidait de pas venir ? On aurait l'air de deux beaux codindes, toi pis moi, avec notre gang d'invités pis notre tonne de manger pour rien !

Sans la moindre équivoque possible, on entendait une grande inquiétude se glisser dans la voix d'Irénée.

Lauréanne s'arrêta donc un instant pour regarder son père avec affection. Depuis ces dernières semaines, le vieil homme s'était démené comme jamais. C'était lui qui avait composé un menu varié susceptible de plaire à tous les palais et qui avait magasiné tout seul un piano qu'il voulait pas trop gros pour ne pas encombrer la pièce principale du chalet, puisque celle-ci servait à la fois de cuisine et de salon. C'était encore lui qui avait joint les gens qu'il voulait inviter, par lettre ou par téléphone, et tout cela dans la plus parfaite discrétion pour ménager un effet de surprise à sa vieille amie. Bref, Lauréanne avait découvert un homme attentionné qui lui avait fait oublier en bonne partie l'ours mal léché qu'elle connaissait depuis toujours. S'il était resté aussi prompt et virulent dans ses propos, Irénée Lafrance se bonifiait avec le temps et sa fille savait l'apprécier. Elle avait l'impression de retrouver le père qu'il avait été du vivant de sa mère.

— Pourquoi matante déciderait de pas venir ? demanda-t-elle, tout en empilant trois paniers les uns dans les autres pour les ranger le long du mur.

— Parce qu'elle a branlé dans le manche en sacrifice, soupira Irénée. Rappelle-toi ! Quand on lui a demandé de venir nous rejoindre ici, au chalet, ça avait pas l'air d'y tenter pantoute. Déjà qu'elle trouve inutile d'avoir fait installer le chauffage. « Encore des dépenses pour rien ! » qu'elle a dit, en levant ses deux bras au ciel quand je lui ai annoncé la nouvelle. Sûr qu'elle avait pas l'air contente que j'aye pris cette décision-là sans lui en parler, pis le fait que ça soye ton mari qui aye tout payé changeait pas grand-chose à son humeur. Elle a aussi dit en marmonnant qu'il fallait pas que je compte sur elle pour venir icitte durant l'hiver pour me tenir compagnie. Elle a même ajouté, en me regardant drette dans les yeux, qu'on avait ben assez de s'endurer durant tout un été, elle pis moi, pour que ça lui donne envie de remettre ça durant la saison froide. Sacrifice ! Elle avait l'air tellement de mauvais poil que j'ai pas osé y répondre.

— Mais elle a finalement accepté votre proposition, ajouta joyeusement Lauréanne. Elle a promis de venir voir, pas plus tard que tantôt, si la fournaise au mazout fonctionnait comme il faut et si le gros réservoir prenait pas trop de place sur le côté du chalet. Même si elle a l'air indifférente, comme ça, je suis d'avis qu'elle est quand même curieuse de voir ce que ça donne, comme chauffage. Elle a aussi dit que tant qu'à être pognée pour venir ici, elle en profiterait pour « faire le tour de votre domaine pendant que les arbres sont encore ben beaux ! »

— Ouais, c'est vrai qu'elle a dit ça… Saprée Félicité ! Notre domaine ! Elle me fait ben rire quand elle parle de même de notre carré de fardoches pis de notre petite plage. N'empêche que j'ai peur pareil… Comme je la connais, elle est ben capable de nous faire faux bond à la dernière menute. Suffit qu'elle soye ben fatiguée de son après-midi de travail au magasin de Jaquelin pour changer d'avis.

Sur ce, Irénée soupira à fendre l'âme.

— Veux-tu que je te dise de quoi, ma fille ?

— Allez-y, son père, je vous écoute, même si ça en a pas l'air, répondit Lauréanne, qui avait commencé à vider une grosse boîte qui avait servi de contenant pour la nourriture.

Présentement, elle déposait harmonieusement sur une assiette de porcelaine les « sandwichs-pas-de-croûtes » que son père avait demandés.

— Ben je dirais que l'hiver, Félicité en profite pour se reposer les oreilles, déclara Irénée tout en dodelinant de la tête.

— Pourquoi vous dites ça ?

— Je dis ça rapport que je discute pas mal d'un peu toute ce qui se passe dans le coin pis dans le monde, après que j'aye lu mon journal. Dans ce temps-là,

Félicité me dit souvent de me fermer le clapet parce qu'elle en peut pus de m'entendre placoter. Ça doit jouer dans sa décision, ça là… Je pense avec qu'elle doit vouloir se reposer le nez à cause de mes cigarettes qu'elle haït ben gros. Elle arrête pas de chialer que ça pue, même si j'suis ben *smatte*, pis que je fume toujours dehors, sauf quand il pleut à boire debout… Ça se pourrait-tu, ce que je dis là ?

Lauréanne esquissa un sourire en coin, amusée par la perspicacité de son père.

— Ben coudonc… Vous avez toujours les yeux aussi clairs, son père, pis votre entendement de la situation est probablement juste. C'est vrai que notre vieille Félicité raisonne de même, elle me l'a déjà dit. Elle aime pas ben ben ça quand vous devenez un vrai moulin à paroles, pis elle haït l'odeur de vos cigarettes à s'en confesser ! Mais vous la connaissez comme moi, non ? Matante a toujours été à cheval sur ses principes, pis elle se gêne surtout pas pour dire ben net le fond de sa pensée. N'empêche… J'ai le sentiment que tout ça, c'était avant le piano ! Faudrait surtout pas l'oublier, lui là ! Après toute, c'est pour ça qu'on est ici, pis j'ai dans l'idée que ça pourrait changer ben des choses !

Entre deux petits sandwichs déposés délicatement, Lauréanne montra du doigt l'instrument de musique placé entre la porte et la fenêtre, contre le mur qui donnait sur le fleuve.

— Pour que Félicité aye une belle vue quand elle va jouer, avait déclaré Irénée aux deux hommes venus livrer son achat. Comme ça, quand la fenêtre va être ouverte, on va l'entendre jusque sur la plage, pis ça va ajouter à l'agrément d'être au bord de l'eau.

Ensuite, comme si cela pouvait changer quoi que ce soit, Irénée avait tenu à cacher le piano sous une couverture.

— Pour le protéger, pis parce que c'est un cadeau, maudit sacrifice ! avait-il expliqué à Émile, Agnès et Lauréanne, qui avaient tenu à l'accompagner lors de la livraison, prenant même congé du travail ou de l'école. Il y a pas personne pour comprendre ça ?

— C'est juste que…

— C'est juste que rien, batince ! Pourquoi faut toujours que j'explique toute, dans cette famille-là ? D'habitude, les cadeaux, on les enveloppe dans du beau papier, non ?

— Ben oui, grand-père, avait admis Agnès, qui se retenait pour ne pas éclater de rire devant l'entêtement d'Irénée. Vous avez raison. Sauf que…

— Sauf que là, le cadeau est trop gros, je le sais, avait coupé le vieil homme, visiblement irrité. Pas besoin de me faire un dessin, j'suis pas cave à ce point-là. C'est pour ça qu'on va prendre une couverte à la place du papier, ça va faire pareil… Pis que j'en voye pas un se mettre à rire !

Devant l'intention louable d'Irénée, personne n'avait ri.

On avait donc emballé le piano en bois verni dans une couverture de laine, on avait trouvé une ficelle assez longue pour attacher le tout et on était repartis pour la ville attendre que le jour de la fête arrive.

Et voilà que dans quelques heures, Irénée pourrait enfin offrir son présent à celle qui avait permis l'achat de ce petit chalet au bord du fleuve dont il avait tant rêvé.

C'était pour montrer l'étendue de sa reconnaissance qu'Irénée avait décidé de faire les choses en grand.

— Pour Félicité, on va réunir plein de monde ! Juste la famille, ça ferait comme à Noël, pis c'est pas mon intention.

Ainsi, non seulement avait-il pensé à madame Légaré et à la jeune Marion, qu'il avait préféré inviter par lettre parce qu'elles avaient toutes les deux l'habitude des gens de la haute société, mais il y aurait aussi son ami Napoléon qui se joindrait à eux parce que, disait-il, le pauvre homme se mourait d'ennui depuis le décès de sa femme.

— Pas question pour moi de pas l'inviter ! s'était-il insurgé devant le regard interrogateur de sa fille. De quoi j'aurais l'air si jamais il apprenait que j'ai organisé une grosse fête sans lui ? Non, non ! Faut que Napoléon soye là. D'autant plus que Félicité pis lui, ils s'adonnent pas mal bien, quand vient le temps d'aller pêcher.

Après de longues délibérations, il avait aussi été convenu qu'on inviterait monsieur Touche-à-Tout et son épouse Janine.

— Après toute, c'est nos voisins en ville. Même si le Gédéon, c'est une maudite grande langue qui va probablement enterrer les conversations d'un peu tout le monde, je tiens à ce qu'il soye avec nous autres. Faudrait pas oublier que Félicité connaît cet homme-là depuis toujours, rapport qu'elle lui a acheté ben des bébelles durant un paquet d'années, quand il passait par le village pour vendre ses affaires.

— C'est vrai, avait alors approuvé Lauréanne sans hésitation.

— Sur ça, j'ajouterais que c'est grâce à lui pis à son camion si Jaquelin a pu retourner vivre au village après son accident sur la rivière, avait alors rappelé Émile.

À ces mots, Agnès avait lentement opiné du bonnet. Jamais elle n'oublierait le retour de son père à la maison, à la suite de l'accident qui avait failli lui coûter la vie, alors qu'il faisait de la drave.

— Vous avez raison, grand-père, d'avoir pensé à monsieur Touche-à-Tout, avait-elle approuvé gravement. C'est aussi lui qui a reconduit pis ramené matante de l'hôpital quand elle a eu sa crise de cœur. On pourra jamais assez le remercier pour tout ce qu'il a fait pour notre famille.

— Bon ! Vous voyez ben qu'il faut l'inviter !

Et tant qu'à parler de gens susceptibles d'apprécier une invitation, on avait alors pensé au frère de Félicité, à sa belle-sœur, et à ses nombreux neveux et nièces qui habitaient encore à Sainte-Adèle-de-la-Merci. Cependant, la logistique pour avoir toute la parenté au chalet s'avérait plutôt complexe.

— D'autant plusse qu'il faudrait coucher tout ce beau monde-là !

— Et vous savez aussi, son père, que depuis l'an dernier, les relations sont pour ainsi dire plutôt frettes entre Anselme pis Jaquelin.

À mots couverts, Lauréanne parlait bien sûr de la fuite de Cyrille et de Judith, dont on n'avait toujours pas de nouvelles. À ce moment-là, Agnès s'était sentie rougir et elle avait détourné la tête. Elle se mourait d'envie d'annoncer qu'elle avait retrouvé son frère et sa cousine. Elle pourrait ainsi rassurer sa tante Lauréanne en lui disant qu'ils se portaient très bien et qu'ils avaient une belle petite fille en parfaite santé. Mais elle avait juré à Cyrille qu'elle se tairait tant et aussi longtemps qu'il le jugerait important. Seule la tante Félicité était au courant du but réel de son escapade à Québec, et Agnès savait que la vieille dame serait muette comme une tombe. Elle l'avait juré solennellement, une main sur le cœur, et Félicité avait toujours tenu ses promesses.

Heureusement, ce soir-là, la conversation autour de la table dans la cuisine de Lauréanne était vite revenue à son but premier, à savoir la fête qu'on organisait pour Félicité.

— On va donc oublier la parenté de Sainte-Adèle-de-la-Merci, avait tranché Irénée. J'vas appeler moi-même Victor Gagnon. Comme tu le sais, Agnès, ton grand-père est un bon ami à moi. Astheure qu'ils ont le téléphone, ça sera pas compliqué de le rejoindre, pis comme je le connais, il va comprendre la situation, pis on devrait ben s'entendre, lui pis moi, même si Félicité est sa sœur.

Comme de juste, et cette fois sans la moindre discussion, Marie-Thérèse et sa famille seraient de la fête.

— Ma bru est comme une fille pour Félicité ! souligna Irénée. Normal qu'elle soye là avec toutes ses enfants. Reste juste à trouver un prétexte pour fermer l'épicerie de Jaquelin un peu plus de bonne heure, sans que Félicité se doute de rien !

Émile s'était alors offert pour s'en occuper.

— Comme c'est moi qui vas être obligé de conduire tout le monde de la ville jusqu'au chalet, m'en vas vous trouver quelque chose qui mettra pas la puce à l'oreille de la tante Félicité. Comptez sur moi ! J'ai ben de l'imagination quand vient le temps de trouver des bonnes idées.

Émile était encore en train de parler qu'Irénée, sourcils froncés, cherchait à l'interrompre d'un petit geste de la main.

— Attends donc une menute, toi là…

Le vieil homme semblait réfléchir intensément.

— Je pense que j'ai une idée, avait-il finalement annoncé, faisant un tour de table, regardant chacun des convives l'un après l'autre pour être certain qu'il avait l'attention de tous.

— Ah oui ? avait alors demandé Émile, curieux comme toujours.

— Ouais, rapport que pour une fois, on va avoir deux autos pis un camion pour se déplacer... Ça fait toute une différence.

— Bateau d'un nom, c'est vrai ce que vous dites là, le beau-père ! s'était exclamé le gros homme jovial en se tapant sur la cuisse. Votre ami Napoléon a une auto quasiment aussi grande que la mienne, pis le voisin a un camion !

— Justement ! J'ai dans l'idée qu'on va arriver à garder notre secret jusqu'au boutte parce qu'on sera pas obligés de fermer l'épicerie aussi de bonne heure qu'on le pensait. Laissez-moi y voir.

Voilà pourquoi, en ce moment, le pauvre Irénée se tordait les mains d'anxiété. Au final, c'était lui qui avait tout planifié et s'il y avait la moindre anicroche, il en serait l'unique responsable. Quand on s'appelait Irénée Lafrance, il ne pouvait y avoir pire perspective que celle de perdre la face devant un grand nombre d'invités !

— T'as pas idée, Lauréanne, comment c'est que j'suis sur le gros nerf, avoua-t-il en soupirant bruyamment. Faut que ça marche exactement comment on l'a prévu, sinon moi, j'vas être déçu en calvaire, pis j'vas être la risée de tout le monde, maudit sacrifice !

— Il y a aucune espèce de raison pour que ça vire au vinaigre, son père. Tout est déjà ben planifié pis organisé. On en a parlé assez longtemps, pis reviré ça dans tous les sens, pour avoir rien oublié. Rappelez-vous ! Jaquelin pis Marie-Thérèse ont décidé de prendre un après-midi de congé, en disant qu'ils l'ont pas volé. Le pire, c'est que c'est vrai. Faut pas oublier que ça fait plus qu'un an qu'ils travaillent sans arrêt. Pis là-dessus, matante était ben d'accord. Ça fait qu'à l'heure où on se parle, Jaquelin pis Marie-Thérèse sont déjà partis de chez eux, pendant que notre Félicité tient l'épicerie avec Benjamin. Agnès, elle, s'occupe des plus jeunes. Comme il fait beau, pis on peut remercier le Ciel pour ça, elle est supposée les avoir amenés en promenade. Sauf qu'en réalité, tout ce beau monde-là doit être déjà arrivé chez monsieur Touche-à-Tout, où votre ami Napoléon va les rejoindre. Comme ça, ils vont pouvoir venir nous rejoindre toutes en même temps.

— Ouais, c'est vrai que notre plan a ben de l'allure.

Enfin rassuré, Irénée se frotta les mains de satisfaction.

— Reste juste ton mari qui doit…

— Qui doit rappeler à matante, coupa Lauréanne, qu'elle avait promis de venir faire un tour jusqu'ici parce que c'est là que j'ai passé l'après-midi avec vous, pour qu'on puisse vérifier si le chauffage fonctionne dans le sens du monde avant que la froidure nous tombe dessus. Comme on se doutait ben que côté chauffage, tout irait pour le mieux, rapport que la fournaise est flambant neuve, on avait décidé d'avance de manger ici avant de retourner en ville. Tant qu'à être au chalet, autant en profiter jusqu'au boutte, non ? Pis là-dessus, matante était d'accord, débita-t-elle à toute allure.

Tout en rappelant les décisions prises en vue de la fête, Lauréanne déposait maintenant des pâtisseries assorties sur l'assiette de sa cloche à gâteau en verre taillé qu'elle avait apportée au chalet avec mille et une précautions, jugeant que l'événement en valait la peine.

— Par contre, poursuivit-elle sur le même ton accéléré, comme on avait pus grand-chose à manger au chalet, Émile a fait un petit inventaire des provisions, pis pour donner le change, il va se servir un brin dans l'épicerie, sur le coup de quatre heures, avant de revenir avec matante pis Benjamin, qui lui nous a promis de faire une vraie crise de nerfs si jamais Félicité Gagnon faisait sa tête dure pis décidait à la dernière minute de pas les accompagner. Ouf ! Me semble qu'on a rien oublié, non ?

Irénée fit mine de chercher.

— Non, t'as rien oublié.

— Ben dans ce cas-là, arrêtez de vous en faire de même pis de tourner en rond, sinon c'est moi qui vas pogner les nerfs ! On a du manger pour une armée, pis tout notre monde va être là, comme prévu. Tirez-vous donc une chaise, son père, pis…

— Non ! Je pense que j'vas aller m'éventer dehors à la place. J'vas marcher un peu au bord de l'eau en fumant une cigarette. Il y a rien de mieux pour me calmer le système, pis en plusse, il fait beau sans bon sens, comme tu viens de le dire. Batince ! On se croirait quasiment en été. T'as-tu remarqué, Lauréanne, comment c'est que les arbres sont beaux avec leurs belles couleurs ? On dirait qu'ils se sont endimanchés eux autres avec. Juste pour notre Félicité !

— C'est vrai que c'est beau !

— Astheure, je m'en vas fumer. Je reviens dans pas long.

Ce fut au moment où Irénée remontait de la plage qu'une première auto tourna dans l'entrée sablonneuse du chalet. Reconnaissant l'une des voitures du manoir, le vieil homme pressa le pas pour venir au-devant de ses deux invitées.

— Madame Légaré ! J'suis donc content de vous voir. Votre présence va sûrement faire une belle surprise à Félicité. Merci ben gros d'avoir accepté mon invitation !

— Bonjour, monsieur Lafrance ! Ça serait plutôt à moi de vous remercier ! C'est vraiment gentil d'avoir pensé à m'inviter comme vous l'avez fait.

— Ben non, voyons, c'était juste normal… Après toute, vous êtes une amie de Félicité, pis c'est elle qu'on veut fêter. Dans le fond, c'est surtout à elle que j'ai pensé en préparant la réception d'aujourd'hui, vous devez ben vous en douter.

Sur ce, Irénée étira le cou et fronça les sourcils.

— Pis Marion, elle ? Est pas avec vous ? demanda-t-il alors, surpris de voir que madame Légaré avait refermé la portière et que le chauffeur était déjà en train de faire demi-tour pour repartir.

— Malheureusement non, annonça Éléonore, les lèvres pincées.

La cuisinière avait l'air à la fois déçue et ulcérée. Sa voix était tranchante, alors qu'Irénée se rappelait une femme plutôt douce et posée. Pourtant, en ce moment, cette dame avenante secouait la tête avec une brusquerie qui en disait long sur les émotions qui l'habitaient. Soupirant bruyamment, Éléonore souleva son sac à main et le pressa contre sa poitrine, tandis que son regard lançait des éclairs.

— Non, ma belle Marion ne se joindra pas à nous pour cette soirée… Je vous expliquerai plus tard si l'occasion se présente, exposa alors la cuisinière rondelette qui n'avait pas particulièrement envie d'entrer dans les détails pour l'instant.

En fait, c'était depuis le mardi précédent qu'Éléonore Légaré fulminait et, tout au long de la semaine, à la grandeur du manoir, on avait pu entendre les casseroles qui se faisaient malmener au sous-sol ! Heureusement, le retour de monsieur O'Gallagher était prévu pour le lendemain, et la cuisinière désespérée avait bien l'intention de s'en remettre à lui pour trouver une solution à ce qu'elle considérait comme un problème majeur dans sa cuisine, et une injustice flagrante à l'égard de sa protégée.

— Ben dans ce cas-là, suivez-moi ! lança Irénée, qui ne chercha nullement à aller plus loin.

Comme en ce moment sa curiosité naturelle était grandement freinée par son excitation, il n'avait même pas envie d'entendre les explications de madame Légaré.

— Lauréanne est déjà dans le chalet en train de toute préparer, précisa-t-il en emboîtant le pas à Éléonore.

— Je pourrais peut-être l'aider ?

— J'en sais rien. Vous verrez ça avec ma fille. Ça fait un bail que j'ai compris que c'est elle qui « runne » devant le fourneau.

— Heureuse de vous entendre parler ainsi, souligna Éléonore, un sourire espiègle sur les lèvres. Au manoir, c'est moi qui « runne » dans la cuisine, comme vous venez de le dire. Normal, non, que celle qui doit faire les repas décide de tout ?

Toutefois, ils avaient à peine eu le temps de monter les quelques marches menant au perron qu'une seconde voiture arrivait au chalet.

Irénée esquissa aussitôt son drôle de sourire qui lui retroussait comiquement la moustache.

— Ah ben, ah ben ! V'là mon ami Napoléon avec mon gars, sa femme, pis leurs trois plus jeunes… Sacrifice que j'suis content ! Toute va comme sur des roulettes, exactement comme on l'avait espéré… Attendez-moi pas, madame Légaré, pis entrez ! Faites comme chez vous, il y a pas de gêne à avoir ! Après toute, vous connaissez Lauréanne, non ?

Et sans plus de façon, Irénée redescendit l'escalier, tandis qu'Éléonore frappait poliment avant d'entrer.

— Salut, la compagnie ! lança joyeusement Irénée. J'suis content en sacrifice de toutes vous avoir icitte, dans mon chalet !

— Salut, son père.

Jaquelin, le fils d'Irénée, était déjà sorti de l'auto. Comme il était plutôt grand, il pouvait appuyer son bras valide sur le toit et il détaillait les alentours en inspirant profondément.

Depuis que Marie-Thérèse et lui avaient pris la décision de s'établir en ville, alors que son père l'avait aidé à acquérir une petite épicerie de quartier, Jaquelin avait l'intense satisfaction de retrouver une vie normale. En effet, son métier de cordonnier, où il avait excellé durant de nombreuses années, était devenu un véritable cauchemar pour lui à la suite de l'accident où il avait perdu l'usage de sa main droite. Malgré l'aide efficace apportée par son épouse, le pauvre homme peinait à faire l'essentiel. Aujourd'hui, avec un métier mieux adapté à ses capacités physiques réduites, Jaquelin se sentait à nouveau maître de sa destinée et il en remerciait le Ciel tous les jours. Il était redevenu un homme à part entière et c'était en grande partie à son père qu'il le devait.

Alors, en accord avec Marie-Thérèse, il avait trouvé le moyen de remercier cet homme revêche, mais juste, en même temps qu'il ajouterait à la joie de la vieille tante.

En attendant, Jaquelin prit le temps de bien s'imprégner de l'ambiance champêtre qu'il avait toujours préférée à celle de la ville, plutôt bruyante.

Il était donc faible de dire que Jaquelin aimait sans condition ce petit domaine au bord du fleuve !

En réalité, même si son travail l'amenait à côtoyer le public, Jaquelin Lafrance était d'abord et avant tout un solitaire, et chacune de ses visites au chalet de son père avait été pour lui un moment de pur bonheur. Certes, il n'avait pas eu l'occasion d'y venir très souvent, sa besogne l'accaparait trop, mais chaque fois qu'il en avait eu la chance, le nouvel épicier avait joyeusement quitté Montréal pour la campagne et il en avait profité pour faire de longues promenades sur les berges du fleuve.

Quand son regard croisa celui d'Irénée, Jaquelin lui renvoya un franc sourire.

— Nous aussi on est ben contents d'être ici, son père. Vous savez pas comment ! Ça va nous faire du bien, à Marie-Thérèse pis moi, de voir autre chose que nos cannes de conserve pis tout le barda qu'on garde en magasin... Pis laissez-moi vous dire qu'on trouve que c'est une fameuse de bonne idée de fêter la tante Félicité comme ça.

— C'est ce que je pense moi avec, approuva Irénée. Même si elle a un batince de fichu caractère, souligna-t-il alors sans vergogne, ça reste toujours ben que c'est une femme dépareillée, pis qu'on se donne pas la peine de le dire assez souvent... Amenez-vous ! Lauréanne pis madame Légaré sont déjà dans la cuisine en train de finir les préparations.

Alors que le père et le fils discutaient, Marie-Thérèse s'était glissée hors de l'auto à son tour. En quelques années, elle avait beaucoup grisonné, la vie lui ayant réservé quelques épreuves majeures. Toutefois, son visage restait celui de sa jeunesse, et les quelques rides qui s'étaient creusées au coin de ses yeux étaient celles du sourire. Elle donnait la main à Angèle, qui avait déjà six ans. Depuis que la gamine avait pris le chemin de l'école du quartier, au début de septembre, elle prenait de l'assurance, parfois même un peu trop, ce qui laissait présumer qu'avec le temps, cette belle enfant aurait le même caractère décidé que celui de la tante Félicité. Marie-Thérèse suivait donc sa fille Angèle de près, malgré le fait qu'elle continuait de voir quotidiennement à toute sa marmaille, en même temps qu'elle donnait un coup de main à l'épicerie.

Pour l'instant, c'était la petite Camille qui était cramponnée au cou de sa mère, et la bambine jetait un regard curieux autour d'elle. Bouclée comme un petit mouton, les yeux bleus comme un ciel d'été, Camille était d'un naturel plutôt tranquille, comme l'avait été sa grande sœur Albertine qui, malheureusement, était décédée sans raison connue avant même d'atteindre ses deux ans. Marie-Thérèse avait été anéantie par ce décès. Voilà pourquoi elle couvait sa petite dernière de façon constante et exclusive, même si Camille ne pourrait jamais remplacer Albertine, comme elle le disait elle-même.

Quant à Albert, le jumeau de la petite disparue, c'était Jaquelin surtout qui s'en occupait. Vif et costaud, le petit garçon s'était heureusement assez vite remis de la mort de sa sœur. Plein d'énergie, il donnait parfois du fil à retordre à son père. Comme il venait d'avoir quatre ans, il n'avait toujours pas commencé l'école, laissant ainsi peu de répit à Jaquelin. À l'instar de sa sœur Angèle, Albert aussi savait ce qu'il voulait et il pouvait se montrer buté à l'occasion. Comme en ce moment, alors qu'il s'entêtait à vouloir rester dans l'automobile de monsieur Napoléon. Toujours assis sur la banquette arrière, il avait les bras croisés sur sa poitrine et il affichait une mine renfrognée. Jaquelin se pencha à la portière et il glissa l'index de sa main gauche sous le menton du gamin pour l'obliger à le regarder droit dans les yeux.

— Maintenant, Albert, tu vas sortir de l'auto de monsieur Napoléon ! ordonna-t-il calmement, mais fermement.

— Pourquoi ? marmonna alors le gamin, tout en essayant de toutes ses forces de contrer la force du doigt de son père pour rebaisser la tête. J'aime ça, moi, les autos !

— Je sais tout ça, mon garçon ! Mais faudrait quand même pas abuser de la patience de…

— Laisse-lé faire, Jaquelin, intervint alors Napoléon, que la situation mettait en joie.

L'ami d'Irénée avait posé le bras sur le dossier de la banquette avant et il observait le petit Albert en souriant.

— Ça me tanne pas pantoute de le voir s'obstiner comme ça. J'ai pas eu la chance d'avoir des enfants ni des petits-enfants avec ma défunte, pis ça me fait ben plaisir de me retrouver avec Albert de temps en temps.

— Quand même !

— Si je te dis que ça m'achale pas, c'est que c'est vrai, insista Napoléon. Tu demanderas à ton père, pour voir ! J'ai pas l'habitude d'endurer ce qui fait pas mon affaire. Si ton garçon me dérangeait, je le dirais sans détour. Mais c'est pas le cas. De toute façon, je trouve ça correct qu'un p'tit gars comme Albert s'intéresse à la mécanique… Les machines pis toute ce qui va avec, ça va devenir de plus en plus important dans un monde moderne ! Tu sauras ben m'en reparler d'icitte à une couple d'années. *Anyway*, les enfants m'ont toujours ben faite rire avec leurs drôles de questions ! Inquiète-toi pas, Jaquelin ! Albert pis moi, on va aller *parquer* le char ensemble, on va jeter un coup d'œil au moteur pour être certains que toute va ben de ce côté-là, pis on va aller vous rejoindre dans la maison tusuite après.

— Si c'est de même… T'as entendu, Albert ? Tu vas aller *parquer* l'auto avec monsieur Napoléon. T'es pas mal chanceux ! Sois ben poli avec lui, pis tu viendras me raconter ça en entrant dans le chalet.

— Promis !

Le petit garçon avait les yeux brillants de plaisir !

Au bout du compte, les invités furent tous réunis dans le chalet d'Irénée quelques minutes à peine avant cinq heures.

— Désolé pour le retard, avait annoncé Gédéon Touchette, lorsqu'il était arrivé bon dernier, en compagnie de son épouse, de Conrad et d'Ignace, deux des garçons de Jaquelin et Marie-Thérèse. La *strape* du radiateur nous a lâchés juste au coin de la rue chez nous. Une chance que j'en avais une de *spare* dans mon stock. J'ai pu la remplacer assez facilement, pis nous v'là ! Faut dire qu'Ignace m'a ben aidé, précisa le marchand ambulant, tout en décochant un clin d'œil au jeune garçon, qui se rembrunit aussitôt. Mais vous auriez dû voir la boucane qui sortait du *hood*, vous autres ! C'est pas mêlant, je voyais quasiment pus rien pis…

— Ben tant mieux que tout soye rentré dans l'ordre aussi facilement, coupa Irénée, qui connaissait le proverbial sens de l'exagération de son voisin. Comme ça, il y aura pas de dommages, pis la fête va se passer comme je l'ai prévu. Sacrifice que j'suis content !

Irénée était euphorique. Fier comme un paon, il survola du regard l'ensemble des invités qui papotaient à droite et à gauche quand il eut soudainement une idée.

— Aye tout le monde ! lança-t-il en haussant le ton. Taisez-vous une menute. J'aurais de quoi à vous demander.

Petit à petit, le silence se fit. Même les enfants avaient cessé de courir, surpris par la voix plutôt enjouée de leur grand-père, ce qui n'était pas monnaie courante.

— Si vous alliez toutes vous cacher en haut dans les chambres ? suggéra Irénée, tout heureux de sa bonne trouvaille. Me semble que ça ferait une ben plus belle surprise à Félicité quand vous...

— Pas sûre pantoute que ça soye une si bonne idée que ça, son père, protesta précipitamment Lauréanne, après avoir rapidement consulté sa belle-sœur Marie-Thérèse du regard.

À ces mots, Irénée se tourna vers sa fille. De toute évidence, son intervention l'agaçait au plus haut point.

— Bon ! lança-t-il avec humeur. Fallait ben que tu trouves de quoi pour me faire enrager. C'est-tu parce que toute allait trop ben que tu t'ingénies à trouver des poux ? Me semble, ma fille, que pour une fois, t'aurais pu...

— Pis si je disais que j'suis d'accord avec Lauréanne ? interrompit Marie-Thérèse, tout en faisant un pas vers Irénée. Pas que je veuille vous contredire, le beau-père ! C'est vraiment pas le but de mon hésitation. C'est juste que matante est pus très jeune. Une grosse joie, c'est un peu comme une grosse peine, vous pensez pas, vous ?

— Ouais, si on veut.

— Ben c'est de même que je vois les choses, moi… Une surprise comme celle d'aujourd'hui, avec plein de monde qui descend de l'étage en riant pis en faisant du bruit, ça pourrait peut-être ben la chavirer assez fort pour que son cœur en fasse une attaque.

La réflexion d'Irénée fut de courte durée.

— Sais-tu, ma belle-fille, que j'avais pas pensé à ça… Vous avez peut-être ben raison, toutes les deux.

— Pis peut-être pas non plus, modula Marie-Thérèse, qui ne voulait surtout pas assombrir l'attente des invités ni froisser Irénée. Disons seulement que j'ai pas envie de tenter le diable. Faut pas oublier que notre bonne Félicité a ben failli y passer il y a quelques années… C'est pour ça que je me dis que ça serait ben gauche de notre part de faire quelque chose qui pourrait gâcher une belle réunion comme celle que vous avez organisée avec autant de soin.

Les invités suivaient cette discussion avec attention. Surtout monsieur Touche-à-Tout, pour qui écouter et observer autour de lui était une seconde nature. Il colportait les nouvelles en même temps qu'il vendait ses articles en tous genres. Quand il comprit qu'Irénée et Marie-Thérèse avaient fini de discuter, il ne put se retenir et il lança :

— Ouais, c'est vrai, ça, ce que madame Marie-Thérèse vient de vous faire assavoir ! J'étais là, moi, quand madame Félicité a faite son attaque, pis laissez-moi vous dire qu'elle était pas trop belle à voir ! Elle avait quasiment viré au bleu pis…

— Pis on va arrêter ça drette-là ! trancha Irénée, choqué du manque de discrétion de son voisin Gédéon. Maudit sacrifice, Touchette ! Faites-moi pas regretter de vous avoir invité ! À quoi vous avez pensé en rajoutant les détails de la crise de cœur de Félicité ? On a pas toujours besoin de toute savoir. Vous devriez apprendre à vous taire, des fois !

Insulté de s'être fait remettre à sa place aussi vertement devant autant de gens, Gédéon Touchette baissa promptement les yeux, ne trouvant rien à rétorquer. En fait, il n'y avait que son voisin Irénée qui arrivait à lui couper le sifflet aussi facilement, au point où, parfois, le marchand en perdait sa superbe de colporteur de potins.

« Et parfois aussi Lauréanne » songea-t-il, revoyant mentalement certaines discussions épiques qui s'étaient déroulées sur leur balcon commun.

Quand même froissé par les propos de son voisin, Gédéon Touchette serra les lèvres et il agrippa la main de son épouse, qui avait toujours été un public fidèle !

Pendant ce temps, Irénée s'était tourné encore une fois vers sa belle-fille.

— C'est ben d'adon, Marie-Thérèse, accorda-t-il. Tant qu'à vouloir faire les choses dans le sens du monde pour Félicité, on va se montrer prudents. Faudrait donc pas que ça vire en cauchemar, notre affaire.

— Merci, le beau-père, d'accepter mon conseil aussi facilement. Par contre, Jaquelin pis moi, on va donner suite à votre proposition, pis on va aller se cacher en haut.

À ces mots, Irénée ouvrit tout grand les bras et les yeux, tout en esquissant une moue sous sa moustache.

— Ben là, Marie-Thérèse, je te suis pas ! C'est quoi ce farfinage-là ? Pourquoi ce qui serait dangereux pour Félicité avec tout le monde caché en haut le serait pus pour vos deux, Jaquelin pis toi ?

— C'est juste le cadeau de Jaquelin pour matante, le beau-père, pis un peu pour vous aussi.

Irénée était dérouté et il consulta sa fille du regard. Celle-ci baissa aussitôt la tête en rougissant. Rien pour rassurer le vieil homme. Il revint à sa belle-fille et chargea de plus belle.

— Comment ça pour moi ? C'est pas ma fête pis…

— On le sait que c'est pas votre fête, interrompit calmement Marie-Thérèse. Mais pour nous, ça change rien.

— Sacrament ! C'est pas clair, ton affaire, pis dans ce temps-là, moi, j'vois rouge, pis je deviens mauvais !

— Je sais tout ça. N'empêche que j'ai pas envie que ça soye clair, le beau-père. Pas pour astheure. Faites-nous donc confiance, pour une fois ! Vous le regretterez pas, promis.

— Pas sûr de ça, moi !

— Si je vous le dis ! On a viré ça dans tous les sens, expliqua alors Marie-Thérèse. On en a discuté avec Lauréanne pis Émile, pis j'suis certaine qu'on a pris la bonne décision. Je pense que tout le monde va être ben surpris, pis en même temps ben content, à commencer par matante… Après tout, c'est pour elle qu'on fait ça, non ?

— C'est sûr que c'est pour Félicité qu'on est là.

— Bon ! Ça fait que Jaquelin pis moi, comme on est supposés être en promenade d'amoureux, on va aller en haut ensemble pour que matante se pose pas trop de questions quand elle va arriver. On va lui laisser le temps de comprendre ce qui se passe, pis d'apprécier sa visite pis son cadeau. Après ça, on va se montrer le bout du nez. Craignez pas, le beau-père, on va descendre aussitôt que ça va être possible.

Sur ce, Marie-Thérèse se tourna vers Agnès et Conrad, qui se tenaient côte à côte.

— Vous deux, vous savez quoi faire, hein ?

— Pas de trouble, moman, répondit la jeune fille. Moi, je m'occupe des deux petits, pis Conrad va s'occuper de matante quand ça va être le temps.

On sait toute quoi faire, on en a souvent parlé. Hein, Conrad ?

— C'est sûr ! Pis j'ai hâte en s'il vous plaît !

— Envoyez, montez, astheure ! ordonna Agnès, tout en approchant de sa mère pour prendre la petite Camille dans ses bras. Faites ça vite avant que mononcle Émile soye là avec matante. C'est comme rien qu'ils doivent être à la veille d'arriver !

À peine Jaquelin et Marie-Thérèse eurent-ils le temps de monter à l'étage des chambres, qui n'étaient en fait que trois pièces minuscules directement sous les combles, qu'on entendait effectivement l'auto d'Émile tourner dans l'entrée. Il y eut des « chut », des petits rires nerveux, et tous les invités s'agglutinèrent spontanément dans le fond de la pièce en se bousculant.

— Non, non, pas là ! On va se mettre devant le piano ! proposa Irénée, en chuchotant par réflexe, comme si la vieille dame pouvait l'entendre depuis l'auto. Ça va permettre de garder la surprise du cadeau plus longtemps. Avec Félicité, on sait jamais : elle a beau être vieille, elle a quand même toute sa tête, pis il y a pas grand-chose qui lui échappe !

Quand Félicité monta enfin les quelques marches du perron, ce fut elle qu'on pouvait entendre depuis l'intérieur, car elle pestait avec virulence contre Émile et Benjamin.

— C'est comme je vous l'ai dit, Émile : j'aurais donc dû rester en ville, rapport que j'suis à boutte sans bon sens, tellement on a eu de clients à l'épicerie ! À croire que tout le quartier s'était donné rendez-vous chez nous ! De toute façon, avez-vous vu ? Le soleil est quasiment couché. Le temps de me reposer un brin dans le chalet, pis il va être trop tard pour aller faire un tour sur la plage parce qu'on verra pus rien... Pis toi, Benjamin, si jamais tu me refais une crise comme t'à l'heure, compte sur moi pour te donner une taloche en arrière de la tête ! Je t'avais jamais vu aussi effronté, espèce de polisson ! Envoye, le jeune, dépêche-toi d'ouvrir la porte, j'ai les bras chargés de commissions.

Ce que Benjamin se hâta de faire, tout en riant sous cape. De toute évidence, Félicité Gagnon ne se doutait de rien. Tant mieux ! Il ouvrit donc la porte et se glissa sur le côté pour que la vieille dame puisse entrer avant lui. Du bas de l'escalier, Émile surveillait la scène, tout heureux lui aussi, quand soudain :

— Bonne fête !

Les vœux furent lancés à peu près à l'unisson, puis les enfants, incapables de se retenir plus longtemps, éclatèrent de rire devant la mimique de leur grand-tante, muette d'étonnement.

Félicité s'arrêta brusquement sur le pas de la porte, interloquée. Quand elle aperçut le nombre d'invités, elle fut si intimidée qu'elle faillit en échapper le sac de provisions qu'elle tenait entre ses bras. Elle n'avait pas l'habitude des honneurs et elle se sentit aussitôt mal à l'aise. Alors, après ce bref moment de stupeur, sa réaction fut celle d'une femme qui avait pris très jeune l'habitude de mener sa vie à sa guise et, surtout, qui détestait les imprévus.

— Mais que c'est ça, cette histoire-là ? grommela-t-elle entre ses dents, survolant la foule des invités du regard. Bonne sainte Anne ! Voulez-vous ben me dire ce que vous faites là, tout le monde ? Premièrement, c'est même pas ma fête. Depuis la mort de ma pauvre mère, il y a pus personne qui se rappelle la date, pis comptez pas sur moi pour vous la donner... J'aurais donc dû m'écouter, aussi, pis rester à Montréal !

Figée comme si elle avait les deux pieds collés au prélart fleuri, la vieille dame ronchonnait de plus belle.

— Voir que ça se fait, des affaires de même, sans prévenir que...

— Arrêtez donc de faire votre maraboute !

Heureux d'avoir si bien réussi à surprendre sa bonne amie, Irénée s'était détaché du groupe et, tout guilleret, il s'avançait vers Félicité.

— On le sait ben que c'est pas votre fête, pis on vous demande pas de nous dire la date, non plus, fit-il pour calmer les ardeurs belliqueuses de son amie. C'est juste de vos affaires, si vous voulez pas en parler. Ça, je peux le comprendre, pis j'vas toujours le respecter. Mais ce qui me regarde, par exemple, c'est d'avoir eu envie de vous dire merci pour toute ce que vous faites pour les gens autour de vous. Pis j'suis pas le seul, là-dedans ! Tous ceux que vous voyez icitte, ils vous sont redevables de quelque chose, pis vous pouvez pas dire le contraire. C'est pour ça que j'ai eu l'idée d'organiser une petite fête !

— Ben voyons donc, vous…

Interdite, Félicité se donna le temps de détailler les invités agglutinés devant elle. Elle reconnut aisément madame Légaré, dont on ne voyait que le visage rubicond parce que sa discrétion et sa pudeur naturelle l'avaient fait se placer derrière les autres. Félicité lui décocha un petit sourire qui lui fut aussitôt rendu, accompagné d'un bref hochement de la tête. À ce geste, la vieille dame sentit son angoisse baisser d'un cran. Si sa nouvelle amie était présente, qu'importe la raison, la soirée ne pourrait faire autrement que d'être agréable. Félicité salua aussi Napoléon, qu'elle aimait bien. Toutefois, elle sourcilla en reconnaissant monsieur Touche-à-Tout. Puis elle se souvint de ce qu'il avait fait pour elle lors de son hospitalisation, et à lui aussi, elle offrit un petit sourire. Après tout, n'était-ce pas elle-même qui avait souligné à sa nièce qu'il faudrait bien organiser un « petit quelque chose » pour cet homme qui se montrait plutôt généreux à l'égard de leur famille ? Malheureusement, cette bonne intention s'était dissoute dans l'effervescence du quotidien. Alors, tant mieux si Gédéon Touchette se trouvait parmi eux en ce moment. Puis, avec sa perspicacité coutumière, Félicité remarqua que si les enfants de Marie-Thérèse étaient tous présents, à l'exception de

Cyrille, sa nièce par contre brillait par son absence, tout comme Jaquelin d'ailleurs. Elle trouva particulier qu'ils aient planifié leur sortie à deux exactement le jour de ce qu'Irénée avait appelé sa fête.

Curieux !

Il y avait probablement anguille sous roche.

Sur ce, Félicité revint à Irénée, qu'elle dévisagea sévèrement.

— Vous saurez, Irénée Lafrance, que dans ma vie, j'ai jamais faite les choses dans l'espoir d'être remerciée un jour, déclara-t-elle comme si elle avait besoin d'une excuse.

— Sacrifice, Félicité, c'est pas ce que j'ai dit !

Durant un bref instant, les deux personnes âgées se dévisagèrent en silence. Sans la moindre équivoque possible, il apparaissait que Félicité ne savait sur quel pied danser, tandis qu'Irénée était visiblement ému et très fier de lui.

La colère de Félicité fondit aussitôt, faisant place à une émotion nouvelle qui ne lui était pas nécessairement désagréable. Bien sûr, elle était encore gênée d'être le point de mire de toute une assemblée et, pour cela, elle en voulait un peu à Irénée. Il aurait dû la prévenir, quitte à devoir discuter durant des heures pour lui faire accepter la chose. Toutefois, ce qui faisait débattre le cœur de la vieille dame, en ce moment, c'était plutôt un élan de gratitude parce que le geste d'Irénée découlait d'une bonne intention et d'une amitié sincère.

Incapable de trouver les mots susceptibles d'expliquer tout à la fois et son embarras et sa joie, la vieille tante donna une petite tape sèche sur le bras d'Irénée, comme elle l'avait si souvent fait quand les enfants autour d'elle étaient trop turbulents.

— Vieux sacripant, va, murmura-t-elle, la gorge serrée. Il y avait ben juste vous pour avoir une idée pareille… Merci !

Tout était dit, et Irénée comprit qu'en fin de compte, son intuition ne l'avait pas trompé. Jusqu'à maintenant, il en doutait un peu sans oser l'avouer ouvertement. Devant l'abdication de Félicité sans plus de discussion, le sourire d'Irénée fut alors celui de la victoire.

Il n'en fallut pas plus pour que la relation entre les deux vieux amis reprenne sa place coutumière.

— Tassez-vous, astheure, vieux tannant ! bougonna Félicité. Faut que j'aille poser mon sac sur la table, j'ai les bras morts.

— Pantoute ! Donnez-le-moi, votre sac, pis venez vous assire parce que c'est pas fini.

À ces mots, Félicité fronça les sourcils et en perdit le souffle pour un instant.

— Comment ça, pas fini ? lança-t-elle enfin, tout en agrippant le sac de papier brun de plus belle, comme on s'accroche désespérément à une bouée de sauvetage. Me semble que c'est ben en masse d'avoir dérangé autant de personnes juste pour moi…

— Dérangé? s'exclama Irénée qui trouvait que Félicité y allait un peu fort. J'ai dérangé personne, vous saurez, parce que tout le monde était content d'être là. Ça fait que je me suis dit: tant qu'à y être, ça prendrait un petit présent pour qu'il vous reste un beau souvenir de votre fête.

— Que c'est vous avez encore manigancé, Irénée? Je vous le répète: d'avoir plein de monde comme ça autour de moi, c'est en masse pour une femme comme moi qui déteste ben gros les honneurs. J'ai besoin de rien d'autre pour me fabriquer des beaux souvenirs, vous saurez.

— Ça, c'est vous qui le dites. Mais moi, voyez-vous, je vois plus grand, pis je connais la chose qui va vous faire encore plusse plaisir… Envoyez, Félicité! Pour une fois, écoutez-moi donc sans discuter comme vous en avez l'habitude. J'ai pas envie de me justifier jusqu'à demain matin! Faites comme j'ai dit, pis allez vous asseoir. Dans deux petites menutes, vous allez toute comprendre.

— Bon, bon… Si ça prend juste ça pour vous contenter, m'en vas y aller, m'asseoir…

Le temps de poser le sac par terre à côté de la table, parce que cette dernière était encombrée par les assiettes de petits fours et de sandwichs, de salades et d'aspics, puis Félicité se laissa tomber sur une chaise.

— Pis? Astheure que j'suis ben assise pis que je risque pas de tomber, que c'est qu'il faut que je voye d'autre?

— Ça !

D'un large geste des bras, Irénée indiqua aux invités de scinder le groupe en deux. Ce qu'ils firent en se marchant sur les pieds, tout en piétinant le prélart et en riant.

Les mots ne furent pas nécessaires et Félicité porta aussitôt les mains à sa poitrine, tant son cœur s'était mis à battre comme un fou. Malgré le curieux emballage du cadeau, elle avait tout de suite reconnu l'instrument.

— Ben voyons donc, murmura-t-elle, le souffle de plus en plus court. Que c'est que ça fait là, un piano ? Vous me direz toujours ben pas que…

— Qu'il est à vous, ouais, interrompit Irénée, qui ne tenait plus en place, tant la fierté avait pris une dimension démesurée chez lui. D'habitude, j'ai pas ben ben d'imagination pour ces affaires-là, mais pour vous, ça a été facile de trouver ce qu'il y avait de mieux pour vous dire mon appréciation… Faites-en surtout pas une montagne parce que c'est moi qui vas se mettre à rougir d'embarras, pis ça me tente pas pantoute… Pis, Félicité ? Que c'est vous en pensez de mon cadeau ?

— Je le sais pas trop…

La réponse avait fusé avec une telle spontanéité qu'Irénée en resta bouche bée. Il secoua la tête, découragé, un peu déçu. Puis, sa nature profonde le fit se redresser.

— Sacrifice de batince ! Comment ça, vous le savez pas ? Moi qui pensais que vous alliez sauter au plafond !

Cette image d'elle-même sautant comme une gamine arracha enfin un sourire à la vieille dame.

— Pour sauter au plafond, faudrait peut-être que je soye un peu plus jeune, mon pauvre Irénée… Maintenant que j'ai dit ça, va falloir vous faire une raison : je peux pas accepter ! C'est ben que trop gros.

— Pantoute ! s'offusqua Irénée, qui se méprenait totalement quant à la teneur des propos de son amie. Ce piano-là est pas pantoute trop gros, rapport que j'ai pris ce qu'il y avait de plus petit dans le magasin.

L'explication était enveloppée de candeur.

Un ange passa, puis il y eut un murmure amusé chez les invités, tandis que le sourire de Félicité se parait de tendresse.

— Cher homme, soupira-t-elle pour elle-même. Comment vous dire non après tant de gentillesse ?

S'appuyant fermement sur la table, Félicité se leva en grimaçant, puis, à pas lents, elle s'approcha du piano, sans le quitter des yeux, oubliant, pour un instant, tous ces gens regroupés autour d'elle.

En ce moment, c'était une grande partie de sa vie que Félicité voyait défiler en accéléré : depuis ses jeunes années d'écolière, alors qu'elle apprenait la musique au couvent du village, jusqu'à Montréal, où elle avait fait des études pour devenir professeur. Son séjour à la ville, alors qu'elle n'avait pas encore vingt ans, avait été une sorte d'interlude dans sa vie à cause de Monique, sa grande amie, celle qu'elle avait aimée follement avant de s'éclipser pour ne pas faire scandale. Alors, il y avait eu son retour au village et toutes ces années à enseigner le piano avec passion, tandis que sa nièce Marie-Thérèse et sa famille se dessinaient en filigrane sur le canevas de son quotidien…

Aujourd'hui, la vieille dame estimait avoir eu une belle et bonne vie.

Ce piano rejoignait l'essence même de cette ferveur pour la musique qui lui avait permis de ne pas devenir une femme désabusée, aigrie.

Ce piano, c'était le plus beau cadeau qu'Irénée pouvait lui offrir, enveloppé de l'amitié que cet homme lui portait.

Félicité se dit alors qu'elle était privilégiée d'avoir un ami tel qu'Irénée.

Debout devant le piano naïvement emballé, elle était toute tremblante. Elle poussa donc un long soupir au goût de bonheur pour se ressaisir.

Voulant faire durer le plaisir, elle prit tout son temps pour dénouer le nœud dans la ficelle, puis elle souleva lentement la couverture qu'elle laissa tomber sur le plancher.

Il y eut alors un murmure d'appréciation.

C'est qu'il était bien beau, ce petit piano droit ! Sa robe était couleur de miel doré et son clavier, d'un beau blanc nacré.

Incapable de se retenir, Félicité l'effleura du bout des doigts, même si elle savait qu'elle ne pourrait jamais accepter un cadeau aussi princier. La discussion serait probablement pénible, mais elle tiendrait son bout. Puis, sa main descendit naturellement vers le clavier et elle enfonça quelques touches.

— En plus, il semble juste, murmura-t-elle machinalement aux premières notes qu'elle entendit.

Toujours du bout des doigts, elle fit une gamme, puis une seconde.

Son cœur battait la chamade et ses yeux étaient humides. Elle plaça alors l'autre main sur le clavier et laissa filer les premières notes de *Für Elise*, un morceau de Beethoven qu'elle avait enseigné à tous ses élèves, sans exception.

La sonorité était parfaite.

Comment résister ?

Tirant vers elle le banc qu'on avait glissé sous l'instrument, la vieille dame s'installa. Elle se délia les doigts durant quelques instants, puis elle se mit à jouer tout en douceur.

Il y eut une berceuse de Brahms, puis *Clair de lune*, de Debussy, que les invités devaient probablement reconnaître, tant ces deux pièces étaient souvent jouées. Les yeux fermés, Félicité s'abandonnait à la musique tandis que les convives s'étaient tous approchés du piano. De la plus jeune, installée dans les bras de sa grande sœur, un pouce dans la bouche et les yeux papillotant de sommeil, au plus vieux, souriant sous sa moustache, tout le monde écoutait religieusement.

Puis ce fut le dernier accord et la finale.

Madame Légaré, émue aux larmes, aurait bien voulu applaudir, comme ils le faisaient tous au manoir quand mademoiselle Béatrice se mettait au piano pour les divertir, mais elle n'osa pas. Une sorte d'état de grâce s'était emparé du chalet et personne ne semblait vouloir rompre le charme.

Au bout du compte, ce fut Conrad qui profita de ce silence opportun et qui demanda, quelques instants plus tard :

— Matante, pourriez-vous jouer le cantique de Noël ? Vous savez, celui qu'on aime toutes pis que le bedeau chante à la messe de minuit ?

— Le cantique ? Ah oui ! Tu veux parler du *Minuit ! chrétiens* ?

— Ouais, c'est ça, le *Minuit ! chrétiens* ! Je trouve que c'est tellement beau, cette chanson-là.

— Bonne sainte Anne, Conrad ! Ça fait longtemps tout ça… Mais c'est vrai que c'est ben beau, même quand c'est pas Noël… Laisse-moi essayer.

Curieusement, tout en plaçant ses mains sur le clavier, la vieille tante eut le pressentiment de ce qui allait se passer. Après tout, Marie-Thérèse et Jaquelin n'étaient toujours pas là, n'est-ce pas ? Ce qui ne concordait nullement avec la fête organisée en son honneur. Alors, sans plus se faire prier, la vieille dame se pencha sur le clavier, essaya quelques notes, se reprit, et lentement une mélodie, facilement identifiable, s'éleva dans la pièce.

Ce fut au même instant, depuis le haut de l'escalier, que la voix chaude de Jaquelin se mêla aux notes du piano.

*« Minuit ! chrétiens, c'est l'heure solennelle*
*Où l'homme Dieu descendit jusqu'à nous,*
*Pour effacer la tache originelle*
*Et de son père arrêter le courroux :*
*Le monde entier tressaille d'espérance*
*À cette nuit... »*

Tout en chantant, Jaquelin descendait lentement l'escalier. Il donnait la main à sa femme, tandis que tous les regards s'étaient tournés vers eux, dès les premières notes entonnées. Félicité se surprit à sourire. Elle ne s'était pas trompée en se disant que Jaquelin en profiterait sans doute, puisque depuis son retour des chantiers, il poussait régulièrement la chansonnette chez lui, et qu'au dernier Noël vécu au village, c'était lui qui avait entonné le *Minuit ! chrétiens* à l'église de Sainte-Adèle-de-la-Merci, lors de la messe du réveillon.

Voilà donc pourquoi sa très chère nièce n'était pas du groupe des invités ! Jaquelin et elle voulaient lui faire une surprise.

Heureuse de les savoir là tous les deux, Félicité joua de plus belle, le cœur en joie !

Mais au-delà de la musicienne qui laissait ses doigts voler avec plaisir au-dessus du clavier et des invités agréablement surpris par ce récital impromptu, il y avait surtout Irénée Lafrance qui dévorait son fils des yeux.

Un bras appuyé sur le piano, il le regardait descendre l'escalier, incapable de détourner la tête. Le vieil homme savait pertinemment d'où lui venait ce talent, même si, jusqu'à maintenant, il n'avait jamais entendu Jaquelin chanter. Pire, il n'avait jamais voulu entendre la moindre mélodie chez lui à la suite du décès de sa femme.

Un serrement de la gorge empêcha Irénée d'avaler sa salive, et il toussota pour ne pas se mettre à pleurer comme un enfant.

Sans l'ombre d'un doute, Jaquelin avait hérité de la belle voix de sa mère et le vieil homme en était remué jusqu'à l'âme !

Pour ne pas se donner en spectacle, Irénée se glissa à travers la foule et il s'éloigna vers la porte.

Si, tout à l'heure, Félicité avait revu sa vie avec bonheur, c'était avec le cœur très lourd qu'Irénée pensait à la sienne.

Mais qu'est-ce qui lui avait pris, au moment du décès de son épouse bien-aimée, d'interdire la moindre chanson dans sa maison ? Répéter à qui voulait l'entendre que sa Thérèse chantait tout le temps et que la moindre musique ressassait des émotions difficiles à supporter n'était pas une raison pour interdire à ses enfants de chanter.

Bien au contraire !

Si, à cette époque-là, il avait eu le cœur bouleversé par la musique de temps en temps, peut-être aurait-il moins entretenu de rancœur envers la vie. Il avait fallu qu'Irénée entende la belle voix de son fils pour le comprendre.

Le cantique tirait à sa fin. Les larmes d'Irénée s'étaient mises à couler sans qu'il puisse les retenir. Jaquelin prolongea la dernière note jusqu'au bout de son souffle, exactement comme son épouse le faisait jadis, tandis que les deux hommes se dévisageaient intensément, sans bouger.

Pendant ce temps, épuisée par un trop-plein d'émotion, Félicité redressa son dos endolori et referma le piano pour éviter d'avoir à gronder les enfants, qui auraient probablement envie de pianoter.

— On reprendra tout ça après avoir mangé, lança-t-elle, tout en se relevant.

Puis elle s'étira longuement.

— Le temps de me reposer un peu, pis on fera une couple de chansons à répondre. Promis !

Sur ce, la vieille dame chercha sa nièce du regard. Si Jaquelin avait chanté, nul doute que Marie-Thérèse était là, n'est-ce pas ? Quand elle l'aperçut enfin, Félicité sentit son cœur fondre de bonheur. Sans la présence de cette femme-là, tout au long de sa vie, la musique n'aurait eu qu'un faible écho en elle... Quand son regard croisa celui de Marie-Thérèse, cette dernière déposa un baiser sur la joue de son mari, dont elle s'éloigna discrètement. Puis, elle s'empressa de venir embrasser sa tante, que les invités entouraient, la félicitant pour la fête, pour le cadeau, pour son talent.

À l'écart de la foule, Irénée et Jaquelin continuaient de s'observer silencieusement. Ils étaient d'abord et avant tout, l'un comme l'autre, des hommes de peu de mots. Ce long regard entre eux, chargé d'un malaise évident, ouvrit cependant la porte à certaines confidences qui n'avaient que trop tardé.

Irénée s'essuya les yeux, embarrassé par cet étalage d'émotions dont il n'avait pas l'habitude, puis en reniflant, il bougonna :

— Batince que j'ai été niaiseux ! J'aurais jamais dû me montrer aussi…

— Non, vous avez pas été niaiseux, rectifia Jaquelin, interrompant ainsi son père, parce qu'il comprenait très bien ce qu'il cherchait à dire. Vous étiez malheureux, c'est pas pareil.

L'hésitation d'Irénée fut à peine perceptible.

— Merci de le comprendre, mon gars.

— Oh ! Entendez pas par-là que je vous en ai jamais voulu, ça serait vous mentir à vous-même que de le croire… Je disais rien, comme ça, pour acheter la paix, n'empêche que je vous en ai voulu, son père. Beaucoup ! D'abord du temps de mon enfance, que j'ai passée tout seul dans mon coin, sans trop d'amis, à cause du travail. Pis par après, quand j'suis devenu un homme… Même mon mariage a pas changé grand-chose à ma rancœur. Sapristi ! Vous étiez toujours là à me dire quoi faire, comme si j'étais encore un enfant. Pis plus tard, quand j'suis revenu des chantiers pis que vous avez retonti chez nous pour m'aider avec la cordonnerie, je vous en voulais toujours. Mais un jour, par la force des choses, je me suis établi en ville. C'est là que j'ai tout compris.

— Compris quoi, Jaquelin ? Va falloir m'expliquer parce que pour astheure, à part le fait de savoir que tu m'en as voulu pratiquement tout au long de ta vie, pis je peux peut-être le comprendre, je vois pas pantoute où c'est que tu veux en venir avec tes explications.

— Je veux tout simplement vous dire qu'en arrivant à Montréal, je me suis rendu compte que la place où je vivais avait pas tellement d'importance à mes yeux. Même les grands malheurs, quand on les vit à deux, ils finissent par s'aplanir d'eux-mêmes, malgré le fait que des fois, ils disparaîtront jamais complètement. Mais s'il fallait que je perde Marie-Thérèse, par exemple, je m'en remettrais jamais. C'est ça que j'ai compris en déménageant en ville : avec elle, je peux être heureux partout pis tout le temps. Ça fait que je vous en veux pus parce que vous l'avez perdue, vous, la femme de votre vie, pis malgré ça, malgré la mort de notre mère, on a jamais manqué de rien, Lauréanne pis moi, du temps de notre enfance. C'est déjà beaucoup. En plus, vous m'avez aidé à m'installer dans la vie. Deux fois plutôt qu'une ! D'abord avec la cordonnerie, pis maintenant avec l'épicerie.

Je pourrai jamais assez vous remercier pour ce que vous avez fait pour moi pis ma famille.

Pour une des rares fois de sa vie, Irénée écoutait sans ressentir le besoin de s'immiscer dans le long monologue de son fils. L'émotion éprouvée en l'entendant chanter persistait, lui étreignant le cœur. Il découvrait un homme de cœur et de principes, un homme qu'il n'avait jamais vraiment cherché à comprendre ni à connaître. Il était temps de le faire, sans faux-fuyant ni mesquinerie.

— Ah oui, tu m'as remercié, mon gars, marmonna Irénée d'une voix rauque, tout en fourrageant machinalement dans ses poches à la recherche de son paquet de cigarettes, pour se donner une certaine contenance. Tu me l'as dit ben malgré toi en me donnant une trâlée de petits-enfants, en étant aussi le meilleur cordonnier que le village ait pu connaître. Pis t'as remis ça t'à l'heure, en chantant comme tu l'as faite. Tu le savais peut-être pas, mais à soir, c'est un peu de ma Thérèse que tu m'as redonné… Ouais, ta mère chantait du matin au soir, jusqu'au jour où t'es né… Tu peux pas savoir à quel point le silence a été lourd à porter, ce jour-là, pis pendant tellement d'années par après. Ça fait qu'on est quittes, mon gars, parce que moi avec, je t'en ai voulu ben gros, même si tu y étais pour rien, dans toute ce gâchis-là. Mais à soir, on dirait ben que le vent a décidé de virer de bord, pis ça, vois-tu, c'est quelque chose que je pensais jamais connaître de toute ma vie.

— Ben heureux d'apprendre ça, son père. J'espérais juste que vous m'en voudriez pas trop d'avoir osé chanter.

— T'en vouloir ? Batince, Jaquelin, tu peux pas savoir à quel point j'suis content d'avoir organisé cette fête-là ! On dirait que c'était écrit dans le Ciel qu'il fallait que je le fasse.

— C'est tant mieux, d'abord ! se réjouit Jaquelin en soupirant de soulagement. J'ai longtemps hésité, pis finalement, c'est Marie-Thérèse qui m'a convaincu de chanter. Comme Lauréanne pis Émile étaient d'accord avec cette idée-là, j'ai tenté ma chance. Astheure que c'est faite, je le regrette pas.

— Il y a rien à regretter, Jaquelin, rien pantoute. Même qu'avec un piano à notre disposition, va falloir remettre ça un de ces jours… Astheure, mon gars, m'en vas aller faire un tour dehors. J'ai envie d'une bonne cigarette. Tu m'excuseras auprès de la visite, si jamais on cherche après moi. Dis-leur que j'en ai pour une couple de menutes, pas plus !

— Pas de trouble. J'vas en profiter pour aller saluer la tante Félicité. Après tout, c'est elle la fêtée, ici !

Mais tandis que Jaquelin s'éloignait déjà, Irénée le rappela.

— Jaquelin ?

— Oui, son père ?

— Pour finir, j'veux juste te dire que si toi t'as compris ben des affaires en arrivant à Montréal, moi, c'est à soir que je viens d'en comprendre d'autres, pis ça me fait du bien en sacrifice ! C'est un peu grâce à toi tout ça. Merci, mon garçon. Merci ben gros.

Et sans un mot de plus, Irénée se retourna et il ouvrit la porte donnant sur le fleuve, où il fuma deux cigarettes, coup sur coup, tout en marchant le long de la berge. Il en profita aussi pour pleurer et pour parler à sa Thérèse.

Néanmoins, quand Irénée revint à l'intérieur, rien n'y paraissait. Les convives avaient commencé à manger, sans vraiment se soucier de lui, et il en fut fort aise.

On vida les assiettes que Lauréanne avait préparées ; on partagea les quelques bières qu'Émile avait tenu à offrir ; et on fit une corvée de vaisselle en riant, tandis que Félicité se remettait au piano.

— Pas question de vous voir à l'évier à soir, matante. Faites-nous donc de la belle musique, à la place. Ça va rendre la corvée moins pénible.

Au bout du compte, la fête fut déclarée un franc succès, lorsque Marie-Thérèse donna le signal du départ. Non seulement ses plus jeunes bâillaient à s'en décrocher la mâchoire, mais il y avait aussi sa chère tante qui semblait épuisée. Un débordement d'émotions avait eu raison de sa bonne volonté. Elle aussi camouflait de nombreux bâillements derrière sa main.

— Je pense que je serai même pas capable de faire la route jusqu'à Montréal, déclara-t-elle en soupirant. C'est donc pas drôle de vieillir de même !

Puis, elle se tourna vers Émile.

— Ça serait-tu trop vous demander de venir me chercher juste demain dans le courant de l'après-midi ? Me semble que je dormirais ben mieux ici, avec le bon air qui nous vient du fleuve.

— Revenir demain ? Ça me dérange pas pantoute ! Si c'est ça que vous voulez, c'est ça que j'vas faire !

— C'est ben d'adon comme ça ! Vous êtes pas mal fin, Émile. J'ai tout ce qu'il me faut pour la nuit, en haut dans ma chambre, pis je me trouverai ben un petit restant à grignoter pour le déjeuner. Comme ça, j'vas pouvoir en profiter pour faire mon tour du terrain, comme je l'avais espéré.

— Ben dans ce cas-là, moi avec, j'vas rester. Ça se fait pas, laisser une dame toute seule icitte, en campagne, loin de toute !

Le ton employé par Irénée ne laissait aucune place à la discussion et Félicité ne s'y opposa pas. Dans le fond, elle espérait un peu qu'il agirait ainsi. Comme la soirée n'était pas vraiment froide, ils s'enrouleraient dans leurs couvertures et ils prendraient un thé sur la galerie avant de monter se coucher.

En quelques instants, le chalet retrouva sa quiétude habituelle. Il ne restait plus que madame Légaré, qui se sentait un peu mal à l'aise.

— Qu'allez-vous penser de moi ? Je trouve bien désolant de m'incruster comme je le fais, mais comment rejoindre Adam qui doit venir me prendre uniquement vers neuf heures ? Je m'en excuse ! Avoir su, j'aurais planifié mon départ un peu plus tôt et je...

— Vous avez pas besoin de vous excuser, madame Légaré, affirma alors Irénée d'une voix lasse, parce que lui aussi commençait à ressentir une grande fatigue, maintenant que la nervosité s'était envolée. J'irais jusqu'à dire que c'est juste tant mieux parce que vous avez pas eu le temps de jaser ensemble, Félicité pis vous. Comme je la connais, c'est surtout pas elle qui va venir se plaindre du fait que vous allez partir plus tard. Même si elle a l'air fatiguée ! Moi, pendant ce temps-là, j'vas vous laisser entre femmes, pis j'vas aller fumer une dernière cigarette dehors.

Félicité et Éléonore s'entendirent pour traîner chacune une chaise et s'installer devant la fenêtre afin d'admirer la brillance de la lune sur les flots noirs du fleuve.

— Je m'en tanne pas ! commenta Félicité.

— Je vous comprends. Moi aussi, durant l'été, je me suis souvent assise face au fleuve, le soir, avant d'aller dormir. Voulez-vous que je vous dise, Félicité ? Tout ce que je souhaite, c'est que monsieur O'Gallagher ait la bonne idée de revenir passer les vacances ici, l'été prochain.

— Pourquoi il le ferait pas si tout le monde a aimé ça ?

— En effet ! C'est un peu ce que je me dis, moi aussi. J'ai donc bon espoir de voir mon vœu se réaliser. D'autant plus que monsieur James en parle régulièrement.

— Monsieur James ! Savez-vous, madame Légaré, que je l'aime bien, moi, ce jeune garçon-là ? Il a beau venir d'une famille de la haute, comme on dit, il y a pas plus simple que lui.

— En effet ! Il est simple et gentil. Toutefois, sous des allures de garçon sage et obéissant, il n'y a pas plus entêté que lui, croyez-moi ! Quand il a une idée dans la tête, il ne l'a pas dans les pieds.

— En plein ce que je me disais... Remarquez que pour moi, c'est pas vraiment un défaut... Ça achale un brin durant l'enfance, c'est ben certain, mais plus tard, ça peut s'avérer ben pratique ! Avoir la tête dure pis être cabochon, c'est une affaire, mais savoir ce qu'on veut, pis prendre les moyens pour l'obtenir, c'est ben différent.

— Tout à fait d'accord avec vous !

— Bon ! Astheure que c'est dit, si vous me parliez de Marion.

Un long soupir rempli d'amertume et d'ennui fut une première réponse. Puis, d'une voix lasse, Éléonore déclara :

— La pauvre enfant ! C'est d'une tristesse, si vous saviez... On avait parlé que je me présente à ses parents, n'est-ce pas ?

— Ben sûr. Je m'en rappelle comme si c'était hier. Pis, madame Légaré ? Que c'est que ça a donné, votre rencontre ?

— Moins que rien !

— Ben voyons donc, vous !

— Laissez-moi vous raconter notre visite chez les Couturier.

Éléonore ferma les yeux un instant pour rassembler cette poignée de souvenirs plus ou moins agréables. Il y avait eu la joie suscitée par l'invitation et la cruelle déception devant l'attitude butée d'Antonin Couturier. La cuisinière échappa un soupir, puis elle souleva les paupières ct commença son histoire courte et triste.

— J'étais accompagnée par notre majordome, monsieur Tremblay. Il me semblait que sa présence ajouterait un peu de décorum à ma démarche. Et je l'avoue, ça me sécurisait de le savoir à mes côtés. Ce qui se révéla au bout du compte totalement inutile ! Imaginez-vous que…

En quelques phrases bien imagées, Éléonore retraça sa tentative avortée pour transmettre à Marion l'invitation qui lui avait été adressée par monsieur Irénée.

— En fait, lança vivement la cuisinière, qui s'était échauffé les sangs à narrer sa courte visite chez les Couturier, moi, je n'ai rien dit, et c'est à peine si monsieur Tremblay a pu placer quelques mots. Nous sommes donc rentrés bredouilles au manoir. Si vous saviez à quel point j'étais déçue !

— Je m'en doute un peu, oui.

— Ce que j'ai compris, surtout, c'est que je ne suis pas de taille pour affronter le père de Marion ! Quel homme rébarbatif ! Et je suis polie en disant cela.

— Que c'est vous allez faire, d'abord, pour ramener votre Marion au manoir ?

— Je vais attendre le retour de monsieur O'Gallagher pour lui en parler. Je ne vois que lui qui puisse intervenir efficacement. En attendant, je trouve le temps long.

— Bonne sainte Anne ! Ça me chagrine de vous voir triste de même. Si j'avais la moindre chance de vous être utile d'une quelconque façon, j'irais ben…

— Je ne crois pas que votre présence changerait quoi que ce soit, interrompit Éléonore en posant délicatement la main sur le bras de Félicité. Si monsieur Théodule Tremblay n'a pas réussi à amadouer Antonin Couturier pour arriver à ses fins, personne d'entre nous n'y parviendra, je vous en passe un papier ! Seul monsieur O'Gallagher saura ce qu'il convient de dire ou de faire. C'est malheureux à dire, mais c'est la vérité… Je vous tiendrai au courant des développements de cette triste affaire…

— Tu parles d'une histoire !

— N'est-ce pas ? Je ne sais même plus si je vais oser envoyer une lettre à Marion pour lui raconter la fête de ce soir. J'ai peur que cela vire au drame chez les Couturier et que ce soit la pauvre enfant qui en fasse les frais. De m'être frottée à ce grand homme désagréable m'a laissé un goût amer dans la bouche, je ne vous dis que cela !

Qu'ajouter de plus à la suite de cette confession ? À son tour, sans parler, Félicité posa une main amicale sur le bras d'Éléonore, qui lui offrit un petit sourire sans joie. Puis, la cuisinière secoua la tête dans un geste de négation et elle se redressa sur sa chaise.

— Assez parlé de choses tristes, lança-t-elle. Changeons de sujet, voulez-vous ? Quelle belle fête vous avez eue !

— N'est-ce pas ? Une fois la gêne passée, j'y ai pris ben de l'agrément.

— Comme nous tous ! Et votre neveu, quelle voix ! Je ne m'attendais pas à avoir droit à un récital de cette qualité. Et que dire du repas ! Quand j'ai entendu à travers les branches que c'était madame Lauréanne qui avait tout préparé, seule, ça m'a impressionnée. Tant la quantité que la qualité, tout était parfait ! Même la présentation était digne des grandes tables.

— Ben m'en vas lui transmettre votre appréciation.

— Ne craignez pas, c'est déjà fait. Je lui ai même dit à la blague que dorénavant, quand je voudrai prendre quelques jours de repos, je ne m'inquiéterai plus, car je pourrai faire appel à ses services ! On en a bien ri, toutes les deux… Oh ! Mais voilà monsieur Adam qui arrive. Je vais donc vous quitter, mais en guise de remerciement pour cet accueil merveilleux, j'aimerais beaucoup vous inviter à manger, monsieur

Irénée et vous. Sans oublier monsieur Émile et madame Lauréanne, bien entendu.

— Ça sera pas de refus, croyez-moi ! J'aime ben ça, aller vous voir au manoir ! Quand vous aurez des nouvelles de Marion, appelez-moi, pis on reparlera de tout ça !

Ce fut ainsi que les festivités se terminèrent. Dès que Félicité entendit l'auto s'éloigner, elle mit l'eau à bouillir et prépara la théière.

Elle était en train de verser le liquide ambré et odorant dans les tasses quand Irénée revint de sa promenade.

— J'ai cru entendre une auto partir d'ici t'à l'heure.

— Vous avez toujours bonne oreille, Irénée ! C'est madame Éléonore qui s'en allait… Je nous ai fait une belle théière ben pleine. Ça vous tente ?

— J'suis toujours partant pour une tasse de thé, pis vous le savez.

— Dans ce cas-là, si on la prenait dehors sur la galerie ? Que c'est vous en pensez ?

Malgré une incroyable fatigue qui lui donnait envie d'aller au lit le plus rapidement possible, Irénée souhaitait plaire à Félicité jusqu'au bout de cette journée qu'il avait voulue parfaite pour elle.

— C'est une batince de bonne idée ! approuva-t-il donc d'emblée.

— Faut dire que ça achève, les belles soirées de même, justifia Félicité. C'est pour ça que je me suis dit que c'était probablement la dernière occasion qu'on avait de placoter un peu sur la galerie, avant l'été prochain.

— C'est vrai. M'en vas quand même aller nous chercher chacun une petite laine. Installez-vous, pis je vous rejoins dehors.

Durant quelques instants, ils sirotèrent leur thé en silence. Malgré tout ce qu'elle avait pu en penser durant la soirée, Félicité ne trouvait pas les mots pour faire comprendre à Irénée qu'elle était franchement mal à l'aise devant un cadeau d'une telle envergure. Pouvait-elle vraiment garder ce piano ? Ça lui apparaissait comme un non-sens.

« Par contre, soyons francs ! se dit-elle en admirant la lune qui se reflétait sur l'eau. Ça me tente pas une miette de voir ce piano-là sortir du chalet. »

Ce fut pour cette raison que la vieille dame se décida enfin et murmura, sans quitter le fleuve des yeux :

— Merci ben, Irénée. De toute ma vie, j'aurais jamais pu m'offrir ça, un beau piano de même.

— Pas vrai, ça ! Si vous aviez pas investi dans le chalet avec moi, vous auriez pu facilement vous payer un piano.

— Je peux pas dire le contraire. Mais où c'est que je l'aurais mis, mon piano, si on avait pas eu de chalet ?

— Ouais… Vu de même, ça aurait été un peu embêtant de vous retrouver avec un piano qui aurait eu de place nulle part.

— Comme vous dites ! Oh, j'y avais pensé avant d'offrir d'acheter le chalet avec vous, craignez pas. Mais un dans l'autre, je me suis vite rendu compte que c'était pas possible…

— Comme ça, tout est bien qui finit bien, on dirait.

— C'est vrai. Par contre, c'était quand même assez récent, l'envie d'avoir un instrument ben à moi. Du temps où je vivais au village, ça m'a jamais manqué. Quand les doigts me démangeaient trop, je me présentais au couvent, pis je pouvais me défouler à mon goût ! Si vous saviez le nombre d'après-midi que j'ai passés dans un petit local de pratique…

— Mais depuis que vous étiez en ville, poursuivit Irénée dans la même veine, c'était pus possible, pis je savais que ça vous manquait en batince !

— C'est vrai que je vous en avais parlé.

— Ben oui ! Pis figurez-vous donc que c'était pas tombé dans l'oreille d'un sourd. Avouez que j'ai eu une bonne idée !

— Mettons…

— Non non, pas « mettons » ! C'est certain que j'ai eu une batince de bonne idée, point final !

L'entêtement d'Irénée fit sourire Félicité. Après tout, ils s'entendaient plutôt bien tous les deux !

— N'en reste pas moins que je me sens un peu mal à l'aise.

— Ben faudrait pas !

— Bonne sainte Anne, Irénée ! C'est tout un cadeau, ça là !

— C'est sûr que c'est plus qu'une poignée de pinottes, mais puisque je vous dis que ça me fait plaisir.

— Dans ce cas-là, merci encore, pis on en parle pus…

— Enfin !

À la suite de cette mise au point, il y eut un silence, soutenu par le clapotis des vaguelettes et le chant de quelques grenouilles. Puis, d'une voix qu'il cherchait à rendre indifférente, Irénée demanda :

— Est-ce que ça vous dérangerait ben gros si je vous demandais de me jouer un petit air ? Juste un tout petit avant qu'on monte se coucher.

— Pantoute, Irénée !

— Ben tant mieux !

— Pis promettez-moi de jamais vous gêner avec ça ! C'est bien compris ?

— Promis.

— Dans ce cas-là, pour qu'on se fasse plaisir à tous les deux, je peux même vous annoncer que durant l'hiver, j'vas peut-être accepter plus souvent qu'autrement de venir passer les fins de semaine ici, avec vous. Maintenant qu'on a le chauffage…

— Ah oui ? Ben là, vous êtes donc ben fine, Félicité.

— Je le sais, rétorqua malicieusement la vieille dame. Astheure, Irénée, on va rentrer. Je commence à avoir un petit frisson, pis j'ai pas pantoute envie d'attraper une grippe... Que c'est vous voulez, comme musique ? De la classique ou ben une chanson à répondre ? demanda-t-elle en ouvrant la porte donnant dans la cuisine.

— Ni l'un ni l'autre... Mettons que je préférerais une chanson douce, avoua-t-il après ce bref moment d'intériorité. Un peu comme celles que vous avez jouées, tantôt, avant le souper.

— Ah oui ? Eh ben... Si c'est pas trop indiscret, je peux-tu vous demander pourquoi ces chansons-là pis pas les autres ?

— Bof ! Comme ça...

Subitement, Irénée avait l'air embêté parce que pour donner l'explication, il lui faudrait remonter dans le temps, et jamais il n'avait réellement parlé de son passé, de son enfance. Il n'en voyait ni l'importance ni la pertinence. Il n'y avait qu'à Agnès qu'il s'était confié, un jour, parce que, avait-il dit, elle ressemblait à sa grand-mère à s'y méprendre.

— C'est fou, Agnès, comme tu ressembles à ma Thérèse. De tous mes enfants pis mes petits-enfants, il y a juste toi qui me fais penser à ta grand-mère défunte à ce point-là. Pis ça me ramène à mes jeunes années.

Depuis cette matinée d'hiver où il se remettait lentement d'une pneumonie, Irénée revisitait son passé de façon régulière, et au cours des dernières semaines, il avait eu la sensation que la vie passait de plus en plus vite, comme un train lancé à toute allure. « Pis si j'embarque pas astheure, se dit alors le vieil homme, il va être trop tard. »

Irénée soupira bruyamment. Comme c'était lui qui avait rapporté les couvertures à l'intérieur, il en profita pour les plier consciencieusement. Ça lui éviterait de devoir regarder Félicité droit dans les yeux tandis qu'il lui donnerait l'explication demandée. Comme il l'avait fait avec son fils Jaquelin, un peu plus tôt dans la soirée, il se décida subitement à parler.

— Je pensais jamais que j'oserais dire ça un jour, rapport que les affaires de cœur m'ont toujours semblé ben compliquées, admit-il un peu laborieusement, tout en déposant les couvertures sur la table.

Puis, il prit son paquet de cigarettes dans la poche de poitrine de sa chemise et il commença à le triturer nerveusement, tandis qu'il s'approchait de la fenêtre pour tourner le dos à Félicité, qui s'était installée au piano.

— L'amour, c'est pas nécessairement compliqué à vivre, quand on rencontre la bonne personne, fit-il d'une voix sourde. Mais ça l'est en sacrifice quand on veut en parler, par exemple... Pourtant, à soir, on dirait que c'est pas pareil. Comme si j'étais en train de ramollir avec l'âge, maudit batince !

— Dites-vous ben, Irénée, qu'on est toutes un peu bâtis de la même manière, suggéra finement Félicité. Il y a des affaires, de même, qu'on préfère garder par-devers soi, par crainte de passer pour un imbécile. Dans mon temps, on disait « passer pour une fleur bleue », pis j'avoue que c'était pas nécessairement positif.

— Vous comprenez vraiment pas pire ce que j'essaye de dire, Félicité, apprécia Irénée. Mais toujours est-il, pour revenir à la question que vous m'avez posée, si je vous demande une chanson douce, c'est juste que ça me rappelle deux femmes que j'ai ben aimées. Ma mère, qui chantait quand j'étais p'tit gars, pis ma femme Thérèse, qui elle chantait ce genre de chanson-là tous les soirs pour endormir notre fille Lauréanne quand elle était bébé.

C'était la première fois qu'Irénée faisait allusion à son épouse devant Félicité et la douceur qui enveloppait sa voix rocailleuse laissait entendre tout l'amour qu'il ressentait encore pour elle. La vieille dame se montra donc attentive à ses propos, avec un infini respect.

— Après la naissance de Jaquelin, poursuivit Irénée d'une voix éteinte, j'ai pus jamais entendu de berceuses. C'est quand vous avez joué, t'à l'heure, pis quand mon garçon a chanté, par après, que j'ai compris que ça m'avait manqué, ben ben gros manqué… Astheure, si vous le voulez ben, Félicité, j'aimerais ça me taire parce que j'ai tout dit ce que j'avais à dire pour à soir. Pis il y en a eu ben, des mots… Pour l'instant, j'aimerais juste vous écouter en regardant la lune qui se berce dans l'eau du fleuve. La même chanson que tantôt, ça va faire mon affaire. Pas besoin de vous compliquer la vie. Pis après, si vous avez pas d'objection, on va monter se coucher parce que je vous avouerais que j'suis fatigué en sacrifice !

« *Plus le temps passe et plus je m'ennuie de madame Éléonore, du manoir et de monsieur James ! Il ne faudrait surtout pas l'oublier, lui. Le matin, quand je me réveille et que je m'aperçois que je suis encore dans la grande chambre chez les parents, tout ce que j'ai envie de faire, c'est de partir en claquant la porte pour ne plus jamais revenir. Je pense que j'aurais assez de souffle et d'énergie pour courir tout au long du chemin qui mène jusqu'au manoir, tellement j'ai hâte de m'en aller. Je courrais de toutes mes forces pour arriver avant l'heure du déjeuner de la famille O'Gallagher, et comme ça, je pourrais souhaiter une bonne journée à monsieur James. Aujourd'hui, je ne me pose plus la question : je sais où est ma vraie famille, et c'est auprès de madame Éléonore. Et aussi un petit peu avec monsieur James.*

*En attendant, je n'ai toujours pas reçu de lettres. Ni de madame Légaré ni d'Agnès.*

*Pour madame Éléonore, je n'ai pas vraiment de crainte : je sais qu'elle ne m'a pas oubliée et qu'elle doit penser à moi assez souvent, sinon elle ne serait jamais venue jusqu'ici, l'autre jour, pour m'annoncer que j'étais invitée à la fête de madame Félicité.*

*Mais pour Agnès, par contre, c'est un peu différent… Elle doit avoir tellement plein de choses dans la tête* qu'elle n'a plus de temps libre pour moi et c'est pour ça qu'elle ne m'écrit pas. Elle va à l'école, la chanceuse, et quand on a des cours, on a aussi des devoirs et des leçons. Ça doit l'occuper beaucoup. Ensuite, elle a des amies pour partager ses jours de congé. Et surtout, elle habite en ville, où elle peut aller au cinéma, au petit restaurant près de chez elle, dans les grands magasins parce que l'argent qu'elle gagne à la petite épicerie de ses parents, elle le garde pour elle et peut en faire ce qu'elle veut. Agnès a vraiment une vie comme j'aimerais avoir ! En plus, elle mange des patates frites deux fois par semaine, au moins ! Et de la crème glacée, quand il fait chaud l'été... Je n'invente rien, c'est elle-même qui m'a dit tout ça. Moi, je ne sais même pas ce que ça goûte, des patates frites ! Si jamais je retourne au manoir un jour, je vais demander à madame Éléonore de m'en faire. J'en veux toute une montagne, parce qu'Agnès m'a dit que c'était vraiment très bon. Et je veux de la crème glacée à la vanille aussi. J'aime tellement ça ! Peut-être que monsieur James et moi, on pourrait tourner la manivelle chacun notre tour jusqu'à ce que la crème soit bien prise, comme on l'a fait l'été dernier, au chalet... Est-ce qu'il pense encore à moi, monsieur James ? C'est une question que je me pose tous les soirs en m'endormant, et je me demande si Agnès a réussi à retrouver son frère, comme elle l'écrivait dans la seule lettre qu'elle m'a envoyée. J'espère parce qu'elle avait l'air vraiment inquiète quand elle parlait de Cyrille... Et tant qu'à parler de frère, j'aimerais bien savoir ce que devient Ovide... Avec tout *l'argent qu'il m'a volé, celui de tout un été, c'est quand même beaucoup, il ne doit pas avoir trop de misère à vivre en ville. »*

## CHAPITRE 7

*Le dimanche 30 octobre 1927, dans le petit
salon du manoir de la famille O'Gallagher*

Sur un point, Marion s'en faisait pour rien ! S'il
y avait quelqu'un, au manoir, qui pensait à elle,
c'était bien James O'Gallagher. Il y songeait tous
les matins au déjeuner parce que c'était Lisa désormais qui débarrassait la table et que la petite bonne,
débordée par mille et une autres corvées, ne s'arrêtait
jamais pour lui sourire, comme Marion le faisait. Le
jeune homme trouvait que cela commençait bien mal
les journées.

Puis James remettait cela le soir en se couchant,
parce qu'il s'ennuyait de toutes leurs discussions de
l'été précédent et de celles qui avaient suivi leur retour
au manoir, quand ils avaient réussi à se rejoindre parfois au jardin, ou au bord de la rivière. En cachette !
Tous les deux, ils trouvaient ridicule de devoir se
rencontrer à l'abri des regards ainsi, mais comment

agir autrement avec tous ces règlements vieillots qui persistaient à régir la vie du manoir ?

D'autant plus que ni l'un ni l'autre ne comprenait pourquoi ça avait été différent durant les vacances au chalet.

Alors, le soir, James se remémorait tous ces moments à deux, parfois durant des heures avant de s'endormir, puis il avait une pensée pour madame Éléonore, qui lui avait raconté sa visite ratée chez les Couturier. Savoir que Marion semblait traitée de façon aussi cavalière avait rendu James réellement malheureux et continuait de le faire, jour après jour.

Pauvre Marion !

Aussi, au moment où toute la famille avait été réunie autour de la table en train de manger et que son père avait fait allusion à la discussion qu'il venait d'avoir avec la cuisinière, au sujet de Marion, James avait aussitôt tendu l'oreille.

— Je ne peux rester indifférent aux propos de notre bonne Éléonore, avait déclaré Patrick O'Gallagher, entre deux bouchées. J'étais à peine revenu à la maison, dimanche dernier, qu'elle demandait à me parler. C'est dire à quel point notre cuisinière est inquiète pour sa jeune protégée ! Et quand elle m'a raconté leur mésaventure, à monsieur Tremblay et à elle, au moment où ils se sont présentés chez les Couturier, j'ai partagé cette inquiétude. Après tout, la jeune Marion est toujours mon employée, n'est-ce pas ? En fait, si j'ai bien compris ce que son père a tenté de m'annoncer à travers ses vociférations, au retour de nos vacances, Marion devrait nous revenir à la fin de la grossesse de sa mère.

— C'est ce que j'ai cru comprendre, moi aussi, et si tel est le cas, Marion nous est effectivement toujours attachée, avait renchéri madame Stella. Et j'avoue que j'en suis fort aise. Je ne sais pas pour vous, Patrick, mais je l'aime bien, moi, cette petite.

— Comme nous tous, n'ayez crainte, Stella… Il n'en reste pas moins que cet hurluberlu sera toujours son père, et à ce titre…

— Il a certains droits sur sa fille, j'en conviens.

Sur ce, les parents O'Gallagher avaient échangé un regard pénétrant, de ceux que James n'avait toujours pas élucidés. Comme si les adultes avaient ce pouvoir quasi magique de communiquer entre eux sans parler !

— Disons que la situation est plutôt délicate, avait conclu Patrick O'Gallagher, en s'essuyant la bouche. À cause de cela, je ne sais trop si je dois intervenir ou m'en abstenir, du moins pour l'instant. J'ai promis à madame Légaré d'y réfléchir, ce que je vais continuer de faire… Entre autres choses ! Le travail s'est accumulé durant mon absence et je ne sais où donner de la tête !

— Mon pauvre Patrick !

— Allons, ma chérie, je ne suis pas à plaindre. J'ai eu la chance de profiter d'un beau voyage avec un ami de longue date que j'ai retrouvé à New York avec surprise, mais grand plaisir. Cela m'a fait un bien salutaire, cette aventure tout au long de la côte. Je n'ai plus qu'à me retrousser les manches, et dans quelques semaines, rien n'y paraîtra plus...

Ce fut à partir de ce jour que James s'était mis à penser à Marion jusque durant les heures de classe, mais dorénavant, il le faisait avec enthousiasme. Si son père s'en occupait, nul doute que tout rentrerait dans l'ordre sous peu. Et dans l'esprit de James, « rentrer dans l'ordre » signifiait que Marion allait revenir habiter au manoir assez rapidement. Quoi d'autre, puisque de toute évidence, elle était malheureuse chez ses parents jusqu'à inquiéter tous les gens autour d'elle ? Son père ne pouvait laisser une telle situation s'enliser indéfiniment, ça ne lui ressemblerait pas !

Toutefois, depuis ce matin-là, à chaque jour qui passait, James perdait un peu plus de son entrain, car son père n'en avait plus reparlé. Comme si le sort de Marion n'était plus aussi préoccupant ! À moins que ce soit vraiment un cas rempli d'embrouilles, comme l'avait dit madame Éléonore... James ne savait plus à qui se fier !

Les jours avaient donc passé, de plus en plus lentement, et c'était toujours le mutisme concernant celle qu'il appelait « son amie » dans le secret de son cœur.

James n'en pouvait plus !

Sept jours, huit jours, neuf jours et toujours rien, pas un mot !

Se pouvait-il que son père n'ait toujours pas trouvé de solution ? James y pensait à s'en donner mal à la tête. Défaitiste, le jeune homme en arriva à se dire qu'il n'y en avait pas, de solution, et que son père n'osait le dire franchement ! Quoi qu'il en soit, en s'éveillant ce matin-là, James avait jugé que la réflexion de son père avait assez duré. Il s'en était d'ailleurs ouvert à sa sœur Olivia, dès que celle-ci était arrivée le vendredi précédent, puisqu'elle venait passer la fin de semaine de la Toussaint en famille.

— Alors, qu'est-ce que tu en penses ? avait-il demandé après lui avoir raconté tout ce qu'il savait, depuis le départ précipité de Marion jusqu'à la promesse de leur père de réfléchir à sa situation pour le moins désagréable.

Bien entendu, James avait aussi raconté la visite de madame Éléonore et de monsieur Tremblay, une visite qu'il avait qualifiée de catastrophique.

La réponse d'Olivia avait fusé sans la moindre hésitation.

— Mon pauvre James ! Que veux-tu que j'y fasse ? Entre ce que je pense et ce que je pourrais vraiment entreprendre, il y a probablement tout un monde. Laisse-moi y réfléchir et...

— Ah non ! Pas toi aussi !

— Que veux-tu que je te dise ? Si on veut arriver à un résultat qui puisse satisfaire tout le monde, on n'a pas le choix de bien soupeser tous les petits détails. Surtout que le père de Marion ne semble pas un homme facile. C'est toi-même qui viens de le dire. De toute façon, je n'ai pas vraiment l'impression que cela nous regarde, toi et moi ! À trop insister, nous risquons de contrarier nos parents.

James avait alors regardé sa sœur, visiblement excédé.

— Alors là, Olivia, ça ne va pas du tout ! Sous prétexte de ne pas heurter notre père, nous allons nous taire, même si nous savons très bien que Marion est malheureuse ?

Olivia avait retenu un soupir d'impatience. La petite cuisinière avait peut-être partagé certains moments joyeux de son été, et Olivia l'avait apprécié, il n'en restait pas moins que Marion était une employée de ses parents et, à ce titre, elle n'avait pas grand-chose à dire !

— J'aimerais en discuter avec madame Éléonore, d'abord et avant tout, avait finalement suggéré Olivia, ayant compris que son frère ne lâcherait pas facilement prise. Après tout, elle connaît Marion bien mieux que nous. Elle pourra sans doute nous éclairer.

James avait enfin souri à cette proposition.

— Bien dit ! Je m'en remets à toi pour tenter de clarifier la situation avec elle parce que moi, vois-tu, je ne vais que très rarement à la cuisine. Les interdits me sont retombés dessus, dès notre retour du chalet !

C'était justement à cette dernière discussion que James réfléchissait, en ce dimanche matin, alors que toute sa famille s'était réunie dans le petit salon pour siroter un second café après le déjeuner. Il espérait qu'Olivia en profiterait pour prendre enfin position ou, à tout le moins, pour ramener le sujet « Marion » à l'ordre du jour avec leur père. Il ne lui restait plus que deux jours pour le faire, puisque sa sœur prendrait le chemin de son pensionnat dès le lendemain soir.

Toutefois, au grand désespoir de James, les trois filles O'Gallagher ne parlaient que d'études pour Olivia, de cours de musique et de lectures intéressantes pour Béatrice, et du voyage que Tiffany entreprendrait au printemps suivant, en compagne de la famille de sa nouvelle amie, chez qui elle avait passé un mois de vacances, l'été précédent.

— Si vous saviez à quel point j'ai hâte de visiter Paris !

— Et si tu savais combien je t'envie ! Paris… C'est là que j'espère poursuivre mes études, un jour… Chez Coco Chanel.

Il y avait du rêve dans la voix d'Olivia, qui commençait à trouver de plus en plus pénibles les cours de culture générale imposés par son père.

— Tu vas me prouver le sérieux de tes projets, avant d'envisager autre chose, avait-il posé comme condition aux revendications bruyantes et obstinées d'Olivia, qui voulait mordicus poursuivre ses études.

Et ils en étaient toujours au même point.

Quant à Patrick O'Gallagher, il avait le nez plongé dans un journal, tandis que son épouse écoutait ses filles papoter et rire, un vague sourire accroché à ses lèvres. En effet, à la plus grande joie de Stella O'Gallagher, depuis que chacune avait une vie bien personnelle, les liens semblaient s'être resserrés entre les trois sœurs. Le seul bémol à cette nouvelle situation familiale était que James, de son côté, avait le sentiment de faire bande à part, au point où même la présence du majordome lui manquait. Au moins, avec monsieur Tremblay, le jeune homme avait la sensation d'être écouté avec attention, et il s'amusait à faire des échafaudages de plus en plus compliqués avec son jeu de Meccano. Au lieu de quoi, en ce moment, on lui réservait autant d'attention qu'à l'un des meubles de la pièce ! Frustré et maussade, James leva le ton.

— Mais vous entendez-vous parler, les filles ? On dirait que je suis en présence d'une bande de pies bavardes !

— James ! Surveille ton langage, mon garçon.

— Désolé, mère. Les mots m'ont échappé. Mais avouez avec moi que mes sœurs sont plutôt bruyantes.

Stella O'Gallagher semblait franchement surprise, voire choquée.

— Que se passe-t-il, mon garçon ?

Le ton était sévère. Piteux, le jeune homme pencha la tête sans répondre. Stella poursuivit sur le même ton.

— C'est bien la première fois, jeune homme, que vous vous montrez aussi déplaisant envers vos sœurs.

Quand Stella employait le vouvoiement avec ses enfants, ceux-ci savaient très bien qu'ils avaient dépassé ce qu'elle jugeait être les limites acceptables des bonnes manières. James, tout comme ses sœurs, se faisait un devoir de rendre les armes à ce moment-là. Mais aux yeux du jeune homme, aujourd'hui faisait exception à cette règle tacitement établie, car l'enjeu était d'importance et méritait sincèrement cette entorse aux normes habituelles. Il prit son courage à deux mains et, levant la tête, il affronta sa mère du regard.

— Je regrette infiniment, mère, mais j'insiste ! À force de jacasser, mes sœurs m'empêchent de réfléchir, et ça aussi, c'est déplaisant.

— Oh ! Mais vous avez la réplique facile, aujourd'hui, à ce que je vois ! Est-ce qu'un petit séjour dans votre chambre serait apte à améliorer votre humeur, à l'amender ?

— Non, mère, je vous en prie !

L'oreille aux aguets, Olivia avait suivi la conversation. Voyant James se mettre à rougir comme un coquelicot, elle avait décidé d'intervenir. Elle savait pertinemment ce qui rendait son jeune frère aussi chatouilleux et elle regretta de ne pas avoir tenu sa promesse.

— Ne punissez pas James pour si peu, implora donc celle qui n'avait jamais eu peur de faire valoir son point de vue devant ses parents. Il a raison, nous faisons autant de bruit qu'une bande de poules dans leur basse-cour ! Puis, je crois savoir à quoi notre jeune frère pense aussi intensément.

— Ah oui ?

De toute évidence, Stella O'Gallagher n'appréciait pas d'être contredite ainsi par deux de ses enfants.

— Et si je vous demandais d'éclairer ma lanterne, Olivia ? Toi ou ton frère m'importe peu, d'ailleurs, en autant que je comprenne enfin ce qui se passe ici ce matin !

À ces mots, Olivia se tourna vers James et, du regard, elle le consulta. Malgré la rougeur intense qui lui maquillait toujours les joues, le jeune homme acquiesça d'un bref signe de la tête, lui donnant ainsi le champ libre pour s'exprimer.

— Je crois, poursuivit donc Olivia, tout en reportant les yeux sur sa mère, que je peux dire sans me tromper que James aimerait bien que notre père donne suite à sa promesse de régler le problème de Marion.

Tandis que la jeune fille parlait, on aurait entendu une mouche voler, tellement il était peu courant de tant insister, dans la famille O'Gallagher. En fait, jusqu'à maintenant, il n'y avait qu'Olivia qui osait parfois défier ouvertement ses parents. Toutefois, c'était bien la première fois qu'elle le faisait sur un sujet aussi délicat que les domestiques.

Pendant ce temps, Tiffany lissait machinalement les plis de sa jupe, fixant les arbres de l'allée avec une attention toute particulière ; et Béatrice avait ouvert précipitamment le livre qu'elle tenait fermé entre ses mains depuis tout à l'heure, sans pour autant se concentrer sur les mots.

— Oh là, lança alors Patrick O'Gallagher, tout en abaissant le journal qu'il lisait distraitement depuis quelques instants. Je n'ai jamais prétendu être capable de régler le problème de cette pauvre enfant, Olivia. Je n'ai aucune idée de ce que ton frère a pu affirmer, mais sache que je lui avais tout simplement promis de penser à la situation. Ce n'est pas du tout pareil.

Malgré ce que laissaient sous-entendre ces quelques mots, ils furent suffisants pour redonner confiance à James.

— Mais pourquoi y penser si ce n'est pas pour trouver une solution ? s'exclama-t-il, persuadé d'être dans son bon droit.

Effectivement, la pertinence de la question fit sourire Patrick O'Gallagher. Malgré une certaine maladresse d'enfant qui perdurait chez son fils, ce qui l'agaçait parfois au plus haut point, il n'en restait pas moins que James prenait indéniablement de l'assurance et que son jugement s'affinait.

— Très juste, mon fils, apprécia-t-il. Et j'étais sincère quand j'ai dit que j'espérais trouver une solution. Malheureusement, ma réflexion m'a mené ailleurs et je ne crois pas qu'il serait profitable à qui que ce soit d'aller frapper à la porte d'Antonin Couturier pour réclamer la présence de sa fille dans notre cuisine. Après tout, j'ai sommé cet homme de quitter ma maison sans la moindre politesse. Il doit sûrement m'en vouloir encore beaucoup, et je le comprends. J'irais même jusqu'à dire que c'est probablement ce qu'il a voulu nous faire comprendre lorsqu'il a traité madame Légaré et monsieur Tremblay avec autant d'impudence. Le geste était maladroit et très impoli, mais ce message envoyé par ricochet était on ne peut plus clair.

— Mais alors, on ne pourra pas aider Marion ?

— Te voilà bien en peine pour une domestique, mon garçon !

— Oui et après ?

En ce moment, James avait la sensation de jouer le tout pour le tout, d'où cette réplique qui frôlait l'impertinence. Les lois du cœur avaient supplanté celles de la raison.

— Ce n'est pas parce que Marion est une domestique qu'elle n'a pas le droit d'être traitée avec justice, plaida-t-il en désespoir de cause.

— Tu as raison. Voilà pourquoi ta mère et moi vous enseignons à tes sœurs et toi à considérer notre personnel avec respect, et ce, depuis que vous êtes tout jeunes.

— Le respect mutuel, répondit James en soupirant. Je sais, oui.

À première vue, il semblait bien qu'il était en train de perdre la bataille et James en était profondément déçu. Il tenta une dernière supplique.

— Il n'en demeure pas moins que j'estime, justement au nom de tout ce que vous venez de me dire, que Marion aurait droit à…

— À plus de considération, je suis entièrement d'accord avec toi, coupa Patrick O'Gallagher, que cette discussion à n'en plus finir commençait à irriter.

Il échappa un soupir impatient.

— Malheureusement, mon garçon, poursuivit-il d'une voix décidée, dans le cas présent, il y a certaines limites que même moi je ne peux franchir, et je dois en tenir compte.

— Mais…

— Cela suffit, James ! Je sais que tu es déçu, et l'inquiétude que tu sembles ressentir à l'égard de Marion est toute à ton honneur, mais la discussion va en rester là pour l'instant.

Le ton était sans réplique.

Sur ce, Patrick O'Gallagher replia soigneusement son journal et le déposa sur le guéridon à côté de lui.

— Et maintenant, les enfants, lança-t-il, tout en se relevant, il est l'heure de notre partie de croquet ! Ce sera probablement la dernière de l'année, car la terre va se mettre à geler d'un jour à l'autre et la neige va nous tomber dessus très bientôt. C'est Quincy qui m'en parlait justement l'autre jour… Alors, qui forme les équipes, ce matin ? N'oubliez pas que cette semaine, nous sommes tous présents !

Ensuite, se tournant vers sa plus jeune fille, Patrick O'Gallagher ajouta :

— Je suis très heureux que tu sois parmi nous, ma belle Olivia.

— Moi aussi, père. Quelques jours de congé ne sont pas pour me déplaire et vous le savez… Alors, James, tu fais équipe avec moi ? demanda la jeune fille en lorgnant son frère du coin de l'œil, avec une lueur de compréhension dans le regard.

Le jeune homme acquiesça du bout des lèvres et suivit la famille sans grand enthousiasme.

Ce dimanche parut interminable aux yeux de James, et le lundi ne fut guère mieux, ces deux jours étant à l'enseigne des jeux inutiles et des discussions futiles. Puis, il refusa d'accompagner ses parents quand son père annonça qu'il irait lui-même reconduire Olivia à son couvent.

— J'ai des devoirs ! Je suis désolé.

Ensuite, deux heures plus tard, au retour de ses parents, il prétexta un violent mal de tête pour se soustraire au souper familial.

— Je ne me sens pas très bien. Je crois que je vais monter à ma chambre tout de suite.

— Une indigestion ? suspecta aussitôt sa mère. Serais-tu passé par la cuisine durant notre absence, James ?

— Pas du tout !

— C'est vrai qu'il m'arrive à moi aussi d'avoir des migraines, concéda-t-elle avec indulgence. Tu as peut-être hérité de ce fâcheux désagrément, mon pauvre enfant… Tu fermeras les tentures, avant de te coucher. L'obscurité va t'aider à moins souffrir.

— Merci, mère.

Sur ces mots, James fila se réfugier dans sa chambre, heureux de ne pas avoir eu besoin d'argumenter plus longtemps. Il lui fallait un peu de silence pour réfléchir à ce qu'il appelait intérieurement « la suite des opérations » et s'il attendait l'heure habituelle de son coucher pour s'y mettre, il craignait de s'endormir sans avoir trouvé de solution.

En effet, quoi qu'en dise son père, James avait décidé qu'il n'allait pas en rester là. Peut-être bien que rencontrer Antonin Couturier n'était pas la solution idéale, James en convenait, et il allait en tenir compte. Puis, avouons-le franchement, il avait un peu peur de cet homme à la voix grave et aux propos discourtois. Néanmoins, rien ne lui interdisait d'essayer de voir Marion, n'est-ce pas ? C'était donc ce qu'il allait tenter de faire.

— Et le plus rapidement serait l'idéal ! murmura-t-il dans la pénombre de sa chambre, tandis que son estomac grondait de famine.

Fallait-il que James s'ennuie, pour ainsi sauter un repas !

À force d'y penser, il trouva un subterfuge, ou plutôt un acolyte susceptible de l'aider. Un bref sourire détendit ses traits. S'il y avait quelqu'un capable de le soutenir dans sa quête d'informations, c'était bien Adam. James se retourna sur le côté, envoyant valser ses couvertures, car son lit lui semblait tout à coup inconfortable.

Un peu plus tard, dès qu'il entendit ses parents se retirer dans leur chambre, n'ayant plus en tête que son estomac gargouillant, James descendit à la cuisine à pas de loup. Il fallait bien qu'il mange un peu, s'il voulait réussir à s'endormir ! En cas de besoin, il dirait que la migraine s'était calmée.

Ainsi, dès le lendemain, quand Adam vint le chercher au collège après les cours, James s'approcha de l'auto d'un pas hésitant. Malgré sa détermination, il ne savait trop comment sa requête serait reçue. Comme il n'avait que peu de temps devant lui, il se jeta à l'eau dès les premiers mots échangés.

— J'aurais une faveur à vous demander, déclara le jeune homme, tout en prenant place à l'avant de l'auto, car il avait toujours trouvé prétentieux de s'asseoir à l'arrière quand il se retrouvait seul avec leur conducteur.

— Ah oui ? demanda Adam, qui n'en était pas à une demande près avec le jeune homme.

Le chauffeur esquissa un sourire moqueur qui, heureusement, n'atteignit pas James. Il en aurait probablement perdu tous ses moyens.

— Oui, répéta ce dernier. Et j'espère vraiment que vous allez acquiescer à ma requête.

— Dites toujours, monsieur James, et je verrai.

— Ah bon !

Subitement, James ne savait plus si sa solution tenait la route. Comme trop souvent hélas ! quand il s'adressait aux adultes, il se mettait à douter de lui et de ses idées.

— Je crois qu'il ne me reste plus que à souhaiter que vous verrez la même chose que moi... En fait, c'est tout simple : j'aimerais que vous me montriez la maison de mademoiselle Marion.

— Oh ! Je vois...

— Alors tant mieux !

Curieusement, Adam ne semblait pas surpris outre mesure par la demande du jeune James. Il faut dire cependant qu'Adam était un homme avisé et qu'à l'instar de monsieur Tremblay, peu de choses lui échappaient sous le toit des O'Gallagher. Ainsi, l'amitié entre Marion et James ne lui était pas étrangère et, à cet égard, il aimerait bien aider le jeune homme. Les deux jeunes gens semblaient si joyeux quand ils étaient ensemble ! Toutefois, le grand patron du manoir, c'était Patrick O'Gallagher, et contrevenir à ses ordres serait assurément mal vu.

— C'est plutôt délicat ce que vous me demandez là ! répondit donc le chauffeur, qui était aussi le valet des hommes de la famille.

— Oui, soupira James. C'est ce que tout le monde me répond, en effet... Comme si on voulait s'en laver les mains ! Pourtant, Marion aurait bien besoin de l'aide de quelqu'un. Vous ne pensez pas, vous ?

— D'après ce que j'ai pu entendre à travers les branches, je dirais que vous n'avez pas tort, admit Adam du bout des lèvres.

— Enfin quelqu'un qui pense comme moi !

— Peut-être bien, oui, que je pense comme vous, rétorqua vivement le chauffeur, mais ça ne dit pas pour autant que je vais vous conduire chez les Couturier... Que devrais-je répondre si jamais quelqu'un me demandait pourquoi nous avons tant tardé à rentrer à la maison ? Vous connaissez monsieur Tremblay tout comme moi, n'est-ce pas ?

— Malheureusement oui, soupira James. C'est vrai qu'il pourrait poser des questions.

— En effet ! À croire que le majordome a une horloge dans le nez ! lança Adam en esquissant une petite grimace, essayant ainsi de détendre l'atmosphère, devant la mine dépitée du jeune homme. Vous savez comme moi, monsieur James, que le moindre retard est remarqué et considéré comme suspect.

— Bon ! Autre chose maintenant... Je n'avais pas du tout pensé au majordome quand j'ai réfléchi à Marion.

Un lourd silence fait de malaise et de déception s'infiltra dans l'auto tandis qu'Adam faisait démarrer le moteur. Terriblement déçu, James regretta vivement de ne pas s'être assis à l'arrière de l'auto. Il aurait pu laisser couler quelques larmes en toute discrétion ! Mais alors que le jeune homme désappointé se tournait vers la vitre, bien décidé à ne plus prononcer le moindre mot avant leur arrivée au manoir, par crainte que son chagrin n'éclate trop bruyamment, Adam ajouta :

— Toutefois, monsieur James, j'ai pour mon dire que dans la vie, chaque problème a sa solution !

À ces mots, le cœur de James eut un petit raté.

— Que voulez-vous dire, Adam ? demanda-t-il dans un filet de voix, ne sachant trop s'il pouvait entretenir encore une quelconque espérance. C'est curieux, mais vous parlez comme madame Éléonore, en ce moment. Alors, qu'est-ce que c'est, votre solution ?

— Tout simplement que si on a une raison plausible d'être en retard, on n'y verra que du feu.

Le petit éclat d'espoir allumé dans le cœur de James s'éteignit aussitôt.

— Une raison, une raison, bougonna-t-il, après avoir expiré bruyamment… Je n'ai pas ça en tête, moi, une raison valable pour arriver en retard.

— Et si je vous disais, monsieur James, que vous avez cassé la pointe de votre plume, tout à l'heure, durant le cours ?

— Que j'ai quoi ?

— Cassé la pointe de votre plume, répéta Adam. Et nous allons, de ce pas, chez monsieur Godbout pour vous en procurer une autre !

Le sourire de James fut instantané et resplendissant.

— Quelle bonne idée, Adam ! Je dirais même qu'elle est excellente.

— D'autant plus que si notre majordome décidait à tout hasard de vérifier, il verrait que nous disons la vérité… Et moi, je me sentirais plus à l'aise pour justifier notre retard.

— Alors, allons chez le marchand ! Pendant que nous allons rouler, je vais régler le compte à la pointe de ma plume pour justifier l'achat jusqu'au bout. J'ai justement quelques sous qui traînent au fond de ma poche.

La pointe existante fut écrasée, l'achat fut rapidement expédié et, par la suite, Adam, qui avait toujours eu un faible pour ce jeune maître en peine de compagnie, s'éloigna de l'église au lieu de passer devant comme il le faisait tous les jours pour se diriger vers le manoir.

— Ce n'est pas très loin, annonça-t-il. Toutefois, je me demande bien ce que ça va vous donner de voir la maison des Couturier. Ce n'est qu'une bicoque, vous savez !

— Une bicoque ? Ça, c'est ce que vous en pensez… Quand même ! Ça ne court pas les rues, les bicoques ! Je déciderai par moi-même, Adam, ce qu'il convient de dire à propos de la maison des Couturier…

— Comme vous voudrez. Mais je n'ai toujours pas la moindre idée de ce que vous ferez au moment où nous serons arrivés.

— En fait, confessa James sans la moindre hésitation, je vais être honnête jusqu'au bout, et vous avouer que moi non plus je ne sais trop ce que je vais bien pouvoir faire. J'y pense depuis hier, et tout ce que j'ai trouvé pour expliquer cette envie, c'est de me répéter, tout simplement, que de savoir où habite Marion suffira peut-être à faire naître la bonne idée qui pourrait la ramener au manoir et qu'ainsi…

— Alors voilà, nous y sommes, interrompit Adam.

Le chauffeur avait arrêté l'auto un peu avant d'arriver à l'intersection, question de rester discret.

— C'est la maison qui fait le coin de la rue, expliqua-t-il tout en éteignant le moteur.

James resta silencieux durant un long moment.

— C'est ça, la maison de Marion ? demanda-t-il finalement, d'une voix étranglée, tant il approuvait l'idée du chauffeur quand il avait qualifié la demeure des Couturier de « bicoque ».

C'est à peine si James croyait à ce qu'il avait devant les yeux, tellement le bâtiment était délabré et sans attrait.

— Comment peuvent-ils vivre aussi nombreux dans une si petite maison ? constata-t-il, consterné. C'est à peine plus grand que la remise de jardin de Quincy…

— C'est exactement ce que je me suis dit la première fois que je suis venu ici, entérina Adam. Alors ? Que fait-on maintenant que vous avez vu la maison de mademoiselle Marion ? On retourne au manoir ?

— Non ! Deux minutes encore… S'il vous plaît !

James n'aurait su dire pourquoi il voulait prolonger ce moment qui n'avait rien de réjouissant, mais c'était plus fort que lui.

— Je vous en prie, Adam, encore un petit instant.

— Alors pas plus de deux minutes ! Il ne faudrait surtout pas que…

— Regardez, Adam ! C'est mademoiselle Marion !

Du doigt, James montrait l'arrière de la maison.

— On dirait qu'elle se dirige vers le petit cabanon que l'on voit, tout au fond du jardin, analysa-t-il, tout fébrile.

Il y eut un court silence, puis James reprit.

— Enfin, tout au fond de la cour, rectifia-t-il en songeant au luxurieux potager de Quincy qui n'avait aucune parenté avec le carré de terre battue qui jouxtait la maison de Marion. Ici, il n'y a pas vraiment de jardin… Il n'y a que des broussailles sur ce terrain minuscule. Mais qu'est-ce que Marion peut bien aller faire dans ce cagibi ?

— Je crois qu'elle se rend au cabinet d'aisances.

— Pardon ?

James avait tourné un regard incrédule vers le chauffeur.

— Vous n'allez tout de même pas me faire avaler que ce petit cabanon sert à… Sert à ça ?

— Eh oui, monsieur James. Quand on n'a pas l'eau courante, c'est ainsi que les gens font.

— Mais quelle horreur ! Je ne sais pas si j'arriverais à vivre dans une maison sans eau ni salle de bain.

— Quand on n'a pas le choix, on se dit que c'est mieux que rien… C'est ce que j'ai connu quand j'étais enfant, vous savez.

— Ah oui ? Pauvre vous ! Vous devez être rudement content d'habiter chez nous maintenant… Oh ! La voilà qui revient.

Le geste fut impulsif et avant qu'Adam puisse intervenir, James avait entrouvert la portière de l'auto. Il mit un pied à terre et leva le bras.

— Marion !

James aurait bien voulu crier pour attirer l'attention de la jeune fille, mais ce fut un ridicule filet de voix qui franchit ses lèvres. Navré et déçu, il allait se rasseoir dans l'auto quand Marion s'arrêta.

En effet, intriguée par cette voiture qu'elle croyait reconnaître, la jeune fille avait machinalement ralenti le pas, puis, reconnaissant James, elle s'était arrêtée pour de bon.

Son cœur battait la chamade et son souffle était court. Puis, un fragile sourire éclaira son visage.

Comment avait-elle pu douter de l'amitié qui les unissait, James et elle ? Elle avait été idiote d'oser le supposer, car non seulement le jeune homme pensait-il toujours à elle, mais de plus, il était venu jusque chez ses parents.

Malgré l'envie qui la portait, Marion ne répondit pas tout de suite au geste de salutation. Inquiète, elle regarda tout autour d'elle, depuis le chemin de traverse jusqu'à la maison de leur voisin. Il n'y avait pas âme qui vive. Elle détourna alors les yeux vers la demeure de ses parents, puis, ne voyant personne aux fenêtres, elle poussa un soupir de soulagement et elle leva le bras à son tour.

Les deux jeunes gens se saluèrent timidement, d'un geste de la main un peu maladroit, puis, sous l'insistance d'Adam, qui avait peur que la situation se mette à dégénérer, James se rassit dans l'auto à contrecœur.

Le chauffeur fit aussitôt demi-tour, mais le jeune homme, se tordant le cou, ne quitta Marion du regard qu'au moment où elle disparut, au premier tournant de la route.

Silencieux, James ramena les yeux devant lui. Voilà ! C'était fait et il était venu à la maison des Couturier comme il l'avait souhaité. Ça n'avait pas changé la situation d'un iota, mais au moins, il avait vu Marion.

Piètre satisfaction !

Si c'est un James déçu qui retourna au manoir avec la certitude que son ennui continuerait d'être lourd à porter, alors qu'il avait vu de ses propres yeux les conditions pénibles entourant le quotidien de son amie, Marion, elle, allait puiser dans ce bref instant de complicité la force et le courage de continuer à servir sa mère sans jamais se plaindre. Elle irait même au-devant de ses demandes, espérant de tout son cœur que cette attitude conciliante serait suffi-sante pour lui permettre un jour de quitter la maison de ses parents la tête haute, sans qu'il y ait le moindre reproche ou la plus petite accusation.

Toutefois, quand viendrait enfin le jour de la naissance de ce bébé qui, bien malgré lui, était venu bouleverser sa vie, si son père s'entêtait ou si sa mère lui ordonnait de rester avec eux, Marion leur tiendrait tête. Elle devait bien ça à monsieur James, qui avait osé venir jusqu'ici. Alors, quel que soit le prétexte invoqué, elle promettrait tellement de gages que jamais ses parents n'auraient l'intention de s'obstiner plus longtemps pour la retenir. Avec James et madame Éléonore à ses côtés pour la soutenir, et peut-être aussi monsieur Tremblay sait-on jamais, Marion n'avait plus aucun doute : elle finirait bien par retrouver le manoir.

Quand elle entra dans la grande pièce à vivre et que l'odeur de renfermé s'abattit sur elle, Marion se surprit à penser à un long bain chaud à la senteur de roses.

— C'est toi, Marion ? questionna impatiemment la grande Josette, crevant ainsi la bulle d'espoir de sa fille.

Marion sursauta. Malgré l'humeur capricieuse et autoritaire de sa mère, la jeune fille pouvait comprendre que celle-ci n'en puisse plus de garder le lit. Elle s'approcha donc de la chambre de ses parents au moment précis où Josette déclarait :

— Ça a été donc ben long, ton affaire !

Marion retint un soupir agacé, et à la place, elle s'efforça de sourire.

— Je m'excuse ! fit-elle d'une voix contrite.

— Facile à dire, ça. C'est pas toi qui es pognée à rien faire à longueur de journée.

Tout en parlant, Josette s'agitait dans son lit. Avec une patience d'ange, Marion délaissa donc l'embrasure de la porte pour s'approcher du lit afin d'aider sa mère à s'installer plus confortablement.

— Si tu savais comment que les journées sont longues quand tout ce que t'as à faire, c'est attendre que le temps passe, se lamenta Josette, tandis que sa fille tapotait les oreillers pour leur donner un peu de volume.

— Je m'en doute un peu, vous savez, répondit-elle gentiment. Surtout pour quelqu'un comme vous. D'aussi loin que je me souvienne, vous avez toujours été une femme active, pleine d'énergie.

— C'est vrai ce que tu dis là… J'aime ça bouger, m'occuper, voir moi-même à l'ordinaire de ma maison… Pis depuis deux mois, me v'là obligée de m'en remettre à tout un chacun pour à peu près toute. C'est ben en masse pour que ça me rende mauvaise, par bouttes.

— Voyons donc ! Vous êtes pas si malendurante que vous le dites.

— Arrête de me mentir en pleine face ! Je le sais, va, que j'suis pas facile à vivre. Mais que c'est tu veux que j'y fasse ? Si jamais il arrivait de quoi, pis que je perdais le bébé, laisse-moi te dire que le docteur m'en voudrait ben gros… C'est pas pour rien qu'il vient me voir à toutes les semaines sans nous charger la moindre cenne. J'ai l'impression qu'il me *watche*. Pis si le docteur est pas content, c'est le curé qui va le savoir. Ça serait ben assez pour que la paroisse au grand complet nous tourne le dos, pis c'est là que ton père aurait pus de *job* pantoute ! Bon assez discuté pour rien. Si tu me faisais un thé, me semble que ça me ferait du bien.

— Si ça prend juste ça pour vous faire plaisir, donnez-moi le temps de faire bouillir de l'eau et je reviens avec une pleine théière.

— T'es ben *swell*, ma fille. T'es pas mal mieux que ta sœur Ludivine qui chiale tout le temps. Envoye, va faire le thé ! Ça va me permettre d'attendre que ton père revienne sans trop m'impatienter. La *job* qu'il fait pour Clermont Godbout est pas trop dure pis ben payante… Ça le change des vitres à laver, pis du gros travail de bras que personne veut faire à part lui. Avec un peu de chance, il va nous revenir de bonne humeur, pis on va passer une belle soirée, lui pis moi.

Ce fut au moment où Marion préparait un plateau pour sa mère que sa sœur Ludivine revint de la rue principale de Villeneuve où elle avait fait quelques commissions. Quand Tonin ramenait un peu d'argent, on pouvait espérer de meilleurs repas et c'était bien la seule raison qui faisait en sorte que Ludivine se rendait jusqu'à la ville sans se plaindre.

— Tiens, Marie, v'là la viande hachée pis les oignons que t'avais demandés.

— Merci. Avec la farine et les patates qui nous restent, j'vas nous faire un bon pâté.

— J'sais pas comment tu fais, mais avec toi, c'est toujours bon.

Curieusement, Ludivine avait haussé le ton et, tandis qu'elle parlait, elle déposa son sac sur le comptoir, puis elle plongea la main dans la poche de son manteau pour en tirer une enveloppe, qu'elle glissa aussitôt dans la poche du tablier de sa sœur.

— Ouais, t'es ben bonne avec les repas, clama-t-elle pour que sa mère puisse l'entendre. Finalement, t'as pas perdu ton temps au manoir ! Astheure, m'en vas aller en haut. C'est comme rien que Léon doit avoir fini sa sieste.

Et sur une pirouette, Ludivine quitta la cuisine, tandis que Marion préparait le thé.

Plus tard en soirée, la jeune sœur de Marion poussa la gentillesse jusqu'à lui offrir d'aller faire une promenade, pour qu'elle puisse lire sa lettre en toute tranquillité.

— Tu sors jamais ! donna-t-elle comme excuse. Va t'éventer un peu, va prendre une marche, ça va te faire du bien. J'suis capable de faire la vaisselle toute seule, pour une fois.

Puis, sur un ton plus bas et tournant le dos à leur père, elle ajouta :

— Envoye, grouille-toi ! Attends pas que la mère réclame après toi pour une affaire ou ben une autre.

Et d'un regard entendu, Ludivine fixa la poche du tablier de Marion. Cette dernière ne se fit pas prier. Attrapant un chandail par la manche, elle sortit aussitôt de la maison.

La lettre lui venait d'Agnès et quand Marion reconnut son écriture, elle sentit les larmes lui monter aux yeux. Le compte était complet ! Tout le monde pensait à elle.

Même Ludivine, finalement !

Décidément, cette journée un peu grise avait été la plus belle depuis longtemps.

Ce soir-là, après avoir remercié sa sœur à voix basse et lui avoir confié que la lettre venait d'une amie rencontrée au chalet durant l'été précédent, Marion s'endormit facilement parce qu'elle se sentait aimée, appréciée par tous ceux qu'elle avait dû quitter à son corps défendant, deux mois auparavant. Toutefois, avant de sombrer dans le sommeil, la dernière pensée de Marion fut pour sa sœur, qui continuait de la surprendre. Elle avait peut-être la mine butée, le propos acerbe et le geste brusque, elle avait de qui retenir, mais sa petite sœur n'en avait pas moins le cœur sur la main… Cette façade d'indifférence n'était qu'une protection contre la dureté de leurs parents.

Marion songea que le lendemain, elle ferait un gâteau roulé, comme madame Éléonore le lui avait enseigné. À la confiture, comme il se doit ! Elle en avait trouvé quelques pots au fond de la tablette qui servait de réserve. On n'avait pas besoin de grand-chose pour faire un gâteau roulé : des œufs, de la farine, un peu de sucre, un petit pot de confiture aux fraises ou aux framboises… Marion savait la recette par cœur, car on en cuisinait régulièrement au manoir, puisque monsieur James en raffolait ! De plus, c'était bien le seul gâteau que Josette avait déjà préparé à quelques reprises.

Marion échappa un long bâillement en fermant les yeux, vaincue par la fatigue. Demain, c'est Ludivine qui serait contente, car c'était son dessert préféré.

TROISIÈME PARTIE

# Hiver 1928

« Je pense que je n'ai jamais vu autant de neige de toute ma vie ! Depuis deux semaines, ça n'arrête pas de tomber. Ce qui est drôle dans tout ça, c'est qu'à cause de toute cette neige qui s'accumule devant les portes et les fenêtres, mes frères Hector et Barnabé ont été mis à contribution ! Ludivine m'a fait un clin d'œil quand notre père les a menacés d'une correction si jamais ils ne lui obéissaient pas tout de suite. Depuis, c'est eux qui doivent déblayer un peu partout autour de la maison. Les deux portes, le perron, l'escalier, l'allée qui mène à la rue et le petit sentier qui va jusqu'aux bécosses dans le fond de la cour… Ça en fait de la neige à pelleter tout ça ! Et ils doivent le faire tous les jours, matin et soir ! Il arrive parfois qu'on les entende se crier par la tête depuis la cuisine et ça me fait sourire ! Ça compense pour toutes les années où il n'y avait que les filles qui étaient obligées d'aider à la maison.

Par contre, à cause du temps gris, j'ai l'impression que le jour n'existe plus ! Il fait sombre tout le temps, au point où les lampes à l'huile sont allumées du lever jusqu'au coucher. Ça rend mon père de mauvaise humeur parce qu'il trouve que ça coûte cher. Et moi, bien, j'ai l'impression que le temps s'est arrêté. Comme si le printemps n'allait jamais revenir, cette année.

*J'ai reçu une carte à Noël. Ça a été mon seul cadeau. C'est encore Agnès qui me l'a envoyée. Je l'ai cachée sous mon oreiller et certains soirs, avant de nous endormir, Ludivine et moi, on la regarde. Il y a des brillants qui font comme de la neige sur les toits et c'est très joli, jusque dans le noir. Ça me fait plaisir de voir qu'Agnès ne m'oublie pas, même si je n'ai pas la chance de lui répondre. Mais qu'est-ce que ça me donnerait de lui écrire des lettres puisque je ne peux rien envoyer, faute de sous ? En parlant des sous… Ça fait pas mal longtemps que j'ai quitté le manoir, c'est comme rien que quelqu'un a dû découvrir ma cachette. Alors, maintenant c'est vrai que je n'ai plus rien du tout !*

*Je ne sais pas pourquoi, mais depuis quelque temps, je me suis mise à penser à Ovide presque tous les jours. Des fois, je suis encore en colère après lui. Mais ça arrive de moins en moins souvent. C'est surtout la curiosité qui l'emporte. Je me demande ce qu'il devient, où il habite, ce qu'il mange. A-t-il trouvé du travail ? Ça doit bien parce que l'argent qu'il m'a volé doit être épuisé depuis un bon moment déjà. J'espère seulement qu'il n'a pas trop froid et qu'il arrive à manger à sa faim. J'espère aussi qu'il s'est fait des amis parce que c'est long une journée sans personne à qui parler. Parler vraiment, je veux dire. Et là, c'est à madame Éléonore que je pense. »*

## CHAPITRE 8

*Le vendredi 20 janvier 1928, à Montréal,
dans une chambre miteuse du quartier
Saint-Henri, où loge Ovide*

Jusqu'à la mi-novembre, Ovide Couturier ne s'était plaint de rien. Après avoir quitté le boisé jouxtant le manoir O'Gallagher, il avait trouvé un bon samaritain pour le conduire à Montréal, où il avait utilisé une partie de l'argent de Marion pour louer une chambre assez grande et acheter quelques vêtements. Plutôt grand et bien bâti, tout comme son père, le jeune Couturier avait par la suite trouvé de l'emploi sur les quais, où il rendait mille et un services à droite et à gauche. Une fois le pécule de sa sœur épuisé, sa vie avait continué d'être relativement facile, car il gagnait suffisamment d'argent pour subvenir à ses besoins. Il en avait donc profité pour commencer à fumer. Ça lui donnait la sensation d'être vraiment devenu un homme. Depuis, il marchait les épaules bien droites, et il regardait les gens de haut.

La neige et la froidure l'avaient cependant poussé au chômage et comme il n'avait pas songé à faire un peu d'économies, il avait dû quitter la chambre confortable qu'il louait dans l'est de la ville. Ses pas désœuvrés l'avaient mené jusqu'au quartier Saint-Henri, où il avait trouvé du travail au sein de l'équipe de nuit à la compagnie Imperial Tobacco. Rouleur de cigarettes... Ovide travaillait surtout avec des femmes, ce qu'il trouvait plutôt ennuyant. Puis, ce n'était pas le pactole ! Mais il arrivait tout de même à se convaincre que l'essentiel était préservé, puisqu'il avait un toit sur la tête et qu'il mangeait à sa faim. En bonus, il pouvait continuer de fumer, car à l'usine, les ouvriers avaient droit à une cartouche de cigarettes gratuite, une fois par semaine. Toutefois, c'était là sa seule distraction. Depuis l'automne, il était bien fini le temps des bières bues le vendredi soir à la taverne du coin et des quelques soirées au cinéma dont il gardait un souvenir impérissable. Cet état de choses le faisait rager. Pourquoi tant travailler s'il ne pouvait même plus profiter des plaisirs de la vie ?

L'existence d'Ovide ressemblait maintenant à une routine sans intérêt, mais il ne voyait pas comment il aurait pu améliorer son sort, du moins dans l'immédiat. La seule chose dont il était certain, c'est qu'il ne regrettait nullement d'avoir quitté sa famille. Même les fêtes de fin d'année ne l'avaient pas ému outre mesure. Tant qu'à vivre dans la misère, se disait-il, autant que ce soit dans les conditions qu'il avait lui-même choisies. Cependant, il espérait le printemps avec impatience, tout comme sa sœur Marion, à qui il lui arrivait de penser de temps en temps. Elle aussi, elle devait avoir hâte au printemps pour pouvoir retourner au manoir. Du moins, Ovide en était-il convaincu.

La petite chambre que son maigre revenu lui avait permis de s'offrir était une sorte de placard donnant sous l'escalier qui montait à l'étage d'une maison en bois mal isolée. Bien malgré lui, Ovide n'avait pu s'empêcher de faire la comparaison avec la bicoque de ses parents : mêmes planches disjointes, même plancher craquant, mêmes fenêtres mal calfeutrées. Toutefois, ici, il y avait l'eau courante et il n'avait personne à tolérer dans sa chambre. Un lit bancal, une chaise droite, une petite armoire… Le seul avantage que ce réduit lui offrait était que sa minuscule fenêtre donnait sur la façade de la maison, face au nord, et qu'à cause de la neige qui l'obstruait depuis ces dernières semaines, il pouvait dormir à la noirceur, même durant le jour. Il avait le droit d'utiliser la salle de toilette commune, au bout du corridor, et sa pension comprenait deux repas par jour, ce qui lui convenait parfaitement. C'était déjà nettement mieux que tout ce qu'il avait connu durant son enfance. Il avait un lit à lui tout seul ; il déjeunait le matin, au retour du travail ; et il soupait le soir, avant de repartir flâner le long des rues avant d'entrer à l'usine.

Pour passer le temps, Ovide lisait et relisait les annonces placardées sur les poteaux électriques; il faisait l'inventaire des vitrines de magasins; et il enviait tous ceux qui avaient la chance de fréquenter le Théâtre Corona. Il en connaissait les affiches par cœur. Quand il avait trop froid, il se réfugiait à la gare de train pour se réchauffer, avant de se présenter à l'usine sur le coup de minuit, ponctuel comme une horloge.

À l'heure du goûter, qui scindait sa nuit de travail en deux, comme Ovide n'avait jamais rien à manger et qu'il entretenait une certaine méfiance envers les inconnus, il sortait dans la cour pour fumer en solitaire. Deux cigarettes, si la nuit était douce, et une seule, s'il faisait trop froid.

À vivre de nuit comme il le faisait, Ovide n'avait pas d'amis non plus. Ni homme ni femme. Mais il s'en fichait un peu, puisqu'il n'avait pas l'intention de s'éterniser dans ce quartier de la ville. Dès le beau temps revenu, il comptait bien retourner dans l'est pour se trouver un travail plus payant, et surtout un emploi qui perdurerait une fois l'hiver venu.

Cet après-midi, comme tous les jours, ce fut le bruit de la charrue qui ramassait la neige encombrant la rue qui le réveilla. En effet, depuis ces deux dernières semaines, il n'était pas rare de voir passer deux fois par jour le chasse-neige tiré par des chevaux. Ovide s'était même fait la réflexion que Villeneuve devrait prendre exemple sur Montréal, au lieu de s'en remettre à une poignée d'hommes engagés à la journée, à 25 sous de l'heure, pour pelleter les rues du centre-ville. Combien de fois avait-il entendu son père se plaindre de son mal de dos à la suite d'une longue journée à charroyer de la neige ?

— Mais au moins, ça lui donne de la *job*, marmonna le jeune homme en se tirant du lit. Pis ça rend la mère de bonne humeur de savoir qu'elle va avoir un peu d'argent.

Ovide attrapa le premier pantalon qui traînait sur le plancher et il fit l'effort de trouver une chemise propre qu'il déposa sur son lit. Ensuite, pieds nus, les bretelles tombantes sur sa camisole et ses hanches, et une serviette sur l'épaule, il se rendit à la salle de toilette pour faire ses ablutions, ce qui était un luxe pour lui, puisqu'il n'avait pas besoin de faire chauffer de l'eau pour se débarbouiller. Puis, pouvoir utiliser une vraie toilette, sans devoir courir jusqu'au fond de la cour, était une bénédiction du Ciel. Chaque fois qu'il tirait la chasse d'eau, il l'appelait en ricanant « le chasse odeur ! »

Non, décidément, jamais il ne retournerait vivre chez ses parents !

Quand Ovide ressortit de la toilette, une bonne senteur de rôti de porc filtrait de la cuisine. Le jeune homme huma à pleines narines puis esquissa un sourire gourmand. Ça aussi, c'était nouveau pour lui, ce plaisir d'anticiper ce qui serait servi au repas suivant. À force de côtoyer les gens de la ville et de vivre dans des pensions, il avait compris que ça aurait dû être normal d'avoir une assiette bien remplie au moins une fois par jour. Oh! Il n'était pas difficile, Ovide, et jamais il n'exigerait du rôti à tous les soupers. Il se disait, lucide, que c'était la rareté qui donnait du prix à certaines choses. N'empêche que les enfants Couturier auraient tous dû avoir le ventre plein de façon quotidienne. Même un bon bol de soupane avec un peu de sucre brun aurait suffi, dans le pire des cas.

Mais chez les Couturier, l'achat de bières avait toujours eu la priorité sur celui du pain…

Quand Ovide entra dans sa mansarde, il avait les poings serrés sur sa rancœur, à cause de quelques souvenirs pas très jolis qui lui étaient revenus à l'esprit.

Le grand Tonin beuglant après un bébé pleurnichard; sa mère levant le bras pour une gifle quand elle croyait apercevoir une poussière oubliée; la soupe aux patates bouillies qu'on déposait devant lui, grisâtre et insipide; les croûtons secs du déjeuner; le ricanement des amis à l'école devant la pomme ridée qui était trop souvent son seul repas du midi…

Non, vraiment, il valait mieux qu'Ovide ne retourne jamais à Villeneuve, car il aurait certains comptes à régler, et aujourd'hui, alors qu'il était devenu aussi grand que son père, ça risquait de ne pas être très beau à voir.

Sur cette pensée qu'il se dépêcha d'oublier, Ovide ouvrit l'armoire et prit un paquet de cigarettes, car il avait fini le sien, ce matin après le déjeuner. Puis, il quitta sa chambre en sifflotant pour se diriger vers la salle à manger, d'où lui parvenait le bruit étouffé d'une conversation banale.

Quand il fut rendu à l'extérieur, Ovide constata que la soirée était douce, très douce… À croire que l'hiver tirait à sa fin !

Le jeune homme en profita donc pour allonger sa promenade vers le nord. Peut-être découvrirait-il de nouveaux quartiers qui viendraient briser la monotonie de sa marche quotidienne ? Cigarette au bec, il marchait à grandes enjambées, détaillant tout ce qui l'entourait.

On était vendredi et les passants étaient nombreux. Il y avait des couples d'amoureux qui marchaient à pas lents, bras dessus bras dessous. Il y avait des bandes de gamins excités d'être enfin en congé et qui se poursuivaient en riant. Il y avait aussi des familles qui rentraient chez elles à petits pas pressés. Et il y eut même une femme entre deux âges, à la démarche chaloupante et au regard langoureux qui l'approcha.

— Alors, beau gars ? On fait un bout de chemin ensemble ?

Ovide se détourna sans répondre, tout rougissant. Il accéléra le pas pour s'en éloigner, et il finit par arriver sur une rue beaucoup plus passante.

Tout heureux d'avoir découvert cette artère achalandée où même quelques automobiles s'étaient risquées, malgré la neige, Ovide estima qu'il y avait devant lui suffisamment de nouveautés pour l'occuper jusqu'au moment d'aller pointer à l'usine. Il s'arrêta un instant pour allumer une autre cigarette quand soudain :

— Monsieur, vous me vendez une cigarette pour deux sous ?

Amusé d'avoir été appelé « monsieur », Ovide se retourna vivement. À quelques pas de lui, il y avait un jeune garçon d'au plus douze ans. Ovide ne put retenir le sourire narquois qui lui monta aux lèvres.

— Te vendre une cigarette ? À toi ? Mais t'es ben trop jeune pour fumer !

— Si j'ai de l'argent pour me payer une cigarette, rétorqua le jeune garçon du tac au tac, c'est que j'suis assez vieux pour fumer ! Pis ? Tu me la vends, la cigarette, ou je dois me trouver quelqu'un d'autre ?

Le gamin, habillé d'une veste trop légère pour la saison, avait un air frondeur et Ovide nota qu'il en était déjà au tutoiement. Plutôt que d'être agacé par cette familiarité, le jeune Couturier admit d'emblée que l'image lui plaisait. Un peu comme s'il se reconnaissait dans ce garnement effronté.

— Cinq sous, pis je t'en donne trois, proposa-t-il, de plus en plus amusé par la situation. Comme ça, j'aurai presque pas l'impression de te voler.

Le jeune inconnu ne vit pas la raillerie dans les propos d'Ovide.

— Trois cigarettes pour cinq cennes ? C'est sûr que je prends.

La nouvelle fit le tour du pâté de maisons et, en moins de trente minutes, Ovide avait vidé son paquet de cigarettes, n'en gardant que trois pour lui-même.

— Et pourquoi pas ? murmura-t-il en revenant sur ses pas, surpris de voir à quel point ça avait été facile de se faire plus d'un quart de piastre. Je fume quasiment pas, pis j'ai encore trois cartouches dans le fond de mon armoire. Sans compter que j'vas en avoir une autre t'à l'heure, parce qu'on est vendredi... Un peu plus d'argent dans mes poches, ça me permettrait peut-être d'avoir la vie un peu moins dure.

Ce soir-là, Ovide eut le temps de s'offrir une bière à la taverne au coin de sa rue, avant d'aller travailler. Il lui resta même assez d'argent pour acheter une tablette de chocolat, qu'il mangerait durant la pause au milieu de la nuit.

Tout en faisant son achat, Ovide se sentait presque riche !

Dès le lendemain, le jeune homme renouvela l'expérience, question de vérifier si le marché se maintenait. « Avant de partir en peur avec ça », pensa-t-il en se dirigeant vers le quartier qu'il venait de découvrir.

Les résultats furent à la hauteur de ses attentes.

Ce fut ainsi qu'il démarra ce qu'il appela son *side-line*, mot anglais tiré directement du vocabulaire coloré du grand Tonin.

À lui les chocolats et autres petits plaisirs !

En pensée, Ovide faisait déjà l'inventaire de l'étalage de bonbons du marchand du coin.

Toutefois, il resterait sage. Pas de gaspillage ni d'exagération !

Jusqu'à maintenant, l'existence s'était montrée plutôt chiche à l'égard d'Ovide, s'il faisait exception du petit magot ramassé aux dépens de sa sœur Marion. Il avait donc appris à se contenter de peu. C'était comme une seconde nature chez lui et il allait mettre sa frugalité au service de ses ambitions. Tout comme il avait été patient pour amasser un premier pécule, il poursuivrait au même rythme durant les quelques années à venir, sans pour autant se priver de tout. Une bière le vendredi soir, une séance de cinéma de temps en temps, quelques friandises… Néanmoins, l'argent s'accumulerait petit à petit, et ainsi, un jour, il pourrait s'offrir le monde !

Voilà comment Ovide entrevoyait l'avenir : il travaillerait, certes, il n'avait pas le choix, la vie était ainsi faite. Toutefois, il s'offrirait aussi tous les plaisirs. Pas question pour lui de s'embarrasser d'une femme et d'une famille ; pas question non plus de revenir en arrière ; et surtout pas question d'entretenir le moindre remords !

La vie était trop courte pour en gaspiller ne serait-ce qu'une seule journée et le monde trop vaste pour se contenter de Montréal !

« Ça va de pire en pire ! Il y a tellement de neige que les garçons ne savent plus où la mettre. On va donc aux bécosses en raquettes depuis trois jours. Je trouve ça ridicule !

Et comme si ce n'était pas assez, depuis hier, on a droit à une vraie tempête. Par moments, il vente tellement fort qu'on a l'impression que le toit va s'envoler. Il faut donc oublier les courses en ville pour aller se ravitailler, ça serait trop dangereux. De toute façon, le magasin de monsieur Godbout doit être fermé. En plus, ça fait deux jours que le père n'a pas travaillé, on n'a donc pas d'argent, et le marchand a dit à Ludivine qu'il ne voulait plus nous faire crédit tant qu'on n'aurait pas payé une partie de notre compte. C'est fou tout ce que ma mère lui a crié par la tête, quand ma sœur a été de retour à la maison. Pauvre Ludivine ! Comme si elle était responsable de quelque chose, dans tout ce gâchis… Quant à moi, je dois faire des miracles avec les quelques provisions qu'il nous reste, sinon les parents vont chialer encore plus fort. Déjà qu'ils ne sont pas trop de bonne humeur…

Malgré tout, une grosse tempête comme celle-là, ça me fait penser au manoir et à monsieur James, qui en profitait pour venir nous voir à la cuisine sous mille et

315

un prétextes… Lui et ses verres d'eau! Ça me rappelle aussi que madame Éléonore prétendait que le bruit du vent dans les corniches nous racontait une histoire. Ça me faisait rire de l'entendre parler comme ça et je lui répondais que je n'étais pas la seule à avoir une imagination débordante! Souvent, quand on était coincés dans la maison, comme aujourd'hui, on préparait un bon repas, un repas réconfortant, comme le disait monsieur Tremblay, qui est plutôt gourmand, même s'il se donne un petit air sévère. C'est fou de dire ça, mais il ne m'impressionne plus autant, surtout depuis le jour où il a accompagné madame Éléonore jusqu'ici…

Une chose est certaine: c'est que j'aimais bien les tempêtes quand je vivais au manoir, tandis que maintenant…

Avec les quelques légumes qu'il y a encore dans le garde-manger et le petit morceau de poulet qui est resté du repas de dimanche, je me demande bien ce que je pourrais faire pour nourrir tout le monde…

Oh! Mais j'y pense… Si j'essayais de faire une sorte de béchamel? Comme je n'ai pas suffisamment de lait, parce que le peu qu'on a, il faut le garder pour Léon, je la préparerais avec le bouillon de poulet que j'ai fait lundi avec la carcasse… Ça devrait fonctionner. Avec un peu de graisse, de la farine et mon bouillon, je devrais arriver à faire quelque chose d'acceptable. J'ai trois ou quatre carottes, un gros navet et des patates en masse! Je vais les mettre dans ma sauce. Plus le morceau de poulet coupé en tout petits morceaux. Avec du pain grillé, ça devrait être bon. »

## CHAPITRE 9

*Le mercredi 15 février 1928, dans la cuisine du manoir, en compagnie de madame Éléonore*

La pauvre cuisinière n'en pouvait plus ! Jamais, de toute sa vie, un hiver ne lui avait paru aussi long, aussi terne, et la cuisine aussi sombre.

— Avec comme seule clarté du jour celle qui me vient des soupiraux, comment peut-on imaginer que cette pièce puisse être agréable ? lança-t-elle aux murs, sur lesquels elle posait un regard navré. Dès qu'il y a un peu de neige, ça devient un vrai tombeau, ici ! Heureusement que Quincy et Adam sont gentils et pensent à moi. Aussitôt que le soleil revient, ils se hâtent de tout déblayer ! Mais en attendant…

Éléonore poussa un long soupir d'impatience, d'ennui et de découragement entremêlés. Elle regarda encore une fois tout autour d'elle, se rappelant très bien que l'année précédente, elle n'avait pas été aussi sensible aux soubresauts de la température. En fait, soyons francs, c'est à peine si elle avait souffert de la saison froide, elle qui n'aime pourtant pas tellement l'hiver.

— Mais l'an dernier, murmura-t-elle en repoussant sa chaise pour se relever, il y avait Marion. Un rien la faisait rire, cette belle enfant, et quand elle riait, c'est toute la cuisine qui s'ensoleillait… Je me demande bien ce qu'elle fait aujourd'hui. Ils doivent tous se marcher sur les pieds, nombreux comme ils sont à être cordés dans une aussi petite maison… Et mon père, lui, arrive-t-il à se débrouiller tout seul avec cette tempête ? Il doit commencer à trouver le temps long… Tout comme moi, d'ailleurs.

En effet, non seulement Marion continuait-elle de manquer cruellement à la cuisinière, mais à cause de toute cette neige qui tombait abondamment depuis le mois de janvier, Éléonore n'avait pu rendre visite à son père. Dans les faits, comme Joseph Légaré n'avait toujours pas le téléphone, Éléonore n'avait aucune nouvelle de lui depuis les fêtes de fin d'année, et cela ajoutait à son inquiétude habituelle. Après tout, son père n'était plus très jeune, même s'il gardait une belle santé et qu'il débordait d'énergie. À l'été, elle verrait à le convaincre de se faire installer le téléphone. Ce n'était, dans son cas, qu'une simple question de sécurité.

Ce fut au moment où cette pensée traversait l'esprit d'Éléonore que l'horloge du hall d'entrée fit tinter les trois coups de l'heure. La cuisinière haussa les épaules de découragement.

— Doux Jésus, déjà trois heures ! Et je n'ai rien de prêt pour le souper. Même si l'envie me manque, je dois m'y mettre…

Debout au milieu de la pièce, Éléonore s'essuyait machinalement les mains avec le coin de son tablier. Ce geste, devenu un véritable tic chez elle, faisait bien rire Marion.

— Si vous continuez comme ça, un bon jour, vous n'aurez plus de mains, madame Éléonore. Pour une cuisinière, ça serait bien embêtant !

À ce souvenir, le corsage d'Éléonore se souleva dans un grand soupir, puis elle secoua la tête vigoureusement.

— Ça suffit pour aujourd'hui, la nostalgie, mur-mura-t-elle, sans grande conviction. J'ai un repas à préparer. Alors… Que pourrais-je faire de simple, mais de réconfortant ? C'est fou, mais ce soir, je me contenterais d'un bol de soupe !

— Mais qu'est-ce que j'entends ?

La cuisinière tressaillit en rougissant. Tournant la tête vers la porte donnant sur le corridor, elle aperçut le majordome. Il se tenait dans l'embrasure, et, évidemment, avec sa manie de se déplacer sans faire de bruit, la cuisinière ne l'avait pas entendu arriver.

— Doux Jésus, monsieur Tremblay, vous m'avez fait peur ! gronda-t-elle, une main sur le cœur.

— Désolé, là n'était pas mon intention… Mais j'entendais une voix et j'étais curieux… Vous voilà donc rendue à parler toute seule maintenant ?

— On dirait bien, monsieur Tremblay, on dirait bien. Mais comment voulez-vous que je fasse autrement pour meubler le silence? Je suis seule, et à l'exception du vent qui siffle à ma porte, la cuisine est plutôt tranquille. Alors, je m'ennuie terriblement. Même monsieur James n'est pas venu me saluer, aujourd'hui. Pourtant, il est en vacances forcées, non?

— En effet. Mais c'est tant mieux s'il n'est pas descendu! s'exclama alors le majordome d'une voix sévère. C'est ce que je venais vérifier, entre autres choses. Heureusement pour lui, il n'est pas là! Le pauvre garçon s'est ainsi évité une remontrance.

— Bien sûr, échappa alors sèchement la cuisinière, qui commençait à trouver cet interdit un peu ridicule.

En temps normal, Théodule Tremblay aurait sûrement souligné le ton désagréable employé par madame Éléonore, mais préoccupé qu'il était par un petit souci qui inquiétait Quincy, il poursuivit sans passer de remarque.

— Mais dites-moi, madame Légaré… J'aurais peut-être un petit service à vous demander…

Une lueur d'intérêt scintilla aussitôt dans la prunelle d'Éléonore. Tout et n'importe quoi pour chasser la monotonie de cette journée blafarde!

— Vous avez envie d'un plat en particulier, monsieur Tremblay? demanda-t-elle, empressée et curieuse. Cela ferait mon bonheur, car l'imagination me manque, et si ça continue comme ça, c'est le temps qui va finir par me manquer pour cuire un repas qui ait un peu de panache.

— Allons donc ! Depuis tout le temps que je vis ici, je n'ai souvenir d'aucun repas bâclé. Même parfois dans la plus grande simplicité, vous arrivez toujours à me surprendre.

— Mais qu'est-ce que c'est que ces flatteries, tout à coup ?

— Flatteries ?

Théodule Tremblay fit mine d'être froissé.

— Ça me déçoit que vous me prêtiez de si viles intentions, déclara-t-il en soupirant. Je ne cherche pas à vous flatter, je ne fais que constater... Toutefois, si vous êtes en manque d'inspiration, comme vous le dites, j'oserais peut-être vous suggérer un petit ragoût. C'est simple, mais ça plaît à tous les coups.

Maintenant, il y avait de la gourmandise dans la voix du majordome et madame Légaré dut faire un gros effort pour retenir un sourire qui pourrait passer pour une raillerie.

— Oh, la bonne idée ! dit-elle en se concentrant sur les plis de son tablier qu'elle lissait consciencieusement. Faut-il que je sois en panne d'inspiration, justement, pour ne pas y avoir pensé moi-même...

Sur ce, la cuisinière leva les yeux vers le majordome.

— D'autant plus que ça tombe sous le sens, puisque j'ai quelques restants qui devraient convenir... C'est merveilleux ! Ça ne sera pas trop compliqué et de plus, c'est assez rapide à préparer… Vous aimez bien les plats en sauce, n'est-ce pas ?

— Absolument ! C'est la sauce qui fait le repas !

— Vous m'en direz tant ! Alors, maintenant que je connais le menu du souper, et je vous en remercie, monsieur Tremblay, quelle était cette demande ?

— C'est à propos de Quincy.

Comme il était dans la nature de madame Légaré de toujours s'affoler un peu, elle recommença aussitôt à s'essuyer les mains à son tablier en fronçant les sourcils.

— Oh ! Pauvre Quincy ! Serait-il malade ? Auriez-vous pensé à un bouillon clair pour lui ?

— Mais non, qu'allez-vous imaginer là ? Il n'y a pas plus solide que notre jardinier ! Non, c'est plutôt sa chatte qui brille par son absence.

— Sa chatte ? Vous parlez bien de Mimine ?

— Eh oui !

— Mais qu'est-ce que j'ai à voir avec Mimine ?

— Figurez-vous que ce matin, elle a demandé la porte comme elle le fait tous les jours et depuis, elle n'est pas revenue. Notre bon Quincy se doute bien que c'est probablement la tempête qui la garde à l'abri et qu'elle reviendra plus tard, mais en attendant, il y a ses trois chatons qui commencent à avoir sérieusement faim ! Ça n'arrête pas de miauler dans la serre. Une vraie calamité ! Je le sais, je m'y suis rendu pour chercher quelques roses à la demande de mademoiselle Tiffany qui en a assez de l'hiver et de toute cette blancheur. Les petites bêtes criaient à vous fendre le cœur.

— Pauvres petits !

— Et pauvre Quincy ! C'est à peine tolérable. Je ne suis pas particulièrement attiré par les animaux, vous le savez, mais quand même ! Je ne suis pas insensible au point de laisser trois petits chats mourir de faim. Pensez-vous que vous pourriez faire quelque chose pour eux ?

— Mais bien sûr ! N'oubliez pas que j'ai été élevée sur une ferme, monsieur Tremblay. Ça ne sera pas la première portée de chatons que je devrai nourrir, croyez-moi ! Revenez dans quelques minutes, j'aurai un pot de lait tiède et sucré juste à point qui vous attendra… Et vous, bien, vous aurez un bon ragoût de bœuf pour le souper ! Avec beaucoup de sauce ! Et peut-être aussi un renversé aux pommes pour le dessert ?

En quittant la cuisine, le majordome se passa la remarque qu'il suffisait de si peu pour ramener le sourire sur le visage de madame Légaré. Un repas à préparer, un service à rendre… Le simple fait d'occuper la cuisinière lui faisait oublier son ennui et ses inquiétudes, qu'elles soient légitimes ou pas.

— Cette femme-là est la générosité incarnée, observa-t-il à mi-voix, tout en se dirigeant vers la salle à manger des domestiques, qui servait aussi de salle de repos. Je crois bien que je ne l'ai jamais vue piquer une vraie colère… Quel être charmant !

Ce fut en marmonnant ces derniers mots que le majordome arriva à la porte. Apercevant Adam qui, seul à la table, faisait une réussite, il se tut brusquement, un peu mal à l'aise. Toutefois, comme cet homme-là était justement celui qu'il espérait voir, monsieur Tremblay toussota et lança d'une voix ferme :

— Ah vous voilà, Adam ! Quelle journée, n'est-ce pas ?

Le valet de chambre leva les yeux.

— En effet… Avec toute cette neige, je n'ai pas grand-chose à faire. L'auto est au garage, monsieur travaille à la bibliothèque, et monsieur James étudie dans sa chambre. Alors ? Que puis-je pour vous ?

— J'aurais un petit service à vous demander.

— Dites, monsieur Tremblay ! Ça va m'occuper.

— Pourriez-vous vous rendre à ma place à la cuisine dans quelques minutes ?

— Bien sûr ! Pourquoi ?

— Madame Éléonore va vous donner un pot de lait à porter dans la serre où Quincy en a plein les bras avec ses chatons, momentanément orphelins de mère à cause de la tempête… En vous remerciant, Adam !

Et sans attendre de réponse, parce qu'il était habitué à ce qu'on lui obéisse sans répliquer, Théodule Tremblay quitta la pièce, tout en jetant, par-dessus son épaule :

— Si quelqu'un me cherche, je serai dans mon bureau. Je vais profiter de ce temps exécrable pour vérifier et payer quelques factures.

Malheureusement, pour les comptes concernant le manoir O'Gallagher, le majordome comprit rapidement qu'il n'avait pas du tout la tête à calculer !

Repoussant d'un geste las la pile de factures qui encombraient son pupitre, Théodule Tremblay se releva et vint à la fenêtre.

Dehors, la tempête s'en donnait toujours à cœur joie ! C'est à peine si on voyait la haie de trembles, montant la garde tout au long de l'allée, et rien ne laissait supposer que c'était à la veille de se terminer.

— Heureusement que toute la famille est bien à l'abri au manoir, nota le grand homme à voix basse, tout en suivant des yeux les volutes de neige qui frappaient aux carreaux. Sinon, madame se ferait un sang d'encre et ça lui donnerait la migraine… Par contre, quand monsieur est là, je n'ose m'aventurer dans le petit salon pour jouer avec monsieur James. Dommage ! Ces quelques heures avec lui à échafauder des ponts me plaisent bien et il semble que ce soit réciproque…

Sur ce, monsieur Tremblay esquissa un sourire moqueur.

— Ma foi ! Je n'ai rien à envier à madame Légaré ! C'est à mon tour de parler tout seul, depuis tout à l'heure ! C'est à cause de l'hiver, aussi… Cette année, il est particulièrement rigoureux et ça joue sur les humeurs. On dirait bien que je n'y échappe pas, moi non plus, constata alors le majordome, bien campé sur ses jambes écartées et les deux mains dans le dos... Et dire que nous ne sommes qu'en février. Le printemps est encore loin.

Sur ce, Théodule Tremblay prit une longue inspiration qu'il laissa filer bruyamment.

— Si moi je me languis de la sorte, personne ne doit y échapper... Que pourrait-on faire pour occuper le temps ? Même les promenades à l'extérieur nous sont interdites depuis quelques semaines, à cause de toute cette neige... Alors ? Que faire ? Après tout, c'est à moi de voir au confort de tous les employés...

Le grand homme resta ainsi durant un long moment, immobile devant la tempête qui soufflait sans relâche, puis un bref sourire éclaira son visage. Il haussa les épaules, fit une moue, approuva finalement d'un bref hochement de la tête, puis il se retourna face à la pièce en se frottant les mains.

— Je crois avoir une bonne idée, fit-il en revenant vers son pupitre. J'en parle à monsieur O'Gallagher et s'il est d'accord, madame Légaré et moi devrions passer une belle soirée à faire quelques préparatifs.

Et sur cet espoir de bon temps anticipé, Théodule Tremblay prit un crayon et se pencha sur ses chiffres.

À l'heure du souper des domestiques, la comptabilité des dépenses inhérentes au manoir était terminée, et quand le majordome se présenta à la salle à manger, il avait grand appétit.

— Cela sent bon, madame Légaré, très bon !

— Je vous remercie… C'est un peu grâce à vous tout ça !

— Mais non, voyons ! Je n'ai fait qu'une petite suggestion ! C'est vous qui avez cuisiné ce repas ! Moi, je n'y connais rien… Sur ce, bon appétit, tout le monde !

Ce fut un peu plus tard, à l'heure du café de la famille O'Gallagher, que monsieur Tremblay signifia à son patron qu'il aimerait bien lui parler.

— Rien de grave, j'espère ?

— Pas du tout, monsieur. Juste une petite idée qui m'est passée par la tête comme ça, et qui continue de me trotter dans l'esprit depuis cet après-midi.

— Alors, vous viendrez me rejoindre dans le petit salon après le repas. J'ai promis à James de jouer une partie de billard avec lui… Ah oui ! Quand vous descendrez, dites à madame Légaré que son ragoût était particulièrement savoureux…

— Et que son renversé aux pommes m'a donné un avant-goût de l'été, compléta madame Stella. C'était bien agréable… Cette femme est vraiment habile pour conserver nos pommes aussi longtemps dans le caveau.

L'intervention de monsieur Tremblay ne dura que quelques instants et son idée fut approuvée d'emblée.

— Je suis tout à fait d'accord avec vous. Une soirée de détente ne pourra faire autrement que de changer les idées et ainsi améliorer les caractères, en plus de délasser tout le monde…

— C'est exactement ce que je me suis dit, monsieur. Si nous pouvions nous libérer du travail pour quelques heures, mettre un peu de musique et sortir des jeux de société sans crainte d'être appelés aux étages, il me semble que…

— C'est une bonne idée, interrompit Patrick O'Gallagher, que la suggestion de son majordome enchantait. J'irais jusqu'à dire que je trouve votre proposition excellente ! Au point de vous offrir l'usage du petit salon. À vous, ainsi qu'à tous nos domestiques, bien entendu… On fera une belle flambée dans l'âtre et vous pourrez vous servir dans une de mes bouteilles de porto… Peut-être bien que Quincy et Adam aimeraient jouer une partie de billard ?

— Je ne voudrais abuser, monsieur. Tout de même ! Le petit salon, vos alcools…

— Allons ! Et si j'ajoutais que j'aimerais bien me joindre à vous ?

— Vous êtes sérieux ?

— Tout à fait.

Théodule Tremblay se surprit à sourire à l'idée de jouer au billard avec son patron.

— Alors là, je m'incline. C'est avec grand plaisir que nous profiterons du petit salon… en votre compagnie !

— Et moi, père ? Est-ce que je pourrai venir jouer au billard avec Adam et Quincy ?

James, qui n'avait rien perdu de la conversation, levait vers son père un regard rempli d'espoir.

— Pourquoi pas ? Tu t'es montré fort raisonnable, aujourd'hui, en t'occupant tout seul dans ta chambre, au lieu d'importuner le personnel, comme tu as coutume de le faire. Je ne vois donc aucun inconvénient à ce que tu te joignes à nous. Nous jouerons en équipe !

James était rouge de plaisir. Patrick O'Gallagher lui fit un clin d'œil de complicité et revint ensuite au majordome.

— Alors c'est convenu, monsieur Tremblay. Je vous mets en charge de nous organiser une belle soirée de festivités. Quoi de mieux en effet pour briser la monotonie de cet hiver interminable ?

Et ce fut dans les mêmes termes que Théodule Tremblay présenta sa proposition à madame Légaré.

— Nous aurons ainsi droit à une belle soirée de jeux variés, toute la maisonnée réunie dans le petit salon, résuma-t-il finalement. Il me semble que cela va être tout à fait agréable de savoir qu'on ne sera pas dérangés durant toute une soirée.

— Quelle riche idée, monsieur Tremblay ! C'est vrai que cela va faire du bien à tout le monde de se sentir libre. Et comme je ne veux pas être en reste, nous allons précéder cette soirée par un repas des plus festifs, tant pour nous en bas que pour la famille O'Gallagher à l'étage.

Bien malgré lui, le majordome se sentit rougir.

— J'allais vous le demander, avoua-t-il sans façon. Alors, madame Légaré ? Avez-vous une petite idée de ce que nous pourrions manger ?

— Oh là ! Laissez-moi d'abord consulter mes livres. Cela ne s'improvise pas sur un claquement des doigts, un souper d'apparat. Mais je vous reviendrai bientôt avec quelques suggestions et promis, nous choisirons ensemble.

— Ah oui ? Je vais vraiment avoir voix au chapitre ?

— Et pourquoi pas ?

— Vous me faites plaisir !

— Tant mieux… Mais tout ça ne dit pas ce que nous allons faire, nous, les femmes. Ce n'est pas que je veuille me montrer mesquine, mais je vous envie un peu de pouvoir utiliser le petit salon.

— Mais vous aussi, vous viendrez ! Qu'est-ce que c'est que ce questionnement, que cette hésitation ?

— C'est tout simplement que je ne joue pas au billard. Et je doute que madame Donatienne, Ruth, ou Pascaline…

— Mais il n'y a pas qu'une table de billard, dans le petit salon ! interrompit le majordome avec entrain. Il y a aussi une table pour les jeux de société.

— Ah oui ? Je ne savais pas. Remarquez que j'y vais plutôt rarement.

— C'est vrai. Alors, apprenez qu'il y a une table ronde, tout près du foyer. Elle est recouverte d'un tapis grenat et vous pourrez y jouer aux cartes ou…

— Au Parcheesi ! s'exclama joyeusement Éléonore, coupant ainsi la parole au majordome. J'adore jouer au Parcheesi. C'est mon père qui nous a montré, à mes sœurs, mon frère et moi. Que de belles soirées passées à nous amuser en famille ! Savez-vous s'il y a une planche de jeu au manoir ?

— Malheureusement, je l'ignore, mais je vais me renseigner. Dans la négative, nous verrons à nous en procurer une, n'ayez crainte.

— Alors là, c'est gentil, monsieur Tremblay... Jouer au Parcheesi, répéta Éléonore, sur un ton rêveur. Comme lorsque j'étais petite... Ça fait si longtemps tout ça !

— En effet, madame Légaré. C'est que nous ne rajeunissons pas, vous et moi, n'est-ce pas ?

Théodule et Éléonore se dévisagèrent un instant avec, au fond du regard, une lueur de regret. Quand ils s'étaient connus, ils pouvaient encore prétendre faire partie de la jeunesse. Mais c'était il y a dix ans et beaucoup d'eau avait coulé sous les ponts depuis ! Alors, le majordome s'ébroua et esquissa un sourire.

— N'empêche, nous ne sommes tout de même pas des vieillards ! Et si pour vous le jeu de Parcheesi vous rappelle de beaux souvenirs, moi, c'est le jeu d'échecs qui me fait penser à mon père.

— Parce que vous jouez aux échecs, vous ?

— Mais pourquoi pas ? Ai-je la tête de quelqu'un qui ne sait pas profiter de la vie ?

— Je ne sais pas, balbutia la cuisinière, embarrassée.

Elle ne pouvait décemment avouer qu'avec sa mine empesée, le majordome ne prêtait pas à une telle supposition, n'est-ce pas ?

Puis, Éléonore repensa au Meccano avec lequel monsieur Tremblay jouait parfois en compagnie de monsieur James. De plus, elle se souvenait fort bien que c'était le majordome lui-même qui avait proposé de jouer au jeune O'Gallagher. Éléonore révisa alors sa position, admit mentalement que Théodule Tremblay n'était pas aussi rigide qu'il en donnait l'air, puis elle s'intéressa à ses propos, tandis qu'il précisait :

— Tout comme vous, c'est mon père qui m'a enseigné les rudiments et les subtilités du jeu d'échecs.

— Eh bien… Si j'avais su !

— Savoir quoi, madame Légaré ?

— Que vous jouiez aux échecs ! On aurait pu en profiter bien avant ! Moi aussi, je joue.

Le sourire qui zébra le visage de Théodule Tremblay n'avait jamais été aussi éclatant.

— Quel bonheur ! jubila-t-il en repoussant sa chaise. Vraiment, ça m'en fait oublier la tempête. Ne bougez pas, madame Légaré, je reviens.

— Et où allez-vous comme ça ?

— Dans ma chambre, pardi ! Chercher mon échiquier et les pions. Nous allons jouer une partie ensemble. À moins que vous ayez autre chose à faire ?

— Décidément, la tempête vous inspire, monsieur Tremblay ! Et non, je n'ai rien de mieux à proposer pour occuper cette longue soirée d'hiver. Pendant que vous montez à votre chambre, moi, je mets de l'eau à bouillir pour le thé et je vous attends.

Durant une bonne heure, on aurait pu entendre une mouche voler dans la cuisine du manoir, tant les deux joueurs étaient concentrés sur les déplacements de leurs pièces. Seul le bruit qu'ils firent en sirotant leur thé et celui de la bourrasque frappant à la porte soutinrent leur réflexion. Au bout du compte, madame Légaré dut s'avouer vaincue.

— Échec et mat, lança le majordome en se redressant, visiblement heureux et fier du résultat.

— D'accord, vous avez gagné, admit Éléonore avec un gentil sourire. N'empêche que si je vous concède la victoire, c'est à titre de revanche.

— N'importe quand, madame Légaré ! Les soirées sont longues en hiver, et laissez-moi vous dire que vous êtes une adversaire redoutable. Ce soir, ce fut un pur bonheur que de jouer aux échecs avec vous ! Maintenant, si vous voulez bien m'excuser, je vais me retirer à ma chambre.

— Faites, monsieur Tremblay, faites ! Je range un peu et je monte à mon tour. Bonne nuit !

— Bonne nuit, madame Légaré.

Et tandis que le majordome quittait la cuisine, le plateau de jeu sous un bras et le petit sac de velours gris contenant les pièces dans l'autre main, madame Légaré crut l'entendre siffloter un petit air.

Elle ébaucha un sourire taquin, mais empreint d'une grande tendresse.

Éléonore se doutait bien que, sous la façade rébarbative de monsieur Tremblay, se cachait un tout autre homme. Elle en avait même déjà parlé avec Marion. Toutefois, ce soir, et même tout au long de la journée, elle en avait eu la confirmation. Théodule Tremblay était capable de rires et de spontanéité, et il savait faire preuve d'une belle imagination, au besoin.

Elle avait aussi découvert qu'il pouvait montrer beaucoup de générosité, même envers de tout petits chatons !

Pour une journée qui avait commencé dans la grisaille d'une tempête, ce qui l'avait rendue plutôt bougonne, Éléonore Légaré estima que cette même journée se terminait fort bien. Le temps de laver les tasses et de sortir les œufs pour l'omelette du lendemain matin, puis elle éteignit le plafonnier et monta se coucher à son tour.

Dès le lendemain matin, elle prenait le livre de recettes hérité de sa mère pour tenter d'y dénicher quelques nouveautés, tandis que Quincy et Adam s'activaient avec les pelles. La neige avait enfin cessé de tomber et un pâle soleil faisait briller les branches lourdement chargées.

— Quel drôle de pays, murmura-t-elle tout en s'installant à la table, dès que le déjeuner fut chose du passé. Un jour, on se croirait en enfer, alors que le lendemain, ça ressemble au paradis… Quel beau paysage que celui qui m'attendait à la porte de la cuisine, un peu plus tôt ! On aurait dit un aperçu du Ciel. C'est de toute beauté… Et maintenant, les recettes !

La fin de cette semaine d'hiver passa en coup de vent et comme la présence de monsieur et madame O'Gallagher fut sollicitée à la dernière minute pour un souper de bienfaisance, il fut décidé que la soirée de divertissement serait reportée d'une semaine.

— Et je dirais que c'est tant mieux, apprécia madame Éléonore, quand le majordome vint lui faire part du changement apporté à l'horaire. Cela va me donner le temps de tout bien préparer…

— Puis, ça fait durer le plaisir, vous ne trouvez pas ?

— En effet, monsieur Tremblay, en effet. Ce n'est surtout pas moi qui vais vous contredire à ce sujet !

De fil en aiguille, ce fut le mardi suivant, alors que Dame nature remettait cela et qu'il neigeait encore à plein ciel, que madame Légaré convia le majordome à venir la rejoindre pour décider du menu de leur petite soirée de festivités.

— Dès que la table d'en haut sera desservie, je serai libre pour un bon moment, annonça-t-il plein d'entrain, en guise de réponse.

— Donnez-moi le temps de faire la vaisselle, précisa alors la cuisinière, et vous viendrez me retrouver. J'ai quelques recettes à vous proposer…

Certes, Éléonore savait d'ores et déjà ce qu'elle allait préparer le samedi suivant. Après tout, c'était elle qui allait cuisiner, n'est-ce pas ? Et elle aimait bien que les choses soient décidées un long moment à l'avance, cela lui évitait d'être prise au dépourvu.

Toutefois, fine mouche, elle n'en laisserait rien voir. Comme l'autre jour, emportée par l'enthousiasme, elle avait promis à monsieur Tremblay que le choix des mets se ferait à deux, elle respecterait donc son engagement. Le pauvre homme avait l'air si heureux d'avoir droit de parole ! Voilà pourquoi, mine de rien, d'une remarque à une objection ou d'une félicitation à une exclamation, elle amènerait le majordome à choisir ce qu'elle-même avait déjà décidé, le laissant s'imaginer qu'il était l'artisan des bonnes idées.

Sur cette pensée, Éléonore leva les yeux vers monsieur Tremblay, qui n'avait toujours pas quitté la cuisine.

— Maintenant, ordonna-t-elle, fidèle à elle-même, sortez d'ici, je vous prie, j'ai un souper à préparer… Et j'aimerais bien avoir le temps de faire quelques tartes au sucre avant la fin de l'après-midi.

— Dans ce cas, je me sauve ! Des tartes au sucre, il n'y a rien de meilleur !

— C'est ce que j'ai toujours dit ! Puis, nous avons une belle soirée devant nous ! De l'espérer va permettre au repas d'être un moment tout à fait agréable. Il est grand temps de s'y mettre si je veux tout bien planifier sans me sentir bousculée !

Cependant, quelques heures plus tard, monsieur Tremblay et madame Éléonore eurent à peine le temps de s'asseoir devant la table encombrée de bouts de papier et de notes prises par la cuisinière qu'Adam arrivait au pas de course dans la cuisine.

— Vous êtes demandée au téléphone.

— Vous êtes bien certain que c'est pour moi ? demanda le majordome, visiblement agacé d'être ainsi dérangé.

— Non, justement ! C'est pour madame Légaré.

Le temps d'un regard interrogateur posé sur Adam, et la cuisinière bousculait sa chaise pour se relever.

— Doux Jésus ! Qui peut bien m'appeler à une heure aussi tardive ? J'espère qu'il n'est rien arrivé à mon cher papa ! À moins que ce soit Marion…

La pauvre Éléonore était dans tous ses états ! Sans enlever son tablier, elle s'élança hors de la cuisine, suivant Adam jusque dans le hall d'entrée où on avait fait installer le téléphone.

En réalité, la cuisinière s'en faisait pour rien, puisque c'était tout simplement Félicité qui patientait à l'autre bout de la ligne.

— Madame Légaré ! Enfin ! Bonne sainte Anne que ça fait longtemps, vous trouvez pas ? C'est tout un plaisir que d'entendre votre voix !

— Mais le plaisir est partagé, déclara la cuisinière, soulagée, mais se demandant tout de même ce qui avait poussé madame Félicité à l'appeler ainsi, un soir de semaine.

Le temps de se dire que Félicité ne l'appelait sûrement pas pour jaser de la pluie et du beau temps, et cette dernière reprenait de plus belle.

— Si j'allais vous voir, samedi, que c'est que vous penseriez de ça ? lança abruptement la vieille dame, qui n'y allait jamais par quatre chemins quand elle avait quelque chose à dire ou à demander. En autant que ça vous adonne, comme de raison.

— Samedi ? Samedi qui vient ?

— Exactement… J'en peux pus de voir mes quatre murs ou ben ceux du magasin de Jaquelin !

— C'est vrai que l'hiver est plutôt pénible cette année.

— À qui le dites-vous ! Mais dans mon cas, c'est encore pire, je dirais !

— Comment ça ?

— Parce que je m'étais habituée à d'autres choses ! Imaginez-vous donc que depuis qu'Irénée m'a donné mon piano, lui pis moi, on passe nos fins de semaine au chalet. Ça me permet de jouer tant que je veux, pis lui, ben, il aime ça m'entendre ! J'aurais jamais cru ça possible, mais je trouve que ça a plein d'agréments d'aller en campagne durant l'hiver. Mais là, à cause de la neige qui arrête pas de nous tomber sur la tête, l'entrée du chalet est pus ben ben praticable. La dernière fois qu'il est venu nous reconduire, notre pauvre Émile a failli rester pris ! Pis on a pus l'âge de se promener en raquettes ! Irénée a ben trouvé quelqu'un pour toute nous pelleter ça ben comme il faut, mais ça va aller juste à la semaine prochaine. Ça fait que pour une deuxième fois depuis le début du mois, on va rester en ville, pis c'est là que j'ai pensé à vous.

Autant en profiter, que je me suis dit. Pis, que c'est que vous diriez de ça, que j'aille vous voir samedi ?

À l'exception de sa cuisine, où Éléonore était seul maître à bord, il était bien rare qu'elle prenne la moindre décision sans consulter madame Stella ou monsieur Tremblay. Néanmoins, cette fois-ci, l'envie de revoir sa bonne amie l'emporta sur sa retenue habituelle.

— Ça serait effectivement bien agréable de nous rencontrer, admit-elle sur un ton resté tout de même prudent. Notre dernière rencontre remonte à votre fête, en octobre dernier ! Et à l'exception d'une carte de vœux à l'occasion de Noël, on n'a aucune nouvelle l'une de l'autre.

— En plein ce que je pense, moi avec. Mais ça me dit pas si jc peux venir, par exemple.

Le temps de se dire qu'elle avait là une belle occasion de rendre la politesse à l'invitation reçue en octobre, et Éléonore lança :

— Pourquoi pas ?

Elle n'osa cependant pas parler de la pctite fête qui s'en venait. Connaissant Félicité, elle se doutait bien que celle-ci retirerait sa proposition si elle était mise au courant. À la place, Éléonore demanda donc :

— Mais j'y pense, si je vous invitais à rester souper avec nous, cela pourrait-il se faire ?

— Ben là… Vous êtes ben sûre que je dérangerais pas ?

— Absolument certaine, déclara Éléonore avec une assurance qui allait croissant.

Elle savait qu'avec le souper prévu pour le samedi, ce n'étaient pas quelques personnes de plus ou de moins à la table qui changeraient quoi que ce soit à son menu.

— Alors, qu'est-ce que vous en pensez ?

— J'ai ben envie de vous dire oui, répliquait justement une Félicité, qu'on sentait tout heureuse, à l'autre bout de la ligne. Ça serait même pas mal agréable. En autant qu'Émile soye d'accord pis qu'il puisse…

— Mais il serait invité lui aussi ! interrompit la cuisinière, surprise de s'entendre parler avec autant de liberté. Tout comme madame Lauréanne, bien entendu. Et peut-être aussi monsieur Irénée…

— Pour ça, par contre, je crois pas que ça soye possible. Ça a ben l'air qu'Émile pis Lauréanne ont déjà quelque chose de prévu en soirée. Pis Irénée soupe chez Napoléon, c'est déjà convenu. Mais laissez-moi jusqu'à demain pour voir si ça peut s'arranger, pis je vous rappelle.

Ce fut ainsi que Félicité arriva au manoir, en début d'après-midi, par un beau samedi ensoleillé. Par contre, si le soleil semblait revenu pour de bon, il était accompagné par un froid mordant.

— Bonne sainte Anne qu'on gèle ! lança la vieille dame, à peine entrée dans la cuisine surchauffée d'Éléonore. C'est tout l'un ou tout l'autre, cette année... Sur ce, bien le bonjour, madame Éléonore !

Un long frisson secoua les épaules amaigries de Félicité.

— Je m'excuse d'arriver de bonne heure de même, mais Émile pouvait pas venir ici plus tard, expliqua la vieille dame tout en retirant son chapeau d'une main, alors qu'elle tenait une boîte encombrante sous son bras. Lui pis sa femme vont finalement manger chez leurs amis de la brasserie. Vous saviez, hein, qu'Émile est maître brasseur chez Molson ?

— Je le savais, oui, confirma Éléonore, amusée.

— Me semblait aussi. Mais craignez pas, ils vont venir me rechercher dès que leur souper va être fini.

— Je n'ai aucune crainte !

Malgré tout le travail qu'elle avait encore à abattre avant le repas du soir, Éléonore était sincèrement heureuse de revoir Félicité.

— Donnez-moi votre manteau et venez vous asseoir. Quand il fait froid comme aujourd'hui, j'ai toujours une théière bien pleine que je garde au chaud sur un rond du poêle... On va s'en servir chacune une bonne tasse et on va jaser toutes les deux, pendant que je vais continuer à préparer le repas.

— Pantoute ! J'suis pas ici pour vous embarrasser. Déjà que c'est gentil de m'avoir invitée à manger... Dites-moi ce que je peux faire, pis j'vas vous aider. Ah oui ! Pis ça, c'est pour vous.

Sans plus de façon, Félicité déposa son encombrant paquet sur la table.

— C'est des chocolats assortis !

Puis, elle tendit son manteau à Éléonore pour que celle-ci puisse le suspendre à côté de la porte d'entrée.

— C'est Irénée qui est allé me chercher ça chez Dupuis Frères, expliqua Félicité, tout en pointant son présent avec le pouce. Il a pris la plus grosse boîte, comme j'avais demandé. Je me suis dit que ça permettrait à tout le monde d'en manger une couple de morceaux. C'est pour vous remercier de l'invitation à souper...

— Ce n'était pas nécessaire.

Toutefois, le sourire gourmand d'Éléonore proclamait tout le contraire de ce qu'elle venait d'affirmer, et Félicité en fut bien heureuse.

— Ça me fait plaisir... Astheure, madame Légaré, dites-moi où c'est que vous mettez vos tabliers.

Éléonore ne donna pas tout de suite le renseignement demandé. Durant un instant, elle soutint le regard de Félicité, secoua la tête, puis, finalement, elle proposa, sur un ton interrogatif :

— Et si d'abord je vous demandais de m'appeler Éléonore, tout simplement ? Depuis le temps que l'on se connaît et que l'on s'apprécie, il me semble que le « madame » est de trop entre nous deux...

— Vous pensez ?

Curieusement, Félicité semblait indécise. Du coin de l'œil, la vieille dame jeta un regard discret sur

cette cuisine confortable, « une pièce hors de prix »,
comme elle l'avait déjà expliqué à Marie-Thérèse. Ça
imposait quelques réserves, non ? Puis, elle revint à
Éléonore, qui la regardait en souriant.

L'image parlait d'elle-même.

La petite dame tout en rondeurs n'avait rien d'ex-
travagant, sinon son merveilleux sourire.

Sans plus tergiverser, Félicité admit que cette
femme-là n'était pas prétentieuse pour deux sous, et
qu'au bout du compte, sa demande était tout à fait
légitime.

— Si c'est ce que vous voulez, pourquoi pas ?
approuva Félicité tout en secouant sa toque grise.

— Merci beaucoup ! Comment je pourrais vous
expliquer ça ? En un sens, vous me faites un peu
penser à ma mère.

— Ah oui ?

— Tout à fait, et avec elle, il n'était pas question de
cérémonie !

— Ben si c'est de même, à partir d'astheure, entre
nous, ça sera Félicité pis Éléonore… Pis voulez-vous
que je vous dise ? À moi avec, ça fait plaisir… Bon !
Maintenant que c'est décidé, les tabliers, eux autres,
où c'est qu'ils sont ?

Ce fut donc à partir de ce froid après-midi de
février qu'Éléonore renoua avec le plaisir de ne pas
être seule devant un repas à préparer.

À quatre mains, le travail se fit rapidement et
dans la bonne humeur. Sur le coup de quatre heures,

tout était prêt, à l'exception du soufflé au fromage qu'elle voulait servir en entrée, et qu'elle mettrait au four uniquement à la dernière minute, tant pour les domestiques que pour la famille O'Gallagher.

— C'est dommage à dire, s'excusa Éléonore, tout en replaçant une mèche de cheveux grisonnants sous son léger bonnet de dentelle, mais j'ai compris, à travailler avec vous, à quel point ma cuisine est grande quand je m'y retrouve toute seule.

— Dommage ? Que c'est qu'il y a de dommage dans ça ? Vous m'inquiétez, Éléonore… Que c'est que je dois comprendre là-dedans, moi là ? J'aurais-tu mieux faite de rester chez nous, c'est ça que vous voulez dire ?

— Mais non, chère amie, mais non ! Qu'allez-vous penser là ?

— Justement, je le sais pus trop quoi penser. Vous venez de dire que c'est dommage ! Quand je dis ça, moi, c'est que je regrette quelque chose.

— Pauvre Félicité ! Je suis désolée que mes paroles aient pu porter à confusion… Ce que je peux être maladroite, parfois ! N'allez surtout pas vous en faire pour si peu ! Ce serait une erreur, car ce fut un plaisir, un réel plaisir de cuisiner avec vous. Tout allait si rondement ! C'est peut-être à cause de cette facilité à travailler ensemble si l'ennui de Marion s'est manifesté aussi clairement.

— Ah, ça !

— Oui, ÇA, comme vous dites… Le temps a beau passer inexorablement, je m'ennuie toujours autant.

— À mon avis, c'est juste normal.

— Vous croyez ? Moi, pourtant, j'aurais pensé que le temps, justement, aurait pu cicatriser la déception et m'enseigner la patience. De toute évidence, il n'en est rien.

— Je vois pas le rapport, soupira Félicité. Quand on aime quelqu'un, me semble que l'ennui devient inévitable. Ça nous pèse pas tout le temps de la même manière sur le cœur, c'est ben normal, parce que la vie de tous les jours a ses exigences. Mais quand même, ça reste toujours un peu là… Ce qui m'explique pas pourquoi vous trouvez ça dommage !

Éléonore resta silencieuse un instant, puis elle ajouta, d'une voix songeuse :

— Tenez ! Je vais tenter d'être plus claire… Il est tout juste quatre heures et le repas est pour ainsi dire presque prêt.

— Ouais, pis ?

— Nous allons donc pouvoir prendre un petit moment de répit en sirotant un bon thé.

— La bonne idée !

— N'est-ce pas ? Et lorsque Marion vivait ici, tous les après-midi ou presque, nous avions cette liberté de prendre un thé ensemble. Depuis qu'elle est partie, c'est tout juste si je peux le faire une ou deux fois par semaine, et encore ! C'est ce que je voulais bien maladroitement expliquer en parlant de mon ennui.

Ce qui est dommage, c'est que je ne puisse plus faire ça tous les jours. C'est une sensation globale qui ternit l'ensemble de ma vie.

— Maintenant, c'est clair ! Pis je comprends parfaitement ce que le mot « ennui » veut dire pour vous, pis le mot « dommage » aussi. Dans le fond, j'avais rien à voir là-dedans… C'est comme moi, dans le temps de Sainte-Adèle-de-la-Merci, quand venait la saison des conserves. Avec Marie-Thérèse à mes côtés, tout était tellement plus agréable et quand j'y repense, j'en deviens quasiment navrée.

— Et voilà ! Vous avez tout compris de mon état d'esprit. Tout à l'heure, en travaillant avec vous, c'est Marion que je revoyais, et l'ennui m'est tombé dessus comme un mauvais sort… Il suffit de si peu, parfois, pour nous ramener dans le passé, et ce sont souvent les petits détails du quotidien qui nous le rappellent. Si au moins j'avais de ses nouvelles !

À ces mots, Félicité leva les yeux et elle fouilla Éléonore du regard.

— Parce que vous savez rien d'elle ? demanda-t-elle, un peu surprise.

— Rien du tout ! La dernière fois que je l'ai vue, c'est le soir où je suis allée chez elle pour l'inviter à votre fête. Je vous en avais parlé.

— Ouais, je m'en rappelle.

— J'avoue qu'il y a certains soirs où ça m'angoisse tout ça !

— Bonne sainte Anne! Vous y allez pas avec le dos de la cuillère! Vous pensez pas que vous exagérez un petit peu, vous là?

— À peine!

— Quand même... Pour faire de l'angoisse, me semble que ça prend plus que de l'ennui. Marion est toujours ben pas en perdition! Elle est seulement chez ses parents pour donner un coup de main...

— Si vous parlez comme ça, c'est que vous ne connaissez pas scs parents, justement.

— Allons donc! Malgré tout ce que vous m'avez raconté sur eux, ils mangeront pas leur fille tout rond... Écrivez-lui, à votre Marion. Demandez-lui comment ça va. Ça devrait vous rassurer, non?

— C'est certain qu'un échange de lettres me plairait bien, et oui, ça me rassurerait. Mais pourquoi me donner cette peine? D'une part, ma lettre risque de tomber dans les mains de ses parents, et je ne suis pas du tout certaine qu'ils apprécieraient. C'est alors Marion qui en subirait le contrecoup.

— Pis? Une bordée de bêtises, ça a jamais fait mourir personne.

— Mais ça chagrine quand même un peu, non? D'autre part, je ne serais pas plus avancée.

— Pourquoi vous dites ça, Éléonore?

— Parce que Marion ne pourra pas me répondre! Je sais pertinemment qu'elle n'a pas les quelques sous nécessaires à l'achat d'un timbre.

— Ben voyons donc ! Vous voyez des problèmes partout, ma parole ! Vous avez juste à lui envoyer une couple de cennes collées sur un carton, pis comme ça, Marion va pouvoir vous donner toutes les nouvelles que vous espérez. Ça devrait vous aider à patienter jusqu'au printemps.

— Et si ses parents trouvent la lettre ?

La réflexion de Félicité fut de courte durée.

— M'est avis qu'ils diront rien pantoute parce que l'argent tombé du ciel, ils vont le mettre dans leur poche ! Vous pensez pas, vous ?

À son tour, ce fut à peine si Éléonore prit le temps de réfléchir avant de répondre.

— C'est probablement ce qui se passerait, approuva-t-elle. Moi, je n'aurais toujours pas de nouvelles, soit, mais Marion ne risque pas trop de se faire disputer.

— Bon ! Vous voyez ben que j'ai raison.

— Peut-être bien, oui. Je vais y penser et promis, je vous tiendrai au courant… Et maintenant, asseyons-nous. Le thé est infusé à point. Ensuite, nous mettrons la table dans la salle à manger des domestiques.

Ce fut en dressant les couverts que Félicité comprit qu'Éléonore et elle allaient manger en même temps et à la même table que le personnel du manoir. Cette perspective fut amplement suffisante pour que la ronde de ses questions reparte de plus belle.

— Ben voyons donc, vous ! lança-t-elle, les deux poings sur les hanches, une poignée de fourchettes à la main.

— Que se passe-t-il, Félicité ?

— Il y a quelque chose que je saisis pas, avoua la vieille dame tout en comptant les places à la table.

— Quoi donc ?

— C'est-tu à cause de moi que vous faites du spécial de même ?

— C'est à mon tour de ne pas comprendre, répliqua Éléonore, sans lever la tête, tandis qu'elle disposait les assiettes sur la table.

— Me semble que c'est pas compliqué… Vous venez de me dire qu'on va être neuf à table, pour que je puisse mettre les ustensiles, pis on a neuf assiettes. Jusque-là, pas de problème. Par contre, si je sais ben compter, ça veut dire que vous pis moi, on va manger ici, dans la salle à manger.

— Oui, et alors ?

— C'est là que je comprends pus, bonne sainte Anne ! Vous m'avez déjà expliqué, durant l'été, que vous pis Marion, vous mangiez dans la cuisine, avant tout le monde, pour être capables de faire le service. C'est de même que vous avez dit ça. Je m'en souviens très bien parce que je trouvais ça pas juste !

— C'est vrai que je vous ai expliqué nos règlements et la hiérarchie qui existe chez les O'Gallagher. Et de mon point de vue, il n'y a aucune injustice là-dedans. Ça fait partie du travail des domestiques d'être disponibles en tout temps, et en particulier de celui d'une cuisinière quand vient le moment de servir les repas.

— Ben je répète ma question : c'est-tu à cause de moi que vous faites du spécial de même ? Parce qu'il faudrait pas ! Moi, quand j'ai accepté votre invitation, c'était dans la cuisine que je me voyais manger. Pas ici, avec le reste du personnel engagé !

D'un large geste du bras, Félicité montrait la pièce lambrissée où une table de bois verni flanquée de chaises du même style attendait la venue des convives.

— Pas sûre, moi, que j'vas me sentir à l'aise avec les employés qui travaillent ici. Je les connais pas toutes !

— Vous allez voir, Félicité, ce sont de braves personnes.

— Ouais… C'est pas que je mette votre parole en doute, mais ça répond toujours pas à ma question !

— C'est tout simple, vous allez vite le comprendre ! Le repas de ce soir est une exception à la règle et c'est monsieur Tremblay qui l'a décidé ainsi.

— À cause de moi ?

— Pas du tout. C'était déjà décidé avant même que vous m'appeliez. Voyez-vous, ce soir, c'est un peu la fête au manoir.

— Ben là ! C'est la fête à quelqu'un ? Vous auriez dû me le dire, pis je serais venue un autre jour.

— Et pourquoi ? Ce n'est la fête de personne en particulier ! C'est plutôt une idée de notre majordome d'organiser une soirée spéciale. Il veut ainsi briser la monotonie de l'hiver ! On va manger tous ensemble un repas un peu plus élaboré que de coutume, et on va ensuite faire le service pour la famille O'Gallagher, bien entendu ! Mais par la suite, dès que j'aurai terminé la vaisselle, et que Pascaline, madame Ruth et Adam vont avoir préparé les chambres de la famille, nous allons tous monter dans le petit salon pour nous amuser.

— Eh ben… J'aurais pas cru ça possible. Dans le fond, ça ressemble à nos samedis soirs quand on se retrouve toute la famille chez Lauréanne pis Émile, ou ben chez Jaquelin pis Marie-Thérèse, pour jouer aux cartes en mangeant du sucre à crème.

— C'est un peu ça, effectivement. À vivre tous sous le même toit en permanence, nous formons une sorte de famille, je vous le concède. Et moi, sachant la soirée en préparation, j'avais envie de vous présenter cette famille.

Félicité resta silencieuse. Elle était émue. Elle disposa les derniers ustensiles qu'elle avait en main, puis elle murmura :

— Mais c'est ben fin, ça…

Sur ce, les deux femmes échangèrent un regard rempli d'affection.

— Ça me fait vraiment plaisir que vous soyez là.

— Moi aussi, mais j'veux vous aider, par exemple, ajouta alors Félicité. Comme ça, j'vas me sentir plus à l'aise, pis tout le monde va être content.

— D'accord ! Vous ferez la vaisselle avec moi. À deux, c'est tellement plus rapide. Et maintenant, à la cuisine ! Nous allons monter les blancs d'œufs en neige pour faire le premier soufflé au fromage.

Si le repas fut joyeux et que Félicité perdit rapidement ses dernières réticences, ce fut à l'instant où elle pénétra dans le petit salon que son plaisir atteignit son comble.

— Ah ben, ah ben ! Que c'est que je vois là ?

Elle tourna brièvement la tête vers madame Légaré.

— Un piano… Vous m'aviez pas dit ça, Éléonore, qu'il y aurait un piano pour votre soirée.

— J'avoue que je n'y avais même pas songé… Soyez surtout bien à l'aise de l'essayer.

— Tentez-moi pas, vous !

Attiré par la conversation, Théodule Tremblay s'approchait des deux femmes à grandes enjambées.

— Je dirais même que ça serait une bonne idée, déclara-t-il, en accord avec leur discussion. Vous entendre jouer serait probablement plus agréable que d'écouter le gramophone qui, ma foi, grince plutôt désagréablement aux oreilles.

Félicité se tourna vivement vers le majordome.

— Vous savez ça, vous, que je joue du piano ?

— Madame Légaré nous en a effectivement parlé. Et elle a même affirmé que vous en jouiez fort bien.

À ces mots, Félicité haussa les épaules dans un geste de fausse modestie.

— Après plus de quarante ans à l'enseigner, j'espère ben que j'en joue pas trop pire, bougonna-t-elle sur un ton qui cachait bien mal sa jubilation.

Puis, n'y tenant plus, elle demanda, tout en pointant un index noueux vers un piano droit, au fond de la pièce :

— Je peux vraiment l'essayer ? Votre patron, monsieur O'Gallagher, il dira rien ?

— Pourquoi le ferait-il ?

— Ouais, tant qu'à ça... S'il a décidé de mettre un piano dans son salon, c'est comme rien qu'il espère que quelqu'un va en jouer, de temps en temps. C'est ben clair...

Il y avait une sorte de fébrilité dans la voix de la vieille dame, une pointe d'impatience qui donnait envie de l'entendre jouer.

— Vous ne pourriez dire mieux ! lança Théodule Tremblay. Je crois même que cela ferait plaisir à tout le monde.

— Ben dans ce cas-là !

Sans plus se faire prier, Félicité s'installa devant le clavier. Elle joua quelques gammes pour se familiariser avec la sonorité de l'instrument, puis elle redressa les épaules.

Dans un premier temps, elle offrit son répertoire habituel, fait surtout de chansons douces. Tous les domestiques s'étaient rassemblés autour d'elle et ils écoutaient, ravis. Madame Donatienne et Ruth avaient fermé les yeux ; Lisa et Pascaline battaient la mesure d'un léger mouvement de la main ; Éléonore appréciait tout en hochant la tête ; et monsieur Tremblay esquissait un sourire satisfait. Après tout, c'était un peu grâce à lui si tous les employés de la famille O'Gallagher semblaient aussi heureux. Seuls Adam et Quincy écoutaient d'une oreille distraite, tout en lorgnant la table de billard, priant silencieusement le Ciel que ce récital improvisé ne vienne pas mettre en péril la partie au programme de cette soirée.

Soudain, faisant sursauter tout le monde, Félicité plaqua un accord et se tourna vers eux.

— Quand je commence à jouer, j'ai ben de la misère à m'arrêter ! expliqua-t-elle en promenant les yeux sur les gens attroupés autour d'elle. Je vois pas le temps passer, je m'en excuse. Après toute, vous êtes pas ici pour m'écouter. Me semble que madame Légaré m'a dit que vous deviez jouer à des jeux ?

— Tout à fait. C'était en grande partie le but de cette soirée, confirma monsieur Tremblay.

— J'avais donc ben compris pis, moi, avec mes envies de musique, je suis là qui dérange vos plans.

— Pas du tout. Je suis d'avis que l'un n'empêche pas l'autre.

À ces mots, un sourire malicieux éclaira le regard de Félicité.

— C'est ben drôle ça ! C'est en plein ce que je m'en allais vous proposer… J'ai pas juste de la musique classique dans mon répertoire, vous saurez, j'ai aussi une couple de chansons à répondre, plus quelques « tounes » à la mode ! M'en vas vous jouer ça en sourdine pendant que vous allez vous amuser parce que moi, les jeux de société, c'est pas trop mon fort ! Quand j'ai pas le choix, je peux toujours m'accommoder d'une partie de cartes à l'occasion, mais ça va pas beaucoup plus loin !

— Allons-y donc pour une musique d'ambiance !

Et tandis que les domestiques s'installaient autour de la table à cartes ou de celle de billard, Félicité commença par offrir quelques gigues et quadrilles, souvenirs des soirées de son enfance, alors que la plupart des familles de Sainte-Adèle-de-la-Merci comptaient un ou deux musiciens qui savaient jouer du violon, de l'harmonica ou de la guimbarde.

Et l'on savait chanter, et danser, et s'amuser !

Est-ce que ce fut le rythme d'une telle musique qui rejoignit Patrick O'Gallagher ? Probablement, car Félicité en était tout juste à la seconde mélodie qu'il faisait son entrée dans le petit salon, un large sourire sur les lèvres.

— On se croirait en Irlande, lança-t-il joyeusement, tout en approchant de la vieille dame qui venait de jouer le dernier accord. Mais d'où tenez-vous ce répertoire, madame ?

Puis, avant que Félicité ait pu répondre, Patrick O'Gallagher ajouta :

— Mais je vous reconnais ! Vous étiez notre voisine, au chalet !

— En plein ça. Félicité Gagnon, c'est moi ! J'étais allée vous voir quand vous étiez venu visiter le chalet avec votre majordome, monsieur Tremblay… Votre cuisinière pis moi, on est devenues comme qui dirait des amies. Pis pour répondre à votre question, la musique que vous venez d'entendre, ça me vient tout droit de mon enfance. C'est ce genre de « tounes-là » que mon père pis mes oncles jouaient quand on organisait une veillée.

— Curieux ! C'était aussi ce genre de musique que j'entendais dans ma propre famille. Et moi, voyez-vous, je suis de descendance irlandaise… Mais qu'importe ! Continuez, madame, je vous en prie. Ça me chante aux oreilles et ça me met le cœur en joie. Mon épouse va nous rejoindre sous peu et elle aussi apprécie les musiques entraînantes. Peut-être même que ma fille Béatrice va vous proposer de jouer à quatre mains, puisqu'elle touche le piano, elle aussi !

Quelques heures plus tard, quand Émile et Lauréanne se présentèrent à la porte de la cuisine pour venir chercher Félicité, la fête battait son plein. Tant et si bien que personne n'entendit le coup frappé contre le battant. En désespoir de cause, Émile osa entrouvrir la porte et il tendit l'oreille.

— On dirait bien que ça s'amuse en quelque part dans la maison, remarqua-t-il en se tournant vers son épouse. J'entends jouer du piano pis ben des voix qui parlent en même temps… Mais il y a personne dans la cuisine, par exemple. Que c'est qu'on fait, ma femme ?

À ces mots, Lauréanne prêta l'oreille à son tour.

— Guette ben si c'est pas matante Félicité qui serait en train de jouer ! suggéra-t-elle. Pis ça rit fort en s'il vous plaît.

Tout en parlant, elle jeta un coup d'œil dans la cuisine.

— Mais j'vas dire comme toi : il y a personne ici. On dirait que les voix viennent d'en haut. Tant pis ! On rentre pareil, mon mari. Après toute, on fait rien de mal, pis je suis gelée comme un glaçon. On dirait que le chauffage de ton auto a de la misère à fournir, à soir.

Ils prirent le soin d'enlever leurs couvre-chaussures, puis ils s'approchèrent de l'âtre qui était encore rougeoyant. Le temps de se réchauffer, de se décider à enlever leurs manteaux, personne n'était encore descendu à la cuisine.

— Bateau d'un nom ! On peut toujours ben pas passer une partie de la nuit à attendre la tante Félicité, comme ça, assis dans une cuisine qui est pas la nôtre, murmura alors Émile.

— C'est vrai que ça serait long… Mais si ça te fait rien, on va l'espérer encore un peu. Je me vois mal monter prévenir matante qu'on est arrivés sans avoir été invités à entrer. Déjà que c'est malaisant d'être ici, tout seuls dans la cuisine de madame Éléonore.

— T'as ben raison… De toute façon, jamais je croirai que personne va venir. Ils vont ben finir par avoir faim ou soif.

Un éclat malicieux traversa le regard de Lauréanne.

— C'est ben toi, ça ! Toujours en train de penser à manger… Tu sauras que tout le monde est pas aussi gourmand que toi, mon mari !

— Je le sais ben… Ça doit me venir de mon enfance à l'orphelinat, expliqua-t-il, toujours à voix basse. Les sœurs étaient ben fines avec nous autres, mais malgré ça, c'était pas tous les jours qu'on se couchait le ventre ben plein… Avec le temps, c'est devenu comme un réflexe en moi : j'ai toujours un peu peur d'en manquer… Mais t'as raison : avec la panse que j'ai, je me suis faite ben de la réserve, pis je devrais peut-être faire attention… N'empêche que la nuit passera pas sans qu'on voye quelqu'un.

Quinze minutes plus tard, la fête était toujours aussi bruyante, ils n'avaient pas vu âme qui vive et Émile commençait à s'impatienter.

— Nom d'une pipe ! Est-ce que ça va finir par finir, c'te veillée-là ? J'suis fatigué, moi, pis on est pas encore rendus chez nous ! Je monte voir ce qui se passe. Tant pis pour ceux qui seront pas d'accord !

Un éclat d'appréhension traversa le regard de Lauréanne.

— Je te connais assez pour savoir que t'as le culot de monter, mais pas question que je reste toute seule ici… Je te suis !

Gênée par ce qu'ils s'apprêtaient à faire, Lauréanne glissa sa main dans celle de son mari, puis, se fiant au bruit des voix, ils arrivèrent à s'orienter dans cette immense maison.

Éléonore Légaré fut la première à les apercevoir, alors qu'ils s'étaient arrêtés dans l'embrasure de la porte !

— Mais entrez, voyons ! lança-t-elle d'une voix forte pour dominer le bruit de la musique et le brouhaha des conversations.

Délaissant sa partie de Parcheesi, elle se leva aussitôt pour venir vers eux.

— Vous avez bien fait d'entrer. Avec le bruit qu'il y a ici, nous n'avons rien entendu. Joignez-vous à nous ! Toute la maisonnée est ici, je crois bien !

En effet, le petit salon fourmillait de gens qui semblaient fort joyeux.

— Je sais pas trop, opposa Lauréanne, d'une voix hésitante, intimidée par toutes ces personnes qu'elle ne connaissait pas. C'est qu'on a une bonne route à faire pour retourner chez nous. Hein, Émile ?

Quoi que Lauréanne puisse en penser, il était évident qu'Émile, lui, était tenté par l'invitation, toute fatigue subitement envolée.

— Si on se donnait une couple de menutes, ma femme ? proposa-t-il, les yeux tournés vers les joueurs de billard. Le temps que je regarde une partie, pis on va s'en aller après.

— Tout de suite après ?

— Promis.

— Ben dans ce cas-là, conclut Lauréanne, occupez-vous pas de moi, madame Éléonore, pis retournez à votre jeu. Pendant ce temps-là, moi, j'vas aller rejoindre matante Félicité. J'aime ben ça l'entendre jouer !

La vieille dame terminait justement un morceau quand Lauréanne arriva à côté d'elle.

— Mais que c'est tu fais là, toi ?

— Il y avait personne pour nous ouvrir. Ça fait qu'on est rentrés sans permission, Émile pis moi. Laissez-moi vous dire qu'on était pas pantoute à notre aise. On a ben attendu un bon quinze menutes avant de se décider à monter, pis...

— Pis vous avez ben faite ! interrompit la tante Félicité.

Elle regarda autour d'elle et constata que personne n'avait l'air fatigué. Interdite, elle revint à Lauréanne.

— Comme ça, il serait déjà l'heure de s'en aller ? Bonne sainte Anne que la soirée a passé vite ! J'ai rien vu aller que c'est déjà le temps de repartir !

— Pas vraiment, non ! rassura Lauréanne. Regardez Émile, matante ! Il a l'air d'un petit garçon devant un magasin de jouets.

Effectivement, le gros homme avait un petit sourire accroché en permanence sur le visage, tandis qu'il suivait le jeu des boules sur le tapis vert.

— Il me demanderait de rester encore un peu pour pouvoir jouer, lui avec, confia Lauréanne, que ça me surprendrait pas une miette.

— Il a beau, ma belle ! Moi non plus, j'suis pas pressée de repartir. Comme mon père disait : la soirée est encore jeune…

Curieusement, tout en parlant, la vieille dame regardait un peu partout dans la pièce. Quand elle aperçut mademoiselle Béatrice, elle lui fit signe de la rejoindre.

— On va jouer ensemble, expliqua alors la vieille dame à Lauréanne. Ça donne tout un effet !

Le temps que Béatrice approche, Félicité observa Émile durant quelques instants en esquissant un sourire amusé.

— M'en vas dire comme toi : ton mari a l'air d'être retourné en enfance… Moi avec, c'est un peu de même que je me sens : comme une petite fille. Le temps d'une soirée, j'ai l'impression d'être revenue dans la cuisine de mes parents, pour passer la veillée. Pis à mon âge, c'est un cadeau inestimable que la vie me fait là !

— Si c'est de même que vous voyez ça… Allez, matante, jouez-nous quelque chose.

— Alors, on va y aller d'un rigodon, expliqua Béatrice en se glissant sur le banc, tout à côté de Félicité. C'est la musique préférée de mes parents…

— Ah oui ?

— Ben oui, rétorqua Félicité. Imagine-toi donc, Lauréanne, que c'est de la musique de même que monsieur O'Gallagher avait l'habitude d'entendre dans sa famille. Lui avec, ça le ramène à ses jeunes années, exactement comme moi... C'est fou de voir qu'on vient pas pantoute du même coin du monde, pis qu'on aime la même musique. Que c'est donc plaisant tout ça !

Au bout du compte, les festivités s'étirèrent jusqu'à minuit passé.

— Bonne sainte Anne, j'en peux pus ! lança enfin la tante Félicité en se redressant.

Puis, elle ébaucha une petite grimace de douleur en portant une main à ses reins.

— J'ai le dos en compote, pis mes doigts veulent pus suivre mes envies... Il est où, ton Émile, Lauréanne ?

— Il est là-bas en train de jaser avec monsieur O'Gallagher, fit-elle en pointant le doigt vers l'autre bout du salon. Ils ont l'air en grande conversation, tous les deux !

Puis, baissant le ton, Lauréanne ajouta :

— J'aurais jamais cru que les patrons de madame Éléonore étaient comme ça.

— Comme quoi, ma belle ?

— Ben... Aussi simples que nous autres. Depuis tantôt que je regarde autour de moi, pis je vois personne de mal à l'aise, ici. À part la manière que les gens sont habillés, je pourrais même pas dire qui est qui. Pis mademoiselle Béatrice ! Quelle gentille fille !

— C'est vrai ce que tu dis là. Je comprends, astheure, c'est quoi Éléonore voulait dire quand elle prétendait qu'elle avait de bons patrons. Ces gens-là, même s'ils parlent pas tout à fait comme nous autres pis qu'ils sont habitués de vivre dans l'aisance avec des serviteurs, ils sont pas vraiment compliqués…

Sur ce, Félicité échappa un long bâillement.

— C'est ben beau tout ça, mais je pense que ça va être l'heure de dire bonsoir à tout le monde !

Patrick O'Gallagher tint à reconduire lui-même Émile et Lauréanne jusqu'à la porte de la cuisine.

— Comme je vous l'ai dit tout à l'heure, monsieur Fortin, si mes grands-parents n'avaient pas immigré au Canada, j'aurais peut-être pratiqué le même métier que vous ! En Irlande, j'ai encore un oncle qui possède une *brewery*.

— Et moi, je vous le répète : si ça vous tente, je peux vous organiser une visite chez Molson !

— Je ne dis pas non, cher ami, bien au contraire ! On va laisser l'hiver nous donner un peu de répit, puis je vous ferai signe.

— Avec plaisir…

Émile se retourna vers Lauréanne, qui enroulait un foulard autour de son chapeau pour se protéger les oreilles. Quant à la tante Félicité, elle était emmitouflée jusqu'au nez.

— Pis, les femmes ? Vous êtes prêtes ? Ouais ? Bon ben, à la revoyure, tout le monde, pis un gros merci pour la veillée, madame Éléonore.

— Ce n'est pas moi qu'il faut remercier, vous savez ! C'est monsieur Tremblay qui a eu cette excellente idée... Et c'est monsieur O'Gallagher qui a gentiment proposé de nous laisser utiliser le petit salon !

— Si c'est de même, un gros merci à tout le monde...

Un souffle d'air glacial envahit la cuisine à l'instant où Émile ouvrait la porte aux dames, puis aussitôt après, on entendit leurs pas crisser sur la neige durcie. Le moteur de l'auto d'Émile hésita un peu avant de consentir à démarrer, et lentement, son ronronnement décrut dans la nuit.

— Monsieur Émile avait raison, fit alors Éléonore, en se tournant vers Patrick O'Gallagher. Ce fut une très belle soirée. Merci, monsieur.

— Mais merci à vous, madame Légaré, pour l'excellent repas qui l'a précédée... Et j'ai dans l'idée que nous pourrons renouveler l'expérience.

— Ah oui ?

Éléonore était rose de contentement.

— Ce serait bien agréable ! souligna-t-elle. Je crois que vous allez faire plaisir à bien des gens !

— À commencer par moi, madame Éléonore. Cet Émile Fortin est un homme charmant...

Tout en parlant, Patrick O'Gallagher avait regagné la porte de la cuisine. Mais plutôt que de disparaître dans l'ombre du couloir, il s'arrêta un instant pour demander :

— Et si nous retournions à la maison de campagne, l'été prochain ?

Sur ces mots, il consulta la cuisinière du regard.

— Qu'en pensez-vous, madame Légaré ?

— Inutile de vous dire que j'en serais ravie !

— Et mon épouse aussi, elle me l'a confirmé... Alors, je vais écrire au propriétaire et lui demander si son chalet est toujours disponible. Il me semble que ça serait bien agréable pour tout le monde... Et avec un peu de chance, Marion sera des nôtres !

Éléonore fut heureuse d'entendre que son patron n'avait pas oublié sa jeune protégée.

— Je l'espère, monsieur, avoua-t-elle avec une pointe de ravissement dans la voix. Du fond du cœur, je souhaite que notre Marion soit de retour parmi nous très bientôt.

— Moi aussi, vous savez... Sur ce, je vous souhaite une bonne nuit, madame Légaré.

« L'hiver est peut-être long et difficile, cette année, mais moi, j'ai l'impression que le soleil a recommencé à briller et qu'il va continuer de le faire jusqu'au printemps.

Hier, j'ai reçu une longue lettre de madame Éléonore où elle m'a tout raconté ce qui se passe au manoir. Ça m'a tellement fait plaisir ! Même si j'aurais préféré être là, le soir de leur veillée, j'ai quand même pu imaginer tout le monde en train de prendre du bon temps, dans le petit salon, et j'ai senti un grand sourire se dessiner sur mon visage tandis que je lisais. Avec un peu de chance, si la chose se répète l'hiver prochain, je devrais être là, moi aussi, avec eux. Puis, madame Éléonore a ajouté que monsieur James me faisait dire bonjour. Quand j'ai lu ça, j'ai dû me retenir pour ne pas partir en courant vers le manoir. Depuis l'après-midi où je l'ai aperçu devant la maison des parents, je sais bien qu'il ne m'a pas oubliée, mais qu'en plus il parle de moi avec madame Éléonore, et ça me donne envie de jaser avec eux, moi aussi… On s'entend bien, monsieur James et moi. Mais le plus merveilleux, dans la lettre de madame Éléonore, c'est qu'elle a pensé à ajouter trois pièces de cinq sous collées sur un carton pour qu'en retour, je puisse lui répondre… Mes yeux sont devenus tout embrouillés quand j'ai vu ça. Alors, moi, pour remercier Ludivine de n'avoir rien dit aux parents, cette fois-ci et les deux autres fois où Agnès m'a écrit, je lui ai donné une pièce de monnaie. Même si elle ne m'a pas vraiment remerciée, j'ai quand même vu que ça lui faisait plaisir. Elle est devenue toute rouge, elle a vite caché le cinq sous au fond d'une poche, puis elle m'a fait un tout petit sourire. C'était suffisant pour que je ne regrette pas mon geste.

Ici, c'est la routine habituelle et elle est toujours aussi ennuyeuse. Que dire de plus ? Je n'aurai pas grand-chose à écrire à madame Éléonore, sinon que tout ce que j'ai appris avec elle dans la cuisine du manoir me sert vraiment beaucoup. Presque tous les jours ! Ça m'évite probablement bien des cris et des disputes. Quant à Agnès, parce que j'ai l'intention de lui répondre à elle aussi, je vais lui dire qu'on va avoir l'occasion de se revoir souvent l'été prochain, car madame Éléonore m'a confié que monsieur O'Gallagher a décidé de louer le chalet encore une fois.

C'est comme un rêve même si je suis bien réveillée ! Je veux vraiment retourner au chalet l'été prochain !

Alors, ça va me donner une raison de plus pour trouver les bons arguments face aux parents pour qu'ils me laissent repartir dès la naissance du bébé. Encore un mois et il devrait enfin être là. Je me demande bien si ça va être un garçon ou une fille… Mais en réalité, ça ne changera pas grand-chose pour moi, sinon que je devrais avoir la chance de m'en aller assez vite après sa naissance. Dans le fond, pourquoi pas ? Comme ma mère n'a rien fait du tout depuis l'automne, elle ne devrait pas être trop fatiguée après son accouchement et je me doute un peu qu'elle ne restera pas au lit trop longtemps. Ça doit la démanger de reprendre sa place dans la maison, de marcher, de s'asseoir à la table avec tout le monde ! Avec moi, en tous les cas, c'est ce qui se passerait. Ça doit être tellement long, une journée à ne rien faire du tout !

En fait, il n'y a que Ludivine qui va me manquer quand je vais retourner au manoir. Je ne l'aurais jamais cru ! Pourtant, ça m'agace un peu de savoir qu'elle va se retrouver toute seule avec les parents, à devoir tout faire sans moi... Mais peut-être aussi qu'elle a hâte que je m'en aille pour avoir toute la place à elle. Je ne le sais pas. Elle ne me parle jamais, Ludivine, sauf pour les petites choses de la maison. Ce qu'elle pense ou ce qu'elle ressent vraiment est encore une sorte de mystère pour moi. En attendant de repartir, je vais tenter d'être de plus en plus gentille avec elle et je vais lui montrer à se débrouiller en cuisine. Comme le dit madame Éléonore, si jamais c'était trop dur quand je ne serai plus là, Ludivine aura au moins des beaux souvenirs à se rappeler, et si elle pré-pare de bons repas, elle ne se fera pas crier dessus. Mais pour moi, une chose est certaine : même si je commence à apprécier ma sœur, il n'est pas question que je reste ici à cause d'elle. »

## CHAPITRE 10

*Le dimanche 25 mars 1928,*
*sur le perron du chalet d'Irénée et de Félicité,*
*par un bel avant-midi de printemps*

L'hiver avait enfin consenti à jeter du lest et le soleil, à travers la vitre de la petite fenêtre de sa chambre, lui avait semblé plus chaud, ce matin. C'est pourquoi, avant même le déjeuner, Irénée était sorti pour déblayer le perron, où il avait ensuite installé deux chaises de la cuisine.

— Pour profiter du beau temps, avait-il déclaré en s'asseyant à la table pour déjeuner. Ça sent bon dehors !

Ainsi, une fois la vaisselle terminée, Félicité était montée se chercher un épais chandail en laine bouillie et une couverture, en laine elle aussi, et elle s'était assise face au fleuve.

Irénée avait raison, il faisait vraiment beau, aujourd'hui.

Présentement, le chandail étroitement croisé sur sa poitrine et les jambes bien emmitouflées dans la couverture, la vieille dame admirait les glaces qui descendaient lentement sur le fleuve, que l'on voyait briller comme une rivière de diamants. Heureuse de se sentir enfin libérée du froid glacial des dernières semaines, Félicité prenait de profondes inspirations de cet air encore un peu vif, malgré la tiédeur du soleil. Néanmoins, elle avait l'impression, après ce pénible hiver, de sortir d'une longue période de léthargie.

— Comme les ours, murmura-t-elle en soupirant. Bonne sainte Anne que j'ai trouvé ça dur, cette année ! Encore plus que d'habitude, je dirais ben. Ça doit être l'âge qui me rend plus frileuse.

Cependant, malgré le plaisir réel que Félicité avait à ressentir la chaleur des rayons à travers la laine de son chandail, son visage restait hermétique, presque tourmenté. Et tout cela, à cause d'Agnès qui, hier matin, avant qu'elle parte pour le chalet, lui avait confié entre deux portes qu'elle s'ennuyait de plus en plus de son frère Cyrille.

— Je comprends pas mon frère, matante ! On dirait que le fait de nous avoir vus à l'automne lui a enlevé l'envie d'écrire à Fulbert. C'est lui qui m'a appelée hier, chez mononcle Émile, pour m'en parler. Fulbert se demandait si j'avais des nouvelles parce que lui, à part une carte à Noël, avec juste la signature de Cyrille pis un *Joyeux Noël*, il a pas entendu parler de mon frère depuis l'automne. Je trouve ça quand même étrange, pis ça m'inquiète un peu, moi aussi.

Félicité et Agnès étaient toutes les deux à la porte arrière du magasin, celle qui donne sur le long escalier montant à l'appartement de Jaquelin et Marie-Thérèse.

— C'est vrai que c'est particulier, avait approuvé la tante Félicité à voix basse, tout en se penchant pour ramasser sa petite valise. Me semble que si j'étais à la place de Cyrille, moi, au contraire, ça m'aurait donné le goût de me rapprocher des miens.

— C'est ce que je me dis, moi avec... Pis donnez-moi donc votre valise, matante, c'est trop lourd pour vous.

Prenant d'autorité la poignée du petit bagage de Félicité, Agnès lui avait offert le bras pour que la vieille dame prenne appui sur elle afin de descendre les quelques marches menant à la ruelle. Tout en surveillant où elle mettait les pieds, la vieille dame avait continué d'analyser la situation à voix basse.

— Quand ben même ça serait juste une lettre, comme tu dis, ça calmerait les inquiétudes de ceux qui pensent à lui. Du moins, c'est ce que j'aurais fait, moi, même si j'haïs ben gros écrire.

— En plein ce que je pense... Selon vous, matante, pourquoi il écrit pas, Cyrille ?

— Aucune idée, ma pauvre enfant. Il y a juste lui qui va pouvoir donner des explications, le jour où on va réussir à lui parler... Mais si vous êtes aussi inquiets que ça, toi pis Fulbert, pourquoi vous lui écrivez pas, d'abord ? avait répliqué Félicité du tac au tac. Maintenant que vous avez son adresse pis qu'il sait que…

— Matante ! avait coupé Agnès sur un ton de panique, levant les yeux pour être bien certaine que son oncle Émile ne pouvait pas l'entendre. Je le sais pas pour Fulbert, mais demandez-moi surtout pas ça ! Vous le savez ben que j'suis comme vous, pis que je sais jamais quoi écrire dans mes lettres. Vous demanderez à mon amie Geneviève, pour voir. Au bout du compte, je finis toujours par lui dire les mêmes affaires.

— Ouais, il y a du vrai dans ce que tu dis… On a beau avoir les meilleures intentions du monde, c'est pas ça qui nous donne les mots à écrire, hein, ma belle ? Laisse-moi donc penser à tout ça durant la fin de semaine, pis m'en vas te revenir là-dessus, promis.

Sur ce, Félicité avait pris place à l'avant de l'auto d'Émile, tandis qu'Agnès rejoignait son grand-père sur la banquette arrière, selon cette nouvelle routine que l'oncle et la nièce avaient prise depuis octobre dernier en allant reconduire Irénée et Félicité au chalet tous les samedis matin.

C'était justement à cette conversation que pensait Félicité, tout en se berçant sur le perron, par un bel avant-midi de printemps, un de ceux qui donnent envie de revivre au même rythme que la nature.

Le regard accroché à l'horizon, elle soupesa le problème « Cyrille » jusqu'à ce qu'Irénée revienne de la longue promenade qu'il venait de faire au bord du chemin, car leur terrain était encore recouvert d'une neige plutôt friable qui cédait à chacun de leurs pas, rendant la tournée du terrain impossible pour l'instant.

— Batince qu'il fait beau ! annonça-t-il d'une voix essoufflée, en tournant le coin de la maison. J'ai pas de mots pour dire à quel point j'aime ça, le printemps. À chaque année, je me répète la même affaire, pis je me dis qu'on est ben faites en sacrifice.

— Pourquoi vous dites ça, Irénée ? J'ai de la misère à vous suivre.

— C'est pas compliqué, Félicité… Vous avez pas remarqué, vous, qu'il suffit d'une petite journée de rien du tout avec un soleil un peu plus chaud pour nous faire oublier toute une saison de frette pis de temps gris ?

La vieille dame esquissa une moue.

— C'est vrai, acquiesça-t-elle sur un ton las. J'vas dire comme vous : ça prend pas grand-chose pour nous rendre de bonne humeur.

— Sauf qu'on dirait que c'est pas votre cas ! souligna Irénée, tout en scrutant attentivement le visage de son amie. Vous avez l'air de tout ce qu'on voudra, sauf de bonne humeur.

— Merci ben… On peut vraiment pas dire que c'est la galanterie qui vous étouffe à matin !

À ces mots, Irénée respira bruyamment, tandis qu'il montait le petit escalier.

— J'ai-tu déjà prétendu être galant, maudit batince ? relança-t-il tout en s'asseyant aux côtés de Félicité. Je peux me montrer prévenant, quand l'occasion l'impose, mais être galant, pour moi, c'est être maniéré, pis ça, ça m'énerve !

— Mettons… Mais pour votre information, apprenez qu'en ce moment, j'suis pas pantoute de mauvaise humeur.

— Ah non ?

— Non. C'est juste que je suis en train de réfléchir.

— Eh ben… Pis on peut savoir à quoi vous jonglez tellement fort que ça vous donne une face de croque-mort ?

— À Cyrille !

— Oh !

Irénée en avait perdu son sourire narquois.

— Comment ça, Cyrille ? Me semble qu'on est pas supposés en parler, de celui-là ? On a même pas le droit d'y penser, maudit batince. Pis v'là que…

— Ben vous saurez, Irénée, coupa vivement Félicité, que moi j'y pense, à Cyrille pis Judith. Pis souvent à part de ça.

— Oh ! Cyrille pis Judith… C'est vrai que c'est du sérieux en sacrifice, concéda volontiers le vieil homme.

— Comme vous dites. Astheure, taisez-vous un peu que je puisse continuer à réfléchir.

Ce fut à ce moment que la réflexion de Félicité bifurqua légèrement, alors que, bien involontairement, elle y emmêlait le nom d'Irénée. Elle secoua la tête pour effacer de ses pensées celui qui était étranger à tout ce qui entourait Cyrille, mais rien n'y fit. Félicité s'agita alors sur sa chaise parce que la langue lui démangeait de tout révéler à Irénée. La tentation était très forte. Toutefois, pour la vieille dame, c'était une question d'honneur : jamais elle n'avait manqué à sa parole, et à l'automne, quand Agnès était revenue de Québec, elle avait juré de se taire.

— Promis, je dirai rien à personne, même si je trouve ça un peu bête de la part de Cyrille de manger son pain noir, quand lui pis Judith pourraient venir nous rejoindre et avoir la vie un peu plus facile.

— Matante !

— Crains pas, je le sais, j'ai promis, avait alors ronchonné Félicité. Pis j'vas tenir parole, mais ça m'interdit pas de penser, par exemple !

Cependant, et malgré sa nature foncièrement droite et honnête, Félicité trouvait ce secret-là plus difficile à garder que certains autres, tellement elle était intimement convaincue qu'il fallait faire quelque chose pour aider les deux jeunes, comme elle les surnommait.

Mais que faire pour ne nuire à personne ?

La vieille tante échappa un long soupir qui se perdit dans la brise de ce doux midi de printemps.

Elle détestait cette sensation de tourner en rond, comme un oiseau dans sa cage.

Impulsivement, Félicité jeta alors un regard en coin sur Irénée. Malgré cette vilaine toux qui allait en s'aggravant, il gardait une forme surprenante pour un homme de son âge. « Et malgré son mauvais caractère, il est de bon conseil », pensa alors la vieille dame.

Elle se décida subitement. Évitant le regard d'Irénée, elle se mit à arranger les plis de sa couverture à petits gestes nerveux.

— Bonne sainte Anne ! marmonna-t-elle. M'en vas faire quelque chose que j'ai jamais fait de toute ma vie, pis j'suis pas particulièrement fière de moi d'en être réduite à ça.

Elle tira sur la couverture, la lissa.

— Mais j'ai-tu le choix ? ajouta-t-elle, tant pour son compagnon que pour elle-même.

— De quoi c'est que vous parlez ?

Sans répondre, la vieille dame toussota, se redressa, puis elle tourna la tête vers Irénée. Elle soutint le regard du vieil homme durant un long moment, alors que le sien avait une gravité qui imposait le respect. Sans trop savoir pourquoi, Irénée se redressa lui aussi sur sa chaise.

— Batince, Félicité ! Vous avez l'air d'une âme en peine.

— Un peu oui. En peine pour notre Cyrille… Je peux-tu vous confier quelque chose, Irénée ?

Un secret que j'avais promis de garder, mais qui est en train de me gruger par en dedans.

— C'est sûr que si vous avez besoin de parler, j'suis là.

— Ça je le sais, mais faut quand même que vous me promettiez que vous allez toute garder pour vous.

— Maudit sacrifice, Félicité ! Vous êtes quasiment insultante. C'est sûr que je dirai rien. Me semble que vous me connaissez mieux que ça.

— C'est vrai… Je m'excuse. Dans ce cas-là…

D'une traite, Félicité raconta le voyage à Québec qu'Agnès avait entrepris à l'automne sous prétexte qu'elle allait prier la bonne sainte Anne au nom de sa tante pour trouver une solution au problème de Marion et de madame Éléonore.

— Ça, je m'en rappelle très bien, opina Irénée, parce que ça m'inquiétait ben gros de la voir partir toute seule de même. J'ai même failli en parler à Jaquelin pis à Lauréanne ! Finalement, je me suis dit que ça me regardait pas, pis je me suis fermé la trappe… J'aurais-tu mieux fait de parler ?

— Peut-être ben, oui… On le saura jamais. Mais le problème était pas là, rapport que notre Agnès était pas toute seule. C'est pour ça que moi, j'étais pas inquiète pour elle, vu qu'elle était accompagnée par Fulbert.

— Ah oui ? Eh ben ! Si j'avais su, je m'en serais pas faite autant. Je l'aime ben, moi, ce garçon-là !

— Moi avec…

— Comme ça, Agnès pis Fulbert sont partis ensemble pour Québec ? Sans chaperon ?

— Ben oui, sans chaperon ! Que c'est vous voulez que je dise de plus ? L'inquiétude pour Cyrille l'a emporté sur la prudence, faut croire. Pis au bout du compte, on a ben faite. Mais toujours est-il qu'ils allaient pas pantoute à la basilique de Sainte-Anne-de-Beaupré pour prier à ma place, c'est à Québec qu'ils sont allés pour essayer de retrouver Cyrille.

— La prière à sainte Anne, c'est ben vrai… Comme ça, c'était juste une menterie ? Tu parles d'une affaire ! Pis, Félicité ? Que c'est qui s'est passé durant leur voyage à Québec ?

La vieille tante parla alors de leur rencontre avec Cyrille et Judith ; de la naissance d'une belle petite fille en parfaite santé qu'ils avaient appelée Albertine ; et de la promesse qu'Agnès avait faite à son frère de ne jamais dévoiler à qui que ce soit qu'ils habitaient désormais la ville de Québec.

— Sauf à moi, ben entendu, mais ça, Cyrille avait pas besoin de le savoir à ce moment-là… C'est là que j'en suis, Irénée, pis j'ai l'impression de tourner en rond. Selon Agnès, Cyrille pis Judith, même s'ils s'aiment ben gros, même si Cyrille s'est trouvé de l'ouvrage dans une cordonnerie mécanique…

— Comme ça, Cyrille serait devenu cordonnier ? interrompit Irénée avec une indéniable fierté dans la voix.

— On dirait ben, oui. Mais ça change rien au fait qu'ils en mènent pas large, Judith pis lui, pis je trouve ça ben dommage.

— Ouais… Je peux vous comprendre. À l'âge qu'ils ont, la vie doit pas être tellement facile pis…

— Pas facile, vous dites ? Ils sont même pas mariés, pis ils vivent à trois dans une chambre louée.

— Mariés, pas mariés, je m'en fiche un peu. C'est la vie qui a voulu ça de même. Mais vivre à trois dans une seule chambre, je trouve que ça a pas d'allure ! Maudit batince ! J'aurais jamais été capable de vivre comme ça avec ma Thérèse. Pis c'est pas parce qu'on s'aimaient pas, nos deux ! J'ai pour mon dire que dans la vie, c'est pas une obligation d'être malheureux… D'un autre côté, si c'est ça qu'ils veulent, les deux jeunes, que c'est qu'on peut faire contre ?

— Ben voyons donc, Irénée ! J'ai jamais eu l'intention de faire quoi que ce soit contre eux autres ou contre leur volonté. Que c'est ça, ces idées-là ? Faites-moi pas regretter de vous avoir parlé, vous là !

— J'ai jamais dit ça ! C'est vous qui déformez toute ce que je dis, en me prêtant des intentions malveillantes. Sacrifice, Félicité ! J'ai jamais pensé aller contre nos deux jeunes. J'ai juste mentionné qu'il faudrait rien faire contre leur bon vouloir.

— Mettons que j'ai mal compris… Mais il en reste pas moins qu'avec la famille qu'ils ont, ici, à Montréal ou ben à Sainte-Adèle-de-la-Merci, on peut certainement les aider d'une manière ou ben d'une autre.

— Vu dans ce sens-là, j'vas dire comme vous : c'est ben tentant. Surtout qu'il y a un bébé dans tout ça.

Cette dernière précision fit sourciller Félicité.

— Un bébé ? répéta-t-elle. Depuis quand tenez-vous compte des bébés, vous là ? Me semble qu'à vous entendre, ça braille tout le temps pis c'est ben achalant ? Rappelez-vous la naissance des jumeaux !

— Ça a rien à voir… À ce moment-là, le problème était pas mal plus gros que la naissance des bessons… Mais pour en revenir à notre discussion, c'est vrai que pour moi, avant trois ou quatre ans, j'ai jamais trouvé que les enfants étaient ben ben intéressants…

— Me semblait aussi !

— N'empêche que cette petite-là, c'est une Lafrance, comme moi, pis c'est là que je vois toute la différence. Pis en sacrifice, à part de ça !

Félicité fut franchement surprise par ces quelques mots. « Irénée, pensa-t-elle alors bizarrement, il est comme un oignon : à chaque pelure qu'on enlève, il y en a une autre, encore plus fine. »

Émue, la vieille dame esquissa un sourire.

— Ben contente de vous entendre parler de même, prononça-t-elle enfin sur un ton plutôt doux. Pis, Irénée, à votre avis, que c'est qu'on pourrait faire pour les aider ?

Le geste fut machinal et Irénée porta la main à la poche de sa veste pour prendre son paquet de cigarettes. Un simple regard de Félicité, impatient et sévère, puis il laissa retomber sa main sur sa cuisse.

Néanmoins, il soupira pour laisser voir son mécontentement avant de proposer :

— Pis si on leur parlait, à nos jeunes ?

— Ben voyons donc ! Ça a comme pas d'allure ce que vous suggérez là ! Pour leur parler, il faudrait commencer par leur avouer que le secret...

— Voulez-vous ben me laisser finir, batince ! fulmina Irénée. Sinon, m'en vas perdre le fil de ma pensée, pis ça va me mettre en beau fusil !

— Ça, je le sais... Pis j'ai surtout pas besoin de votre mauvais caractère, à matin... Allez-y, je dirai pus un mot.

— Si c'est de même, je me répète : si on leur parlait, aux jeunes ? Ils devraient comprendre le bon sens, non ? C'est quand même pas deux imbéciles.

— Loin de là, ne put s'empêcher de préciser Félicité, avec une pensée affectueuse pour son petit-neveu. Cyrille, c'est quelqu'un de bien.

— C'est ben ce que je pensais. Remarquez que je l'ai pas côtoyé tellement parce que j'étais déjà rendu à Montréal qu'il était encore un gamin en culottes courtes. Pis quand j'suis retourné pour aider Jaquelin, à la naissance des jumeaux, Cyrille partait pour son collège. N'empêche que toute ce que j'ai entendu dire de lui me laisse supposer qu'il a une tête sur les épaules, pis qu'il sait s'en servir, même s'il est parti en sauvage sans avertir personne...

— Pour être un bon gars, je peux vous confirmer que Cyrille en est tout un, nota Félicité, pour une seconde fois, question de faire comprendre hors de tout doute qu'elle ne lui en voulait nullement de s'être enfui avec Judith. Une fois qu'on a dit ça, j'vas faire comme vous, pis j'vas me répéter, Irénée : comment c'est qu'on pourrait lui parler sans trahir notre secret ? Oubliez pas que j'étais pas supposée vous en parler, moi là ! C'est ce que j'avais promis à Agnès… Je suis même pas censée savoir ce qui se passe à Québec, bonne sainte Anne !

— Pis ça ? Au point où en est la situation, pis en tenant compte du principe qu'on fait rien pour leur nuire, ils peuvent toujours ben pas nous reprocher de se tracasser pour eux autres, maudit batince !

— Tant qu'à ça, vous avez pas tort… De toute façon, va ben falloir que quelqu'un finisse par se décider. Là-dessus, je suis d'accord avec vous.

— Ça fait que, pour ben faire, vous pis moi, on devrait partir pour Québec ! C'est encore la meilleure façon qu'il y aurait pour leur parler !

Cette proposition inattendue apparut amplement saugrenue aux yeux de Félicité pour la faire sortir de ses gonds.

— Ben voyons donc ! J'ai-tu ben compris, moi là ? Êtes-vous en train de revirer fou, Irénée ?

— Pantoute, sacrifice !

— Parce que vous trouvez ça sensé, vous, de partir en voyage loin de même, rendus à nos âges ?

— Que c'est qu'il a, notre âge ? À part mon toussage qui arrête pas, on est quand même en bonne santé, vous pis moi. On a toute notre tête, pis nos jambes sont encore capables de nous soutenir pour un boutte. On a juste à voir les longues marches qu'on prend sur le bord de la plage pour le comprendre… Que c'est que vous voulez de plus ?

— Ouais…

— Comment ouais ? C'est-tu toute ce que vous avez de bon à me répondre, vous là ?

— Je le sais pas trop…

Malgré les meilleures intentions qui soient, devant cette valse-hésitation, Irénée sentit la moutarde lui monter au nez. Félicité voulait-elle une solution, oui ou non ?

— Ben va falloir que vous sachiez ce que vous voulez parce que moi, je peux pas faire plus que ça.

— Ce que je veux, c'est aider Cyrille pis Judith.

— Pourquoi hésiter, d'abord ? C'est peut-être juste ça qu'ils attendent, les jeunes, de voir quelqu'un ressoudre pour leur tendre la main. Sauf qu'ils en ont pas encore pris conscience !

Ce fut cette dernière phrase qui réveilla Félicité de cette sorte d'hébétude dans laquelle la proposition d'Irénée l'avait plongée, tant un voyage vers Québec lui avait paru irréalisable. Elle se tourna vivement vers son vieil ami.

— Vous avez raison, Irénée ! On peut toujours ben pas rester là les bras croisés jusqu'à la fin des temps, tout en sachant qu'ils sont dans la misère. De toute façon, on perd rien à essayer, lança-t-elle enfin.

Au diable les promesses qui mènent nulle part, on s'en va à Québec ensemble ! On verra ben ce que ça va donner…

— Bon enfin ! Là, je vous reconnais.

Irénée était tout souriant sous sa moustache. Félicité, elle, continuait de froncer les sourcils.

— C'est ben beau tout ça, mais que c'est qu'on va donner comme excuse au reste de la famille, ici, à Montréal ? demanda-t-elle, perplexe.

À ces mots, Irénée haussa les épaules avec désinvolture.

— Le même prétexte que celui que vous avez trouvé pour dire que mon idée avait pas d'allure !

— Bonne sainte Anne, Irénée ! Il y aurait-tu moyen d'être juste un tout petit peu plus clair ?

— Nos âges, Félicité ! lança le vieil homme, tout guilleret. On a juste à dire qu'à notre âge, justement, si on veut voir Québec, il serait temps d'y penser, sinon on risque de passer notre tour… Vous avez jamais eu envie de voir Québec, vous ?

— C'est ben certain que j'y ai souvent pensé. Paraîtrait-il que c'est une ben belle ville !

— Bon ! Pourquoi chercher plus loin, maudit batince ?

— Ouais…

Le temps d'une dernière réflexion, puis Félicité se permit un petit sourire à son tour.

— Pis en cas d'ostination, ajouta-t-elle à l'intention d'Irénée, j'aurai juste à parler de la bonne sainte Anne !

Le vieil homme fronça les sourcils.

— Ben là, c'est moi qui comprends pus rien. Que c'est que votre sainte Anne vient faire là-dedans ?

— C'est simple ! Vu que l'intervention d'Agnès a rien donné rapport que Marion est toujours pas revenue au manoir avec madame Éléonore, je dirai que j'ai décidé d'aller moi-même la prier, direct dans son église !

Ce fut ainsi que deux semaines plus tard, par un beau samedi matin, Irénée et Félicité prenaient le train à la gare Hochelaga, en direction de Québec, sous les regards inquiets de Marie-Thérèse et Lauréanne. Émile, pour sa part, trouvait l'idée excellente et il tentait de rassurer les deux femmes.

— Arrêtez donc de vous en faire de même. Le beau-père pis matante sont pas des enfants, nom d'une pipe ! En plus, ils sont tous les deux plutôt débrouillards.

— C'est vrai… Mais quand même, à leur âge, c'est une drôle d'idée qu'ils ont eue de partir loin comme ça !

Émile leva les yeux au ciel, tandis que la locomotive se mettait en branle, crachant un panache de fumée noire.

— Ben si c'est de même, continuez de vous faire du sang de punaise pour eux autres, si vous le voulez, mais moi, je retourne à la maison en espérant qu'ils vont avoir un ben beau voyage à nous raconter demain quand ils vont revenir. Ils s'en vont pas au bout du monde, bateau d'un nom ! Ils partent pour Québec pis Sainte-Anne-de-Beaupré !

Pendant ce temps, à bord du train, Félicité se sentait très bien. Maintenant que les dés étaient lancés, plus rien ne pourrait l'arrêter. Seule Agnès connaissait le but réel de ce voyage et elle approuvait leur démarche sans la moindre réticence.

— Enfin, on va faire quelque chose pour Cyrille pis Judith ! Il était temps, pis je pense que Fulbert aussi va être content. J'vas dire comme vous, matante : tant pis pour le secret.

Après tout, ils ne voulaient que le bien de Cyrille et Judith, n'est-ce pas ? Et celui de la petite Albertine, bien entendu !

Comme une enfant, la vieille dame resta le nez à la fenêtre tout au long du trajet les menant tout d'abord à Trois-Rivières, tandis qu'à côté d'elle, Irénée était songeur, se demandant ce qu'il allait bien pouvoir dire à ce petit-fils qu'il connaissait à peine.

Puis, une fois Trois-Rivières derrière eux, le vieil homme prit conscience de la chaleur de l'épaule de Félicité contre la sienne, et il se dit que, pour l'instant, sa seule obligation était de voir au confort et à la sécurité de sa compagne de voyage. Il respecta donc son silence.

Un peu plus loin, l'ancien cordonnier reconnut la gare de Sainte-Anne-de-la-Pérade et il pensa que c'était la première fois qu'il irait plus loin. Alors, tournant la tête, il se concentra à son tour sur ce paysage qu'il n'avait jamais vu.

Quant à Cyrille, Irénée ne le connaissait pas suffisamment pour bien se préparer à le rencontrer. Il verrait une fois sur place.

Arrivé à la gare, Irénée s'occupa donc de leurs légers bagages, puis il se chargea de leur trouver un taxi. La vieille dame, quant à elle, n'avait pas assez de ses deux yeux pour tout observer.

— Mais c'est ben beau ! Avez-vous vu, Irénée ? Même la gare de train a l'air d'un château !

Irénée tourna machinalement la tête et se contenta de hocher la tête en guise de réponse. Pour l'instant, il n'avait pas l'esprit à apprécier l'architecture de quoi que ce soit.

— Si vous y voyez pas d'inconvénient, Félicité, suggéra-t-il sur le ton qu'il aurait pu utiliser pour donner un ordre, on commence par Cyrille, pis on visitera la ville après.

— Comme vous voulez, Irénée. C'est vrai que c'est une bonne idée.

Quand Irénée frappa à la porte de la maison de chambres où habitaient Cyrille et Judith, il ne savait toujours pas ce qu'il allait lui dire.

Allait-il même reconnaître son petit-fils ?

Encore une fois, les mots furent inutiles.

Ce fut Cyrille lui-même qui vint leur ouvrir, car en échange du droit d'utiliser la cuisine au besoin, les deux jeunes parents s'étaient engagés à accueillir tous les visiteurs qui se présenteraient à la porte.

Il suffit d'un regard pour que Cyrille reconnaisse la tante Félicité et son grand-père. Il eut alors le réflexe de refermer vivement le battant, à cause de Judith, qui risquait d'imaginer encore que c'était lui qui les avait fait venir. Pourtant, il n'avait rien dit, rien envoyé, parce qu'il avait promis à la jeune femme que plus jamais il n'entreprendrait la moindre démarche en ce sens sans lui en parler au préalable. Judith n'était toujours pas prête à revoir ses parents, même si elle s'ennuyait beaucoup, et Cyrille s'était promis de respecter sa volonté, d'autant plus qu'elle attendait un second enfant. En ce moment, il la sentait particulièrement vulnérable et fermée à toute discussion. Cyrille se disait que Judith finirait bien par comprendre par elle-même qu'avec un autre bébé, ils n'y arriveraient tout simplement pas sans l'aide de leur famille.

Cependant, si Cyrille eut le réflexe de claquer la porte, Irénée, lui, eut celui de glisser son pied sur le seuil.

Ils restèrent ainsi sans dire un mot durant quelques instants, puis la volonté de Cyrille s'effondra. Tendant les bras, il prit la tante Félicité tout contre lui et se mit à pleurer.

Irénée détourna les yeux, mal à l'aise. Il respira un bon coup, le temps de reprendre sur lui, puis, quand il se sentit capable de parler sans chevroter, il mit une main sur l'épaule de Cyrille.

— Crains pas, mon garçon, on vient pas en délégation au nom des parents, tint-il à préciser. Ils savent même pas qu'on est ici…

— En réalité, intervint Félicité, il y a ben juste Agnès pis Fulbert qui sont au courant qu'on est venus vous voir.

— Pis nos deux, Félicité pis moi, on veut juste vous aider, renchérit Irénée. Un peu comme les deux autres l'ont faite à l'automne dernier…

En quelques mots à peine, Irénée avait déclaré tout connaître de leur situation et Cyrille comprit aussitôt qu'il ne leur en voulait pas.

Qui donc était son grand-père finalement ?

Reniflant bruyamment, Cyrille s'essuya le visage en reculant d'un pas, toujours sans parler, tandis qu'Irénée jetait un coup d'œil inquiet dans la rue.

— Astheure que tu sais toute, mon garçon, on peut-tu entrer ? demanda-t-il enfin, pressé d'en finir avec cet étalage d'émotions. J'haïs ça en sacrifice me donner en spectacle.

En ce moment, Cyrille n'avait que le nom de Judith en tête. Pourtant, il acquiesça d'un petit signe affirmatif et il ouvrit tout grand la porte.

— Rentrez, grand-père, fit-il d'une voix mal assurée. Pis vous aussi, matante… On va aller s'installer dans le boudoir.

— Bonne idée, mon garçon !

Ils n'eurent que quelques pas à franchir pour traverser le couloir, et Cyrille ouvrit une seconde porte en bois verni sur une petite pièce qui sentait le renfermé.

Encore une fois, ce fut Irénée qui prit les choses en mains. Déposant aussitôt les deux petites valises sur le plancher, il se dirigea vers le premier fauteuil venu.

— Astheure, Cyrille, Félicité pis moi, on va s'assire, on l'a ben mérité. Ça fait un boutte qu'on est partis de chez nous. Pendant ce temps-là, toi, tu vas aller chercher Judith pis la petite. Je pense qu'il est grand temps d'avoir une bonne discussion ensemble.

Encore une fois, le jeune homme approuva d'un hochement de la tête.

— Je reviens, grand-père.

Cyrille fit quelques pas, hésita, puis il se tourna vers Irénée et Félicité qui avaient pris place côte à côte.

— Je suis heureux de vous voir… Ça me surprend que vous soyez là ensemble, mais bon… On en parlera plus tard. Par contre, je tiens à vous prévenir. Judith risque de pas avoir une ben belle façon.

Tandis que Cyrille parlait, il promena les yeux de son grand-père à la tante Félicité avec une excuse au fond du regard.

— Je vous demande juste d'essayer de la comprendre ! Judith a tellement peur de ce que le monde de par chez nous pourrait dire.

— Le monde, Cyrille, on s'en balance !

Irénée avait retrouvé sa voix habituelle, incisive et un peu froide.

— J'ai pour mon dire qu'en autant qu'on reste honnêtes, pis qu'on fait de son mieux, c'est toute ce qui compte. C'est de même que j'ai mené ma vie, pis batince, ça m'a pas trop mal réussi. Je dis pas que j'ai été parfait, je dis juste que je m'en suis sorti sans trop d'égratignures… Astheure, mon homme, va nous chercher Judith.

— Tu pourras lui dire que j'ai ben hâte de la voir, s'empressa d'ajouter Félicité, un peu fébrile. Ça va peut-être aider Judith à se dégêner… Oh oui ! Oubliez pas la petite Albertine ! Elle avec, j'ai ben hâte de la voir, la belle enfant.

Sur ces mots, Cyrille quitta la pièce tandis que, bien involontairement, ses lèvres s'étiraient en un petit sourire.

Au bout du compte, ses prières avaient été exaucées. Cependant, jamais il n'aurait pu imaginer que l'aide viendrait de son grand-père Lafrance et de la tante Félicité réunis, mais était-ce bien important ?

C'est en remerciant le Ciel que Cyrille entra dans leur chambre, après avoir pris une longue inspiration.

— Judith ?

La jeune femme leva les yeux. Assise dans un fauteuil qui occupait tout le coin de la pièce, coincé entre le lit et le berceau, la jeune mère était en train de jouer avec la petite Albertine.

— Qu'est-ce que t'as, Cyrille ? T'as ben un drôle d'air, tout d'un coup.

Ce dernier hésita.

— Je te demande juste de garder l'esprit ouvert, exhorta-t-il.

— Ben voyons donc ? Qu'est-ce qui se passe encore ? demanda Judith d'une voix inquiète.

— On a de la visite… Pis je veux que tu saches que j'y suis pour rien, cette fois-ci… Je le jure sur la tête de notre fille.

Et comme Judith ne demandait rien, se contentant de serrer la petite tout contre elle, Cyrille ajouta :

— Devine un peu qui c'est qui est là pour nous voir !

*À suivre*

## Histoires de femmes
### TOME 3

# *Marion*
## une femme de principe

Comme le temps passe vite. Je dirais même que plus on vieillit et plus les jours défilent à toute allure. C'en est presque machiavélique, car voyez-vous, rendu à mon âge, on voudrait plutôt le retenir, ce temps si précieux, et on n'y arrive pas !

Voilà, c'était ma pensée philosophique du matin !

En ce moment, je m'apprête à commencer le tome trois de cette série. Vous rendez-vous compte ? Déjà le troisième livre, alors que c'était hier que j'apprenais à connaître madame Éléonore, Marion, James, et voilà que je dois me faire à l'idée que je vais tous les quitter bientôt…

Il s'en est passé des choses dans leur vie à tous en quelques années ! Oh ! Je vous entends d'ici, argumentant que je me trompe, car en fin de compte, il n'y a pas eu de grands événements, du moins de ceux qui font la manchette, et je vous l'accorde ! Pas de feu qui détruit tout, pas de mortalité qui déchire le cœur, pas d'accident qui change le cours d'une vie… Non, c'est plutôt le quotidien qui a été chargé en émotions, en déceptions, en petites joies, en découvertes. De soi comme de l'autre. Tout comme dans ma propre vie, d'ailleurs, ou dans la vôtre, j'en suis certaine ! Qui peut se vanter d'avancer dans l'existence en sautant d'un billet de loterie gagnant à une succession de voyages à travers le monde ; d'une maison neuve chaque année à une garde-robe griffée ? Personne, n'est-ce pas ? Ou si peu !

Toutefois, recevoir un piano en cadeau alors qu'on ne s'y attend pas du tout et qu'on est musicienne dans l'âme, ça devient tout un événement… Et être obligée de quitter une femme que l'on aime comme une mère et auprès de qui on apprend la vie, ça devient un véritable déchirement du cœur. Voilà les événements qui me font vibrer.

Dans ce dernier tome de la série, nous allons faire un petit saut dans le temps. Tout près d'un an, en fait, pour que Marion et Agnès aient quand même un peu vieilli. Après tout, ce sont elles les femmes en devenir, les femmes de l'avenir, et j'aimerais bien savoir comment elles vont s'y prendre pour définir leur destinée en ces années de crise où l'existence au quotidien a été difficile pour plusieurs.

La compagnie de Patrick O'Gallagher survivra-t-elle à ce krach financier qui a vu bien des fleurons de l'économie disparaître ? Car c'est bien vers là que nous nous dirigeons : la grande crise de 1929…

Le jeu des classes sociales cessera-t-il d'exister, du moins comme on le connaissait jusqu'à maintenant ?

Madame Éléonore, monsieur Tremblay et tous les autres conserveront-ils leur emploi ? Et le grand Tonin ? Pourra-t-il continuer à travailler, alors qu'il avait l'habitude de compter sur des gens qui n'auront peut-être plus les moyens de l'engager ? Dans le cas contraire, qui verra à nourrir sa famille ? Chez les Couturier, l'avenir n'est qu'une notion un peu abstraite, car le quotidien si incertain se suffit à lui-même !

Et que deviendront Ovide et Cyrille dans ces villes où les emplois se font de plus en plus rares ? Fulbert saura-t-il aider son ami, aujourd'hui père de deux petites filles ? En écrivant ces derniers mots, je sens les coins de ma bouche s'étirer en un sourire. J'ai le pressentiment que Fulbert va tout tenter pour aider Cyrille, ne serait-ce que pour s'attirer les faveurs de la belle Agnès par ricochet.

Comme vous le voyez, l'avenir n'est pas nécessairement rose pour tous ces gens que j'ai appris à aimer, au fil des derniers mois, mais rien n'est perdu. La vie continue, n'est-ce pas ? Avec ses hauts et ses bas, comme le dirait sans doute la tante Félicité.

Je vais donc vous laisser ici afin de rejoindre madame Éléonore dans sa cuisine. Après tout, c'est elle qui aime le mieux notre gentille Marion à qui je dédie le dernier tome de cette courte série. S'il y a quelqu'un sur cette terre capable de soutenir la jeune fille, envers et contre tout, c'est bien la cuisinière du manoir !

Mais auparavant, nous allons jeter un coup d'œil sur ce qui s'est passé chez les Couturier au printemps 1928, alors que la grande Josette donnait enfin naissance à son bébé.

Bonne lecture à tous !